Beim ersten Schärenlicht

Viveca Sten

Beim ersten Schärenlicht

Ein Fall für Thomas Andreasson

Roman

Aus dem Schwedischen
von Dagmar Lendt

Kiepenheuer & Witsch

Verlag Kiepenheuer & Witsch, FSC®-N001512

3. Auflage 2014

Titel der Originalausgabe: *I stundens hetta*

First published by Forum Bokförlag, Sweden
Published by arrangement with Nordin Agency, Sweden.
Aus dem Schwedischen von Dagmar Lendt

Umschlaggestaltung: Rudolf Linn, Köln
Umschlagmotiv: © Joern Simensen/Robert Harding World Imagery/Corbis
Autorenfoto: © Anna-Lena Ahlström
Gesetzt aus der Minion und der Gill Sans
Satz: Felder KölnBerlin
Druck und Bindearbeiten: CPI books GmbH, Leck
ISBN 978-3-462-04601-4

Für meine geliebte Tochter Camilla

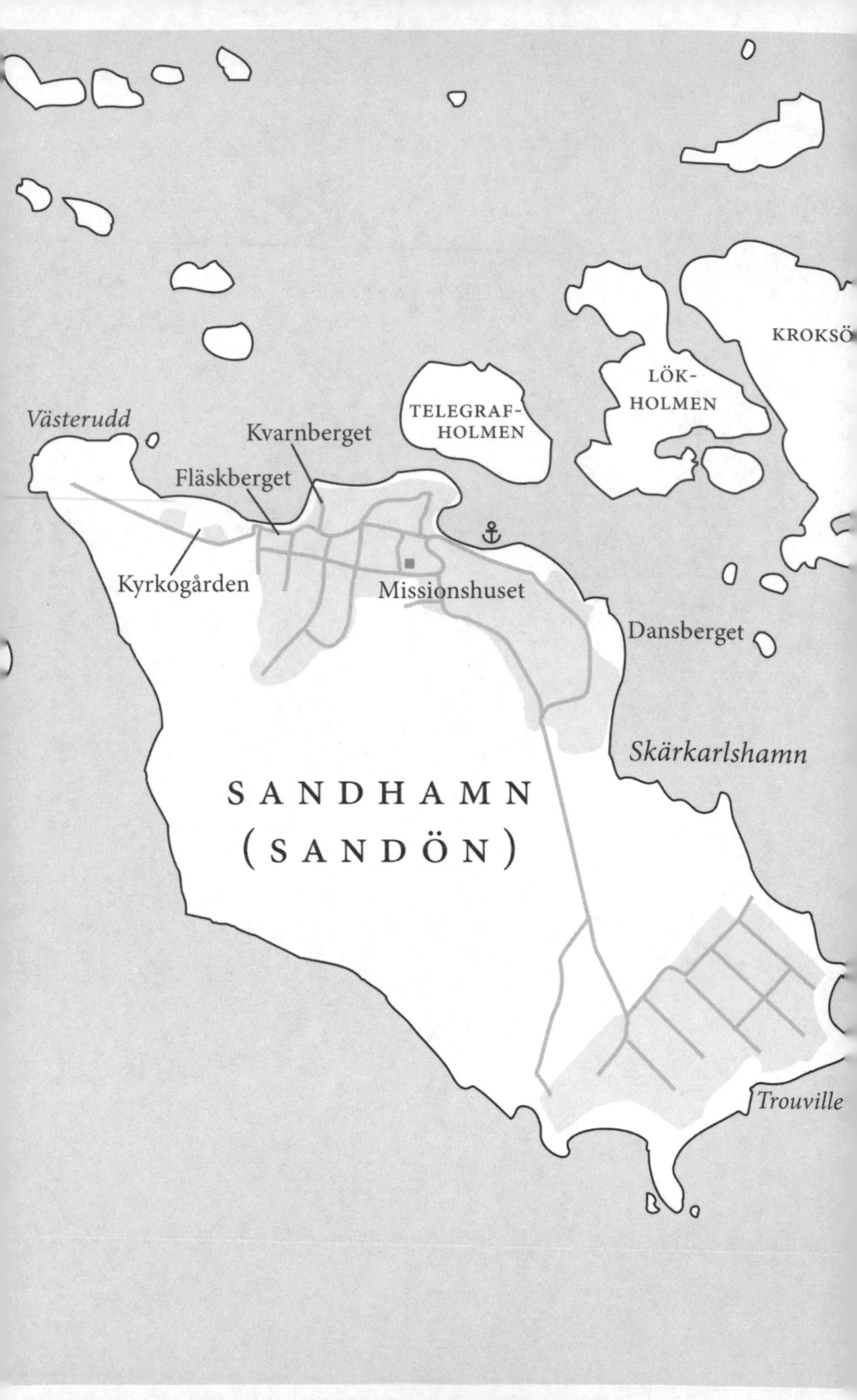
KROKSÖ
LÖK-
HOLMEN
TELEGRAF-
HOLMEN
Västerudd
Kvarnberget
Fläskberget
Kyrkogården
Missionshuset
Dansberget
Skärkarlshamn
SANDHAMN
(SANDÖN)
Trouville

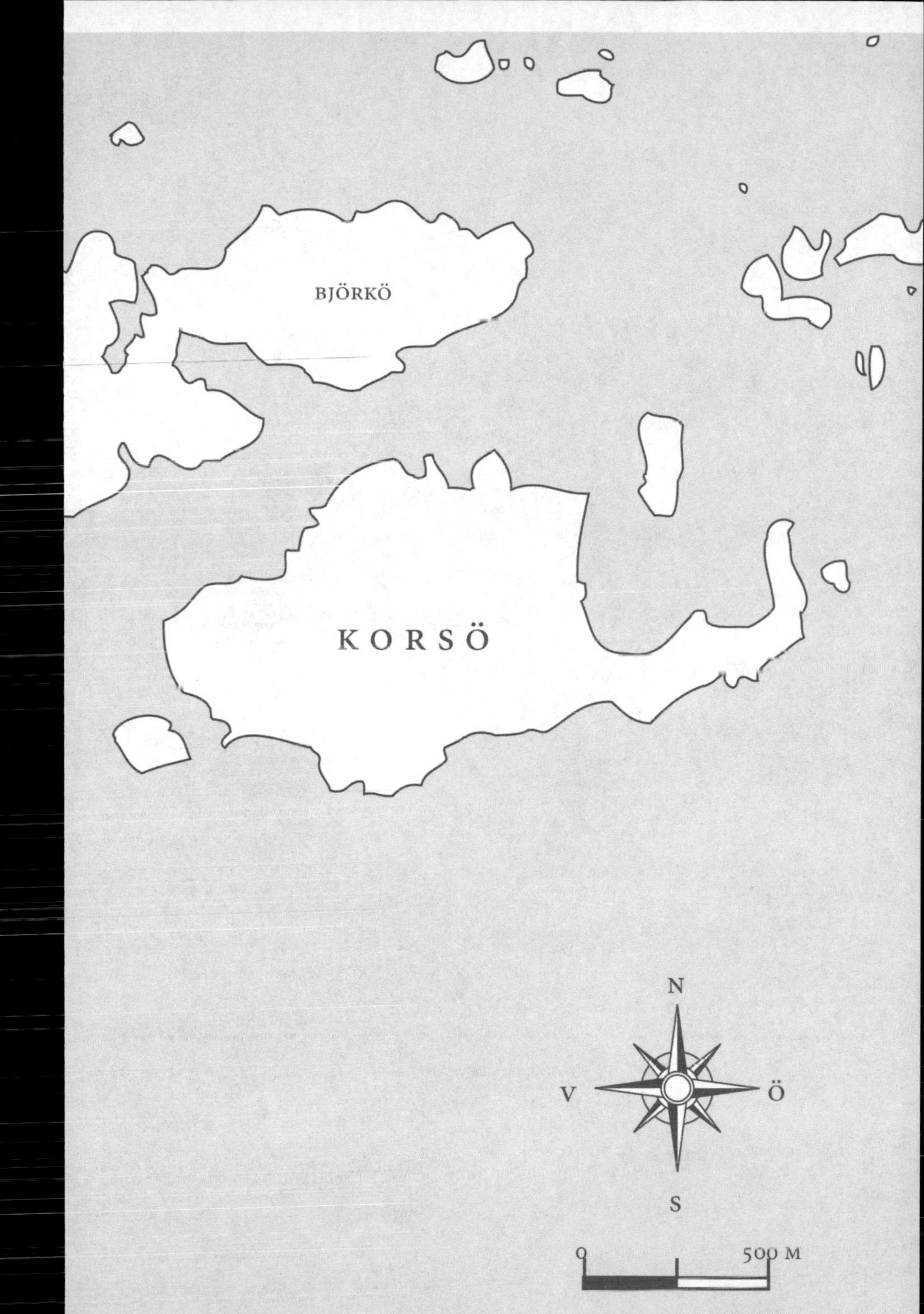

BJÖRKÖ
KORSÖ
N
V
Ö
S
0
500 M

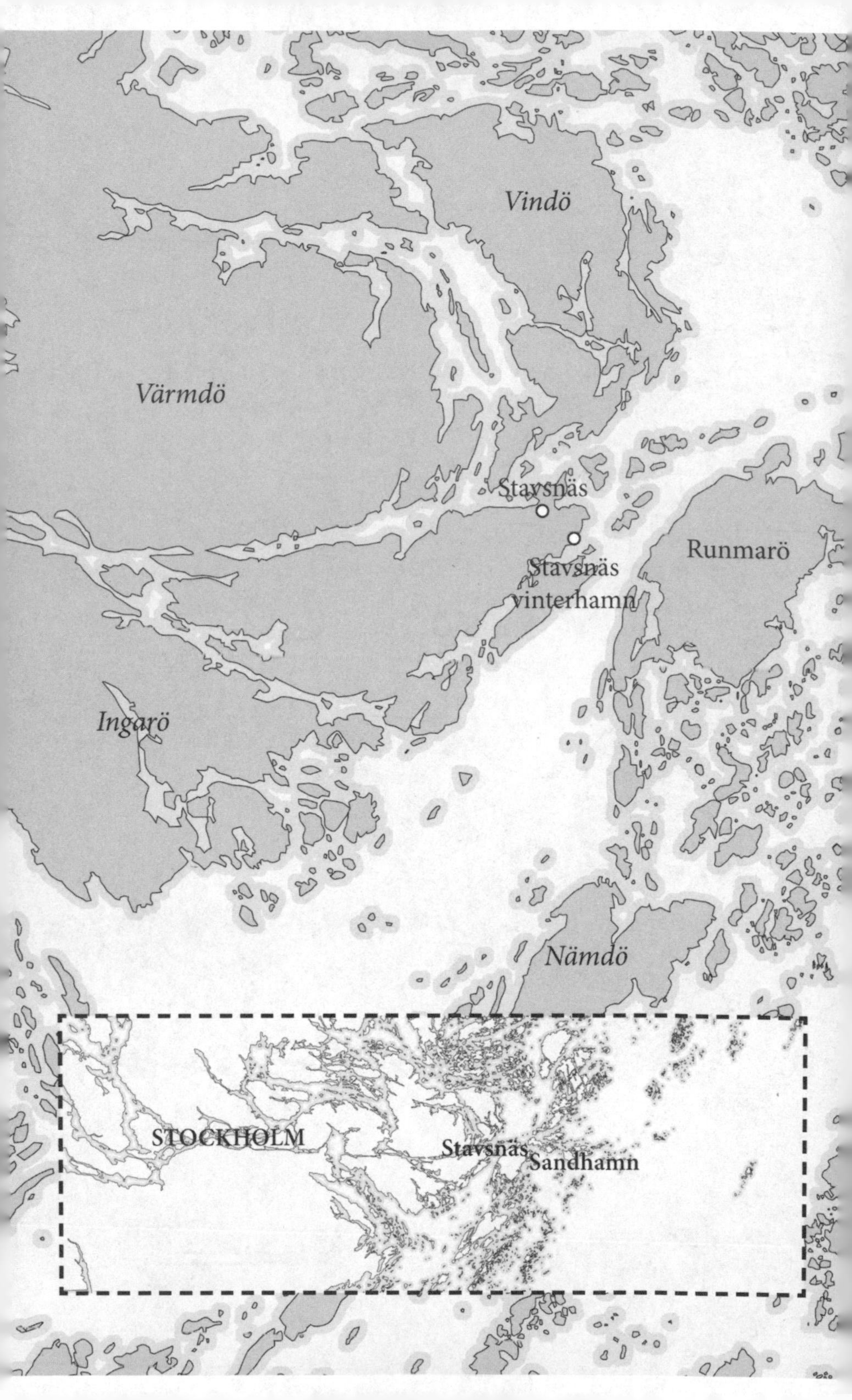
Vindö
Värmdö
Stavsnäs
Stavsnäs vinterhamn
Runmarö
Ingarö
Nämdö
STOCKHOLM
Stavsnäs
Sandhamn

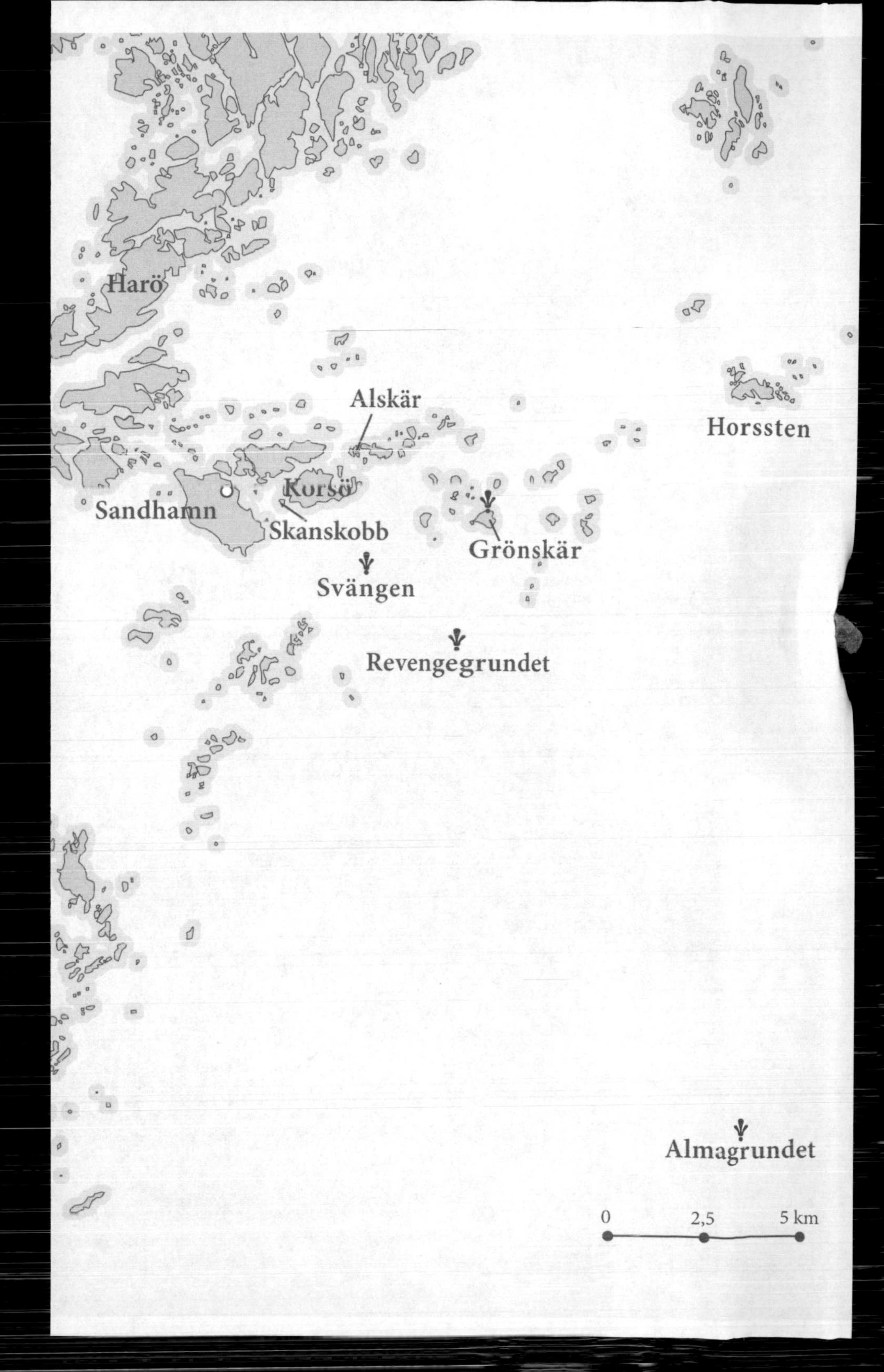
Harö
Alskär
Horssten
Sandhamn
Korsö
Skanskobb
Grönskär
Svängen
Revengegrundet
Almagrundet
0
2,5
5 km

Ein Meer von weißen Schiffsrümpfen erfüllte den Hafen. Überall auf den Booten wurde gefeiert. Auf den Kaianlagen und den Landungsbrücken wimmelte es an diesem warmen Sommerabend von betrunkenen Jugendlichen. Aber das Mädchen, das durch die Menschenmassen vorwärts stolperte, zitterte vor Kälte.

Überall waren Leute, doch niemand darunter, den sie kannte. Alle redeten und lachten mit schrillen Stimmen. Die Geräusche taten ihr weh, und sie hielt sich die Ohren zu, um sich vor dem Lärm zu schützen.

Verzweifelt blinzelte sie in die Abendsonne, während sie nach einem bekannten Gesicht Ausschau hielt.

Eine Gruppe Teenager grillte an einem Lagerfeuer im Sand, trotz der Verbotsschilder. Ein Stück entfernt standen mehrere Polizisten in gelben Westen, weitere trafen mit einem roten Quad ein, das an der Ecke des Seglerrestaurants anhielt.

Das Mädchen auf dem Kai bemerkte sie nicht. Ihre blonden Haare waren zerzaust, die Augen starr und weit aufgerissen. Sie hinkte leicht, an einem Fuß fehlte der Schuh.

Jemand rempelte sie an, und sie taumelte gegen einen Abfallkorb.

Ihr Blick irrte ziellos umher. Sie schluchzte auf und hielt sich an einem Hydranten fest. Aber niemand nahm Notiz von ihr, das Stimmengewirr um sie herum wogte auf und ab, die laute Musik übertönte das Wimmern, das aus ihrer Kehle kroch.

»Muss das Boot finden«, weinte sie.

Wieder wurde sie angerempelt, und diesmal fiel sie auf die sonnenwarmen Holzplanken. Erschöpft blieb sie sitzen, unfähig, wieder aufzustehen. Tränenstreifen zogen sich über ihre schmutzigen Wangen, und sie murmelte etwas, das niemand außer ihr verstand.

Sie erschauerte und schlang die Arme um den zitternden Leib, um sich zu wärmen.

»Geht es dir nicht gut?«

Ein älteres Paar war vor ihr stehen geblieben.

»Brauchst du Hilfe?«, fragte die Frau und legte ihr freundlich die Hand auf den Arm.

Das Mädchen sprang auf und lief davon, hinaus auf den langen Pier, der an den Kai grenzte, weit weg von dem älteren Paar.

»Muss Victor finden«, murmelte sie.

Die Musik war lauter geworden.

Auf einer großen Motorjacht wummerte monotoner Technobeat aus riesigen schwarzen Lautsprecherboxen. Der Lärm war ohrenbetäubend, und die Schallwellen ließen den Boden unter den Füßen des Mädchens erzittern. Auf dem Achterdeck der Jacht stand ein niedriger Mahagonitisch, auf dem sich halb volle Gläser, Flaschen und überquellende Aschenbecher drängten. Auf einem breiten weißen Ledersofa saß ein braun gebrannter Typ mit nacktem Oberkörper und einer Zigarette zwischen den Fingern. Sein Blick taxierte den Körper des Mädchens.

»Fühlst du dich einsam, Süße?«

Er grinste und ließ die Zunge im Mund kreisen.

»Da könnte ich helfen.«

Sie blieb abrupt stehen, dann machte sie kehrt, lief wieder in die andere Richtung, zurück an Land.

Vor ihr ein Wald aus weißen Masten. Verwirrt starrte sie auf die Boote.

»Victor«, flüsterte sie, und die Tränen begannen wieder zu fließen. »Wo bist du?«

Dann knickten ihre Beine ein, und sie brach im Sand zusammen.

Montag, 16. Juni 2008

Kapitel 1

»Es wird bestimmt nett, Mittsommer bei den Larssons zu feiern, meinst du nicht?«

Madeleine Ekengreen drehte sich zu Victor um, aber er machte sich nicht die Mühe, seiner Mutter zu antworten.

Es war kurz vor neunzehn Uhr. Motorengeräusch vor dem Fenster verriet, dass der Jaguar des Vaters in die Garageneinfahrt bog. Madeleine betrachtete ihr Spiegelbild in der chromglänzenden Kühlschranktür und zupfte ihre blonde Frisur zurecht.

Was glaubst du eigentlich, wem du damit etwas vormachen kannst?, dachte Victor. Mit deinen Strähnchen im Haar und dem Botox in der Stirn. Keiner hält dich mehr für fünfunddreißig, da kannst du dich noch so sehr anstrengen.

»Victor?«

»Ich komme nicht mit.«

»Aber wir feiern Mittsommer doch immer bei den Larssons«, sagte Madeleine, und ihr Blick wurde unsicher, so als verstünde sie nicht ganz, welche Richtung die Unterhaltung nahm.

Sie stellte eine Schüssel mit grünem Salat auf den Esstisch und mischte ihn gut durch.

»Was willst du denn sonst machen?«

Victor starrte auf seinen Teller.

»Ich fahre mit Tobbe und ein paar anderen nach Sandhamn. Christoffer kriegt das Motorboot von seinem Vater, das ist ein saugeiles Teil.«

»Du sollst nicht ›saugeil‹ sagen«, erwiderte Madeleine automatisch. »Das ist so ein hässliches Wort.«

Es war offensichtlich, dass sie von der Vorstellung, er könnte den Mittsommerabend ohne seine Eltern verbringen, alles andere als begeistert war.

»Kommt Tobbes Vater auch mit?«, fragte sie nach einer Weile.

Victor schüttelte den Kopf.

»Nein. Der muss nach Falsterbo, glaub ich.«

»Und Felicia?«

Jetzt nickte er.

»Klar kommt sie mit.«

»Und was sagen ihre Eltern dazu?«

Madeleine klang misstrauisch, aber Victor wusste, dass sie seine Freundin mochte.

»Die sehen das ganz easy.«

Genau genommen hatte Felicia gesagt, dass sie mit Ebba aufs Land wollte. Und Ebba hatte ihren Eltern gesagt, dass sie mit Felicia wegfuhr.

Madeleines Blick war immer noch skeptisch, aber sie drehte sich um, ging zur Kücheninsel und holte eine Platte mit Grillhähnchen. Die Tür zwischen Garage und Vorflur fiel krachend ins Schloss.

Jetzt kommt der große Johan Ekengreen, dachte Victor.

»Und das ist ganz sicher, dass Felicias Eltern damit einverstanden sind?«, fragte Madeleine und stellte die Hähnchenplatte auf den Tisch.

»Mann, du nervst!«

Victor griff nach dem Milchkarton, der mitten auf dem Tisch stand, und füllte sein Glas.

Madeleine sagte nichts. Victor wusste, dass sie gekränkt war, aber er hatte keine Lust, sich zu entschuldigen. Sie hatte doch sowieso nie Zeit, wieso musste sie gerade jetzt anfangen zu quaken, wo er ausnahmsweise mal eigene Pläne hatte?

Als du mit Papa in den Herbstferien nach Paris abgehauen bist, hast du nicht so ein Theater gemacht, dachte er. Da durfte ich sehen, wo ich bleibe.

»Ich bin sechzehn, ich kann auf mich selbst aufpassen«, sagte er. »Außerdem sind wir sauviele, die dahin fahren.«

Victor wusste, dass er sie mit dem Wort »sauviele« ärgerte, und blickte sie herausfordernd an.

Madeleine gab auf.

»Du brauchst nicht ausfallend zu werden«, sagte sie. »Ich verstehe gar nicht, warum du so gereizt bist. Egal was ich sage, du bist immer gleich so aufbrausend.«

»Dann hör auf zu nerven«, wiederholte Victor.

Die Tür ging auf, und Johan Ekengreen kam in die Küche. Er pfiff gut gelaunt vor sich hin und schien nicht zu bemerken, wie angespannt die Stimmung war.

Victors Vater wurde demnächst dreiundsechzig. Er war braun gebrannt und ging mehrmals die Woche ins Fitnessstudio. Er hatte noch fast volles Haar, Victor wusste, dass er es heimlich färbte, um zu verbergen, dass er inzwischen grau war.

»Hallo zusammen.«

Mit breitem Lächeln stellte er den Aktenkoffer ab und lockerte die Krawatte. Dann zog er sein Jackett aus und hängte es über die Rückenlehne seines Stuhls.

»Victor will Mittsommer nicht mit uns verbringen«, sagte Madeleine und sah ihren Mann eindringlich an, als wollte sie ihm zu verstehen geben, dass er ein ernstes Wort mit dem Sohn reden musste.

»Und warum nicht?«

Johan Ekengreen wandte sich Victor zu, aber bevor der antworten konnte, fuhr Madeleine fort:

»Er will mit seinen Freunden nach Sandhamn, anstatt bei den Larssons zu feiern.«

Der Vater lachte, ungeachtet der steinernen Miene von Madeleine.

»Der Junge wird langsam erwachsen. Er will auf Sandhamn Party machen wie alle anderen. Das hätte ich in seinem Alter auch vorgezogen.«

Johan griff nach der offenen Weinflasche auf dem Tisch und schenkte sich ein Glas ein. Automatisch schnupperte er am Wein, ehe er einen Schluck nahm.

»Nicht übel«, sagte er und studierte das Flaschenetikett.

»Johan, jetzt hör doch«, sagte Madeleine und wischte mit schnellen, gereizten Bewegungen die Spüle ab.

»Darf ich, Papa?«, fragte Victor, noch ehe Johan etwas sagen konnte.

Mann, er würde eingehen, wenn sie es schaffte, seine Sandhamn-Pläne zu durchkreuzen. Er hatte genug Geld, sein Vater hatte ihm einen Umschlag mit mehreren Tausend Kronen als Belohnung für sein Abschlusszeugnis zugesteckt, das wider Erwarten richtig gut ausgefallen war.

Damit konnte er für Mittsommer ein paar echt geile Sachen organisieren.

»Er ist noch viel zu jung«, protestierte seine Mutter ein letztes Mal. »Gerade erst sechzehn geworden. Das ist viel zu früh, um ihn allein losziehen zu lassen.«

»Ich nehme an, Felicia fährt mit?«, fragte Johan.

»Ja.«

Victor nickte, ohne aufzublicken. Na los, Papa, dachte er, nun sag schon Ja.

»Also gut.«

Johan Ekengreen wandte sich an seine Frau.

»Lass ihn ruhig. Man ist im Leben nur einmal jung.«

Er trank noch einen Schluck. Der Wein schimmerte blutrot im dünnen Glaskelch.

»Es sind doch nur ein paar Tage im Schärengarten.«

Samstag

Kapitel 2

Nora Linde schnappte unwillkürlich nach Luft, als Wilma Sköld aus dem oberen Stock der Brand'schen Villa herunterkam.

Die Vierzehnjährige hatte ihre Augen mit dunklem Kajal umrandet, und die Wimpern waren dick getuscht und zu Fliegenbeinen verklebt. Der Jeansrock war so kurz, dass er eher aussah wie Shorts, und durch das dünne weiße Top konnte man den BH schimmern sehen.

Nur mit Mühe verkniff Nora sich einen Kommentar. Wilma war erst in der achten Klasse, aber die Schminke machte sie älter und ließ sie viel zu abgeklärt aussehen. Nora musste sich mit Gewalt in Erinnerung rufen, dass es Jonas' Sache war, etwas dazu zu sagen. Sie waren erst acht Monate zusammen, und sie konnte jetzt nicht anfangen, Wilma wie ihr eigenes Kind zu erziehen.

Während des gesamten Abendessens hatte das Mädchen wie auf glühenden Kohlen gesessen, so als wäre jede Minute, die sie noch länger von ihren Freunden trennte, eine Qual. Kaum hatte sie die Erlaubnis erhalten, vom Tisch aufzustehen, war sie im Bad verschwunden, um sich zurechtzumachen.

Wilma ging an Nora vorbei durch die Küche ins Esszimmer, wo Jonas noch mit Adam und Simon zusammensaß. Adam hatte aufgegessen, aber Simon stocherte noch in seinen Kartoffeln. Er liebte die ersten neuen Kartoffeln, die im Juni kamen, und hatte sich eine dritte Portion auf den Teller geschaufelt.

»Papa«, sagte Wilma. »Ich geh dann jetzt. Ich bin schon echt spät dran.«

Nora war ihr gefolgt, blieb aber auf der Schwelle stehen und lehnte sich an den Türrahmen. Es war unübersehbar, dass Jonas ebenfalls zusammenzuckte, als er seine Tochter sah. Manchmal hatte Nora das Gefühl, als wollte er nicht begreifen, dass aus Wilma langsam eine Frau wurde.

»Willst du nicht wenigstens eine Jacke mitnehmen?«, fragte Nora vorsichtig. »Die Nacht wird bestimmt kühl. Du weißt, wie das hier draußen im Schärengarten ist.«

Für Wilma schien Nora nicht anwesend zu sein. Sie ging ein paar Schritte auf Jonas zu.

»Kannst du mir ein bisschen Geld geben?«, bettelte sie.

»Hast du nicht erst dein Taschengeld bekommen?«

»Ja, schoooon.« Wilma druckste ein bisschen herum. »Aber das ist alle.«

Jonas zog die Augenbrauen hoch, griff aber trotzdem nach seinem Portemonnaie in der Gesäßtasche. Er öffnete es, hielt dann aber inne, so als überlegte er, ob es wirklich klug war, seiner Teenagertochter einen Extrazuschuss zu geben.

»Och bitte, Papa, das macht sonst keinen Spaß.«

Wilma hing über der Stuhllehne und hörte sich plötzlich an wie ein quengelndes Kind. Für einen Moment konnte Nora sich vorstellen, wie sie als kleines Mädchen ausgesehen haben musste, mit Zöpfchen und Zahnlücke.

Wie zu erwarten kapitulierte Jonas. Er zog drei Hundertkronenscheine hervor, legte sie auf den Tisch und schob sie seiner Tochter hinüber.

»Aber den Rest will ich wiederhaben«, sagte er.

Seinem Tonfall und Wilmas zufriedenem Gesichtsausdruck nach zu urteilen, ging keiner der beiden davon aus, dass es einen Rest geben würde.

Adam sah von seinem Teller auf und warf Wilma einen langen Blick zu.

Die beiden trennte nur ein Jahr, aber bisher hatte Adam kein großes Interesse daran gezeigt, abends wegzugehen. Er saß stattdessen zu Hause und spielte Computerspiele, ob mit oder ohne Kumpels. Nora wusste, dass es nur eine Frage der Zeit war, bis er auch lieber ausgehen und mit Freunden feiern würde, aber sie war froh, dass es noch nicht so weit war. Ihre Trennung von Henrik war ungefähr mit dem Beginn der Pubertät bei Adam zusammengefallen, und weder das eine noch das andere war einfach gewesen.

»Gibt's wenigstens noch eine Umarmung, bevor du verschwindest?«, fragte Jonas, während er sein Portemonnaie zurücksteckte.

Wilma ging um den Tisch herum und beugte sich hastig vor. Dann richtete sie sich auf, trat einen Schritt zurück und sagte mit verdächtig nonchalanter Stimme: »Reicht es, wenn ich um zwei zu Hause bin?«

Jonas runzelte die Stirn.

»Mitternacht, hatten wir doch gesagt. Du weißt, dass deine Mutter und ich das so vereinbart haben.«

»Och nööö ... Heute ist doch Mittsommer. Alle anderen dürfen viel länger, wieso soll ich die Einzige sein, die schon so früh nach Hause muss? Das ist echt blöd.«

Gib jetzt nicht nach, dachte Nora und war froh, dass nicht sie es war, die diesen Kampf ausfechten musste. Sie hatte genug damit zu tun, sich bei ihren eigenen Söhnen durchzusetzen.

Nora stand immer noch in der Tür und wartete auf Jonas' Antwort, ohne sich einzumischen. Sogar Simon war ausnahmsweise einmal still, er widmete sich ganz seinen Kartoffeln auf dem Teller.

»Bitte, Papa ...«

Wilma legte den Kopf schräg und sah jetzt noch flehender aus als vorher.

Jonas schob seinen Teller weg.

»Also gut, dann um eins. Aber nur dieses eine Mal! Ich will für den Rest des Sommers kein Gequengel über Uhrzeiten mehr hören.«

In Wilmas Gesicht spiegelten sich widerstreitende Gefühle. Sollte sie weiter betteln und riskieren, dass Jonas ärgerlich wurde, oder sich mit dem halben Sieg zufriedengeben?

Offenbar war ein Uhr besser als nichts, denn sie machte einen kleinen Tanzschritt und sagte:

»Versprochen. Danke, Papa, du bist der Beste.«

Wilma beugte sich vor und umarmte ihren Vater wieder. Diesmal war die Freude echt. Jonas versuchte, ihr übers Haar zu streichen, aber sie entwischte ihm rasch.

Selbst Nora bekam ein Lächeln ab.

»Tschüss dann, bis morgen!«

»Pass auf dich auf. Hast du dein Handy dabei?«

»Ja, ja, klar.«

Ihre Stimme war ungeduldig, der schmale Teenagerkörper schon in Bewegung.

»Es muss immer eingeschaltet sein«, sagte Jonas. »Vergiss das nicht. Versprich mir, dass du drangehst, wenn ich anrufe.«

Wilma war schon halb aus der Tür und drehte sich nicht um.

»Okay, okay. Ich verspreche es. Hör auf zu nölen.«

Nora seufzte. Wilma wickelte Jonas um den kleinen Finger, und

Nora fand es nicht gut, dass sie so leicht damit durchkam. Es war wohl doch besser, dass sie noch getrennt wohnten, sie mit den Jungs in ihrer neuen Wohnung in Saltsjöbaden und Jonas in seiner Dreizimmerwohnung in der Stadt.

Hier auf Sandhamn wohnte er in Noras altem Haus. Sie war vergangenes Jahr mit ihren Söhnen in die Brand'sche Villa umgezogen, das schöne alte Jahrhundertwende-Haus, das sie von ihrer Nachbarin und Nenntante Signe geerbt hatte. Durch die Vermietung hatten sie und Jonas sich kennengelernt.

An diesem Wochenende wohnten sie alle zusammen bei Nora, da Jonas wegen einer defekten Stromleitung drüben keinen Strom hatte. Der nette Insel-Elektriker hatte versprochen, sich gleich am Montag um das Problem zu kümmern.

Die Haustür knallte zu, und Wilma war weg.

Kapitel 3

Wilma lächelte zufrieden, als sie das Grundstück verließ, ohne die Gartenpforte hinter sich zuzumachen.

Ihr Handy piepste.

Kommst du bald? Bin schon im Hafen / Malena

Schnell tippte sie eine Antwort ein.

Klar, bin unterwegs / W

Sie hatte überhaupt keine Lust gehabt, Mittsommer mit Papa und Nora auf Sandhamn zu feiern, aber als sie erfuhr, dass ihre Freunde aus der Stadt auf die Insel kommen würden, hatte sie sich plötzlich auf das Mittsommerwochenende gefreut, trotz Nora und ihren Kindern. Simon konnte ja ganz süß sein, er hatte sie gern dabei, wenn er sich Comicfilme anguckte. Aber Adam war ein Langweiler, er saß dauernd am Computer und spielte irgendwelche blöden Spiele, entweder allein oder mit seinen ebenso blöden Kumpels.

Papa und Nora waren noch schlimmer, ständig hingen sie zusammen und knutschten, wenn sie dachten, keiner würde es sehen. Das war echt obernervig. Ätzend. Wieso musste er die bloß kennenlernen?

Das Handy piepste wieder.

Hast du was dabei?

Wilma klopfte zufrieden auf ihre Tasche. In Noras altem Kartoffelkeller standen mehrere Kisten Wein, die hatte sie per Zufall entdeckt, und zwei Flaschen aus einem Karton in der hintersten Ecke hatte sie für heute Abend mitgehen lassen.

Die ganze Woche lang hatte sie überlegt, was sie anziehen sollte, und immer wieder all ihre Sachen anprobiert. Schließlich hatte sie sich für einen kurzen weißen Jeansrock entschieden, kombiniert mit einem schlichten Trägertop. Das sah stylish aus, ohne übertrieben zu wirken.

Bei H&M hatte sie eine neue Mascara entdeckt, die sie sich eigentlich nicht leisten konnte. In einem unbeobachteten Moment hatte sie das Teil in ihrer Tasche verschwinden lassen. Sie wusste, dass es falsch war, aber wenn die in dem Laden das nicht merkten, waren sie selber schuld.

Seit dem Frühjahr hing sie mit der neuen Clique ab. In ihrer Klasse waren alle so kindisch, die hatten nur dummes Zeug im Kopf. Die Jungs waren picklig und albern und fast alle im Stimmbruch. Mal redeten sie mit tiefer Stimme und mal krächzten sie im Falsett.

Ihre neuen Freunde waren viel interessanter. Vor allem Mattias, der Halbbruder ihrer Freundin Malena aus der Parallelklasse. Er war zweieinhalb Jahre älter als Malena und ging auf ein Gymnasium in der Innenstadt.

Mattias war groß und hatte seine dunklen Haare lang wachsen lassen. Er hatte die Angewohnheit, sie hinter die Ohren zu streichen, sodass sie sich im Nacken lockten. Wilma sehnte sich danach, ihm mit den Fingern durch die Haare zu fahren. Er trug eine silberne Halskette und abgewetzte Jeans und dazu Loafers aus Wildleder. Echt stark. Er war viel cooler als die Jungs aus ihrer Klasse mit ihren hässlichen Kapuzensweatshirts und Sneakers. Verglichen mit ihm waren sie eine Horde Affen.

Wilma hatte nicht lange gebraucht, um sich in Mattias zu verlieben, aber bisher sah es nicht so aus, als hätte er etwas gemerkt. Er redete kaum mit ihr, obwohl sie immer versuchte, ihn auf sich aufmerksam zu machen, wenn er dabei war.

Jedes Mal, wenn sie sich getroffen hatten, saß Wilma anschließend stundenlang da und ging alles durch, was er gesagt hatte. Sie analysierte jeden Satz und die Art, wie er ihn ausgesprochen hatte, und wie er sie angesehen hatte, wenn er etwas sagte.

Sie wusste, dass sie nicht die Einzige war, die auf Mattias stand. Er hatte dauernd was mit irgendwelchen Mädchen, und ständig piepste sein Handy. Ab und zu lachte er dann und zeigte den anderen Jungs die SMS. Manchmal machte er auch eine ironische Bemerkung.

Wilma fuhr sich mit der Zunge prüfend über die Lippen, ob der Lipgloss noch drauf war. Er hieß Spring Blossom und war orangerosa. Den hatte sie auch bei H&M mitgehen lassen, und sie fand, er ließ sie älter und erfahrener aussehen.

Heute Abend würde Mattias sie bemerken. Wilma spürte es am ganzen Körper. An diesem Abend würde er begreifen, dass sie gar nicht so jung war, kein kleines Schulmädchen, das seine Schwester angeschleppt hatte.

Die Weinflaschen in ihrer Umhängetasche waren ihr Trumpf. Er sollte sehen, dass sie wusste, worauf es ankam. Und dass sie auch dazugehörte.

Sie war bereit, alles Mögliche zu tun, um bei ihm sein zu können.

»Wollen wir den Kaffee am Steg trinken?«, fragte Nora und sah Jonas an.

Die Sonne stand immer noch hoch am Himmel, obwohl es schon auf acht Uhr abends zuging. Es war lange her, dass an Mittsommer so schönes Wetter geherrscht hatte, und nach dem langen, dunklen Winter war die Wärme einfach herrlich.

Jonas zog sie an sich. Er strich mit dem Mund über ihr Haar und murmelte: »Wir sind ganz allein im Haus.«

Nora lehnte den Kopf an seine Stirn und genoss es, ihm so nah zu sein.

»Die Jungs sind bei ihren Freunden, und Wilma kommt noch lange nicht nach Hause«, raunte er ihr ins Ohr.

Ein Lächeln spielte um seine Mundwinkel. Nora spürte, wie sie auf die Einladung reagierte, ein warmes Gefühl breitete sich unterhalb ihres Bauchnabels aus, und ein Kitzeln durchzog ihren Körper. Mit leicht geöffnetem Mund hob sie den Kopf und begegnete Jonas' Lippen.

Sie hielt inne.

»Und wenn Adam und Simon jetzt zurückkommen? Das könnte peinlich werden.«

Nora wand sich aus seiner Umarmung, ohne Rücksicht auf die Enttäuschung in Jonas' Augen.

»Dafür haben wir später noch genug Zeit«, sagte sie und bückte sich, um ein Tablett aus dem Unterschrank zu nehmen. Darauf stellte sie zwei Becher, eine Dose Zucker und ein Kännchen Milch.

»Möchtest du noch etwas dazu?«, fragte sie. »Einen Mittsommer-Kognak vielleicht?«

Er schien es ihr nicht übel zu nehmen, vielmehr lächelte er sie so verführerisch an, dass sie beinahe schwach wurde. Sie konnte nicht anders, sie musste einfach innehalten und ihn ansehen, wie er da an der Küchenanrichte lehnte, in Jeans und grünem Pullover mit V-Ausschnitt und Segelschuhen an den nackten Füßen. Aber der Gedanke an ihre beiden Söhne hielt sie zurück.

»Mir genügt der Kaffee«, sagte Jonas. »Aber du kannst gerne einen trinken, wenn du willst.«

Nora horchte in sich hinein. Hatte sie Lust auf Kognak?

Warum nicht. Sie hatten zum Essen eine Flasche Rotwein getrunken, aber ein Gläschen zum Kaffee konnte nicht schaden. Sie holte eine Flasche Armagnac hervor und goss einen Schluck in den Kognakschwenker. Dann nahm sie das Tablett, durchquerte die Glasveranda und ging die lange Treppe hinunter, die zur Sitzecke am Wasser führte.

Der Garten lag immer noch in vollem Sonnenschein, und vom angrenzenden Grundstück, wo mehrere Segelboote von Besuchern am Steg vertäut lagen, klang fröhliches Gelächter herüber. Die Nachbarn hatten ein üppiges Büfett aufgebaut, und der Grillgeruch hing noch in der Luft. Ein Stück entfernt ertönte ein Trinklied, das mit einem kräftigen »Skål« endete.

Nora lächelte, als sie das klingende Geräusch von Schnapsgläsern hörte. Es war genau so, wie ein typischer Mittsommerabend auf Sandhamn sein sollte, wenn alle bei leckeren Speisen und Getränken in ihren Gärten saßen.

Nora setzte das Tablett auf dem weißen Holztisch ab, und während Jonas den Deckel der Thermoskanne aufschraubte, stellte sie die Becher auf den Tisch und brach eine Tafel dunkle Schokolade in kleine Stücke.

Ein spitzes »Kri! Kri!« durchschnitt die Luft, und als sie aufblickte, flog ein Schwarm Schwalben hoch über ihrem Kopf dahin. Die Vögel waren ein sicheres Zeichen für stabiles Hochdruckwetter, hoffentlich hielt sich die Wärme wenigstens noch für die nächsten paar Tage.

Zufrieden setzte Nora sich auf einen Stuhl und griff nach ihrer Kaffeetasse. Das hier war fast zu schön, um wahr zu sein, dachte sie.

Kapitel 4

Elin lag auf dem Rücken, den kleinen Mund fest um einen Schnuller geschlossen, der sich im Takt mit ihren Atemzügen bewegte. Die winzigen Hände, vorhin noch wütend zu Fäusten geballt, lagen jetzt entspannt auf der dünnen Decke. Ein Teddy saß in einer Ecke des Gitterbetts, und ein kleines Mobile mit bunten Schmetterlingen hing an einem Plastikarm über dem Kopfkissen.

Kriminalkommissar Thomas Andreasson stand neben dem weißen Gitterbett in seinem Sommerhaus auf Harö und betrachtete seine Tochter. Ein schmaler Streifen Licht sickerte durch den Verdunklungsvorhang, den sie ihretwegen angebracht hatten. Das genügte ihm, um die feinen Gesichtszüge seiner Tochter unterscheiden zu können. Ihre Augenbrauen waren so hell, dass sie kaum zu erkennen waren, und über den Ohren ringelten sich zarte Löckchen.

Vorsichtig berührte er ihre kleine Hand. Die Nägel waren glatt und rosa, unvorstellbar winzig verglichen mit seinen eigenen. Der Brustkorb hob und senkte sich regelmäßig, und Thomas spürte, wie seine Anspannung nachließ.

Seine Tochter schlief, und es ging ihr gut.

Als ihre große Schwester im Alter von drei Monaten starb, war sein Schmerz so groß gewesen, dass er fast daran zugrunde gegangen wäre. An dem Verlust des Kindes war seine Ehe mit Pernilla zerbrochen. Die Unfähigkeit, mit der tiefen Verzweiflung umzugehen, hatte sie auseinandergerissen, und erst im vergangenen Jahr hatten sie wieder zueinandergefunden.

Pernilla war es gewesen, die sich bei ihm gemeldet hatte und ihn wiedersehen wollte. Thomas hatte gezögert, die Angst, dass alte Wunden wieder aufbrechen könnten, saß tief. Aber als sie sich dann wiedersahen, erinnerte er sich nur an die schönen Zeiten: den Sommerabend in Stockholm, an dem sie sich ineinander verliebt hatten, Pernillas Lächeln bei der Trauung in der Kirche von Djurö, das Glück, als Emily geboren wurde. Es war, als wären sie nie getrennt gewesen.

Sie hatten eine neue Chance erhalten.

Nach dem schweren Unfall im letzten Winter, als er draußen vor Sandhamn im Eis eingebrochen war, hatte Pernilla ihm geholfen, zurück ins Leben zu finden. Er war wie gelähmt gewesen, hatte alles nur noch Grau in Grau gesehen und nicht mehr gewusst, ob er seinen Beruf als Polizist weiterhin würde ausüben können. Zu übermächtig erschien ihm die Herausforderung, die Arbeit im Ermittlungsdezernat wieder aufzunehmen, wo sich die Aktenberge stapelten und an allen Ecken und Enden Personal fehlte.

Die Folge waren Gewissensqualen und nagende Zweifel an seinen eigenen Fähigkeiten.

Aber wenn er aufhörte, Polizist zu sein, was war er dann?

Die große Wende kam mit Elin. Als er erfuhr, dass er wieder Vater wurde, entließ ihn die Depression endgültig aus ihrem Klammergriff. Und als Elin im März auf die Welt kam, erwachte er aus seiner langen Lethargie, so als hätte jemand eine graue Schmutzschicht von einem Fenster gewischt, das nun wieder klar und durchsichtig war.

In sieben Tagen würde Elin genauso alt sein wie Emily in jener Nacht, als sie im Schlaf gestorben war, ohne dass Thomas und Pernilla irgendetwas hatten tun können.

Das Bild vom toten Körper seiner Tochter an jenem Morgen würde er immer mit sich herumtragen.

»Thomas, wo bleibst du?«

Pernillas Stimme drang von der Veranda draußen herein.

»Der Kaffee wird kalt.«

Thomas merkte, dass seine Hände sich unbewusst um den Rand des Kinderbetts geklammert hatten. Mühsam löste er den Griff und strich behutsam über Elins zarte Wange. Sie verzog greinend den Mund, sodass der Schnuller herauszufallen drohte. Schnell schob Thomas ihn zurück, und glücklich begann sie wieder daran zu nuckeln.

Mit einem letzten Blick auf seine Tochter ging Thomas nach draußen zu Pernilla.

Kapitel 5

Adrian Karlsson rückte den schweren Koppelgürtel zurecht, an dem Sprechfunkgerät, Schlagstock und die Dienstpistole im Holster hingen. Allein schon der Gürtel wog über fünf Kilo, insgesamt brachten Kleidung und Ausrüstung mehr als fünfzehn Kilo auf die Waage.

Als er den Gürtel das erste Mal umgelegt hatte, war er unter dem Gewicht fast in die Knie gegangen, aber inzwischen schätzte er das Gefühl, alles, was er brauchte, in Griffweite zu wissen. Heute allerdings trug die Ausrüstung nur dazu bei, dass er in seiner dunkelblauen Polizeiuniform noch mehr schwitzte. Die Uniform war dazu gedacht, den Körper zu wärmen, nicht zu kühlen.

Es war nicht das erste Mal, dass man ihn über das Mittsommerwochenende nach Sandhamn abkommandiert hatte, aber bei so schönem Wetter war er noch nie hier gewesen. Es war der reinste Hochsommer, dabei war heute erst der 21. Juni. Sein Pullover war schon seit Stunden klitschnass, und der Schweiß lief ihm den Rücken hinunter. Die Kopfhaut unter seinen stoppelkurzen hellbraunen Haaren glänzte feucht.

Er stand zusammen mit seiner Kollegin Anna Miller auf der Strandpromenade, vor der falunroten Reihe der Büdchen und Läden. Es war schon nach acht Uhr abends, und sie waren seit zehn Uhr vormittags im Dienst. Ein schnelles Mittagessen und ein später Nachmittagskaffee im PKC – dem Kontaktcenter der Polizei, das sie übers Wochenende nutzen durften – war alles, was sie zu sich genommen hatten.

Anna war Polizeiassistentin und erst vor ungefähr einem Jahr von der Polizeihochschule gekommen. Sie war siebenundzwanzig, fünf Jahre jünger als Adrian, und knapp zwanzig Zentimeter kleiner als er mit seinen einsfünfundachtzig. Ihre koreanische Abstammung zeigte sich in schmalen Augen und schnurglatten schwarzen Haaren, die sie zum Pferdeschwanz gebunden trug.

Trotz ihrer jungen Jahre hatte sie sich schnell eingelebt. Mit ihrem entwaffnenden Lächeln besänftigte sie selbst die aggressivsten Typen, und sie steckte gutmütig so manchen bissigen Kommentar weg, der ihr an den Kopf geworfen wurde.

Jedes Mal, wenn sie jemanden entdeckten, der mit einer offenen Flasche herumlief, bekam die betreffende Person die Anweisung, den Inhalt auszugießen. Auf Sandhamn war es verboten, am Mittsommerwochenende Alkohol an öffentlichen Plätzen zu trinken. Adrian und Anna waren freundlich und höflich, kannten aber kein Pardon: Der Flascheninhalt musste weggeschüttet werden. Sofort.

Die Jüngsten, die ihnen in die Hände liefen, waren erst dreizehn, vierzehn Jahre alt. Es war ein trauriger Anblick, wie sie durch die Gegend torkelten.

Aus irgendeinem Grund war es für die Stockholmer Jugend zur Tradition geworden, das Mittsommerwochenende im Schärengarten zu verbringen. Ihr Ausflug hatte nur einen Zweck: sich möglichst schnell und möglichst heftig zu betrinken, entweder an Bord eines Schiffes oder irgendwo auf der Insel.

Freitags, am Mittsommerabend, fuhr man nach Möja im nördlichen Schärengarten. Am darauffolgenden Mittsommertag ging es nach Süden, nach Sandhamn.

Wie ein Schwarm Heuschrecken, der eine Insel nach der anderen heimsuchte.

Das hier war für Sandhamn der schlimmste Tag des Jahres.

Die wummernde Popmusik vom Hafen drang leise bis zu Noras Bootssteg. Seit dem frühen Nachmittag hatte ein ununterbrochener Strom von Motorbooten, die meisten überfüllt mit Jugendlichen, den Sund durchquert, der die Einfahrt nach Sandhamn bildete. Jedes Mal, wenn Nora von ihrem Buch aufgeblickt hatte, war es ihr vorgekommen, als seien immer mehr Boote unterwegs.

Wenn es nur keinen Ärger gab. Im letzten Jahr war eine wüste Schlägerei ausgebrochen, und ein junger Halbstarker war mit einem Lungenriss ins Krankenhaus geflogen worden. Die Ärzte hatten ihn in letzter Minute retten können.

Das Bild von Wilma tauchte vor Nora auf. Ihre Jacke hing immer noch an der Flurgarderobe. Wilma war nur in ihrem dünnen Hemdchen unterwegs und hatte nichts zum Überziehen dabei. Hoffentlich passte sie auf sich auf.

Als hätte er ihre Gedanken gelesen, sagte Jonas:

»Findest du, dass ich bei Wilma zu leicht nachgebe?«

Nora griff nach ihrer Kaffeetasse, ehe sie antwortete. Sie suchte nach den richtigen Worten, um die entspannte Atmosphäre nicht zu zerstören.

»Du gibst ihr sehr viel Spielraum«, sagte sie schließlich.

»Ich verwöhne sie, meinst du?«

Jonas lehnte sich auf dem Stuhl zurück und lächelte leicht, als sei er sich bewusst, dass er nicht streng genug mit seiner Tochter war.

»Jaaa«, erwiderte Nora gedehnt. »Das kann man wohl sagen.«

Sie ließ den Blick übers Wasser schweifen. Die Sonne näherte sich Harö, wo sie in ein paar Stunden hinter dem Wald untergehen würde. Einige Möwen kreisten auf der Jagd nach Beute über den Bootsstegen. Vom Nachbargrundstück schallte wieder ein donnerndes »Skål« herüber.

»Wilma weiß genau, welche Knöpfe sie drücken muss, um ihren Willen durchzusetzen. Sie ist ...« Nora suchte nach dem passenden Wort, »ziemlich frühreif.«

Eigentlich hatte sie »frech« sagen wollen, aber sie wollte nicht provozieren. Dann wurde ihr bewusst, dass es nicht Henrik war, der ihr gegenüber saß, ihr Exmann, dessen Laune von einer Sekunde auf die andere umschlagen konnte. Mit Jonas war es einfacher. Ihr fiel auf, dass sie sich unbewusst verspannt hatte, ehe sie zu einer Antwort ansetzte. Alte Gewohnheiten waren nur schwer abzulegen.

Jonas unterbrach ihre Gedanken.

»Du hast natürlich recht, aber es ist nicht so einfach, die Zügel ständig kurz zu halten. Besonders jetzt.«

Er beugte sich zu Nora, nahm ihre Hand und drehte die Handfläche nach oben. Mit dem Zeigefinger zeichnete er sanft ihre Handlinien nach. Seine Fingerkuppe fühlte sich weich an.

»Sie braucht Zeit, um sich daran zu gewöhnen. Sie muss so viel Neues verarbeiten, jetzt, wo du ein Teil meines Lebens bist.«

Nora betrachtete Jonas in der Abendsonne. Seine mittelbraunen Haare waren im Nacken etwas länger, und in den braunen Augen leuchtete in dem warmen Licht eine Nuance Grün auf. Sein Gesichtsausdruck war offen, bei ihm war alles so unkompliziert. Der Altersunterschied hatte ihr zuerst Sorgen gemacht, Jonas war sieben Jahre jünger als sie mit ihren bald einundvierzig Jahren, aber inzwischen dachte sie nicht mehr sehr oft daran.

Die kreisende Berührung in ihrer offenen Hand wurde schneller, und sie spürte ein Kitzeln im Bauch. Wieso hatte sie darauf bestanden, dass sie Kaffee trinken sollten? Sie hatten vorhin die perfekte Gelegenheit gehabt, aber sie musste ja immer so verdammt vernünftig sein.

Bei drei Kindern im Haus sollte man jede Gelegenheit nutzen.

»Das hier ist eine große Umstellung für sie«, fuhr Jonas fort.

»Das ist es für meine Jungs auch.«

Nora hörte, dass ihre Antwort schärfer klang als beabsichtigt.

In weicherem Tonfall fügte sie hinzu: »Alle brauchen ein bisschen Zeit, das verstehe ich ja. Dieses Jahr war in vielerlei Hinsicht überwältigend. Aber es wäre schon gut, wenn wir ungefähr die gleiche Einstellung bei bestimmten Dingen hätten, die die Kinder betreffen.«

»Wie meinst du das?«

Jonas legte Noras Hand vorsichtig wieder auf ihren Schoß und lehnte sich auf dem Stuhl zurück. Nora wollte aufrichtig sein, ohne ihn zu verletzen. Das Thema »meine Kinder« und »deine Kinder« war nicht so einfach, das hatte sie während des Winters einsehen müssen.

»Adam ist nur ein Jahr jünger als Wilma«, sagte sie nach einer kleinen Pause. »Bald wird er auch anfangen zu betteln, ob er abends ausgehen darf. Aber ich wäre nicht damit einverstanden, dass er bis ein Uhr nachts unterwegs ist. Dazu ist er noch viel zu jung, und ich würde die ganze Zeit wach liegen und mir Sorgen machen.«

Nora unterbrach sich, aber da Jonas nichts sagte, fuhr sie fort:

»Ich möchte einfach nicht, dass wir den Kindern unterschiedliche Signale senden ...«

Jonas richtete sich auf. Die Unbekümmertheit, die er noch vor wenigen Minuten ausgestrahlt hatte, war verschwunden, so als hätte ihn eine plötzliche Unruhe überfallen. Nora bereute, dass sie überhaupt etwas gesagt hatte.

Vor dem Steg raste ein Motorboot vorbei und bog in den Sund, ohne sich um die Geschwindigkeitsbegrenzung von fünf Knoten zu kümmern. Eine kleine Segeljolle geriet durch die Bugwelle beinahe ins Kentern. Sie neigte sich zur Seite, und der einsame Segler hatte alle Hände voll zu tun, die Wellen zu parieren. Es hörte sich an, als riefe er dem rücksichtslosen Raser ein paar wütende Flüche nach.

Jonas wandte den Blick von dem Segler ab, zog sein Handy aus der Tasche und tippte darauf herum. Auf dem Display erschien Wilmas Gesicht, braun gebrannt und lachend. Die blonden kinnlangen Haare umspielten in weichen Strähnen ihr Gesicht, und sie blinzelte leicht in die Sonne.

»Du hast recht«, sagte Jonas unerwartet. »Ich hätte ihr nicht erlauben dürfen, so lange wegzubleiben.«

Mit einem letzten Tastendruck verschwand Wilmas Bild, und Jonas steckte das Handy wieder in die Hosentasche. Dann lächelte er entwaffnend, beinahe spitzbübisch, wie ein kleiner Junge, der bei einem Streich erwischt worden war.

»Ich werde mich bessern, ich verspreche es.«

Er zwinkerte und griff wieder nach Noras Hand, hob sie sanft an seinen Mund und küsste sie. Sie spürte seinen Atem heiß an ihren Fingerspitzen. Seine Lippen liebkosten ihre Haut.

»Bist du wirklich sicher, dass wir jetzt Kaffee trinken müssen?«

Kapitel 6

Adrian stand mit Anna auf der Strandpromenade und beobachtete die Umgebung. Schräg rechts, auf dem breiten Steg vor dem Seglerhotel, wimmelte es von Menschen mit Gläsern in den Händen. Eine knappe halbe Stunde zuvor war der traditionelle Pistolenschuss gefallen, der das Niederholen der Flagge ankündigte. Sie wurde genau um neun Uhr abends eingeholt.

Es war immer noch warm, geradezu mediterran. Adrian sehnte sich nach einer erfrischenden Dusche, aber bis seine Schicht zu Ende war, würde es noch dauern.

Ein Paar in mittleren Jahren mit Hund an der Leine näherte sich.

»Entschuldigung?«, sagte die Frau mit der blonden Kurzhaarfrisur.

Ein besorgter Ausdruck lag in ihren Augen, die von feinen Lachfältchen eingerahmt wurden. Der etwa gleichaltrige Mann neben ihr hatte den Blick auf etwas gerichtet, das sich ein Stück entfernt befand.

»Ja?«, erwiderte Adrian abwartend.

»Sehen Sie das Mädchen dahinten?«, sagte die Frau und zeigte in die Richtung, in die der Mann blickte. »Es scheint ihr nicht gut zu gehen. Wir sind ein bisschen besorgt.«

Adrian suchte die Menge ab. Dann begriff er, was sie meinte.

Ein junges Mädchen in rosafarbenem Pullover war auf die Knie gesunken, genau neben dem langen hölzernen Kai, der parallel zur Strandpromenade verlief. Sie kniete zusammengekauert im Sand, die Arme um den mageren Oberkörper geschlungen.

»Könnten Sie mal nach ihr sehen?«, fuhr die Frau fort. »Wir haben sie vor ungefähr einer Stunde angesprochen und gefragt, ob sie sich nicht wohlfühlt. Da ist sie einfach weggelaufen. Und jetzt bei unserer Rückkehr ist sie immer noch da. Wir haben einen Abendspaziergang mit unserem Tequila gemacht.«

Sie zeigte auf den hübschen Golden Retriever, der an der Leine zerrte. Die Frau musste sich anstrengen, um ihn zurückzuhalten.

»Sitz, Tequila!«, befahl sie mit strenger Stimme, und nach einigen

Wiederholungen setzte der Hund sich gehorsam neben sie. »So ist brav«, lobte die Frau. »Du bist ein feiner, braver Hund.«

Adrian betrachtete das Mädchen in der Abendsonne.

Etwas an ihrer Körperhaltung erregte seine Aufmerksamkeit; es war, als befände sie sich in einer Art Blase, abgeschirmt von der Umgebung. Adrian hatte genügend Volltrunkene gesehen, um die Zeichen zu erkennen.

Niemand schien Notiz von ihr zu nehmen, trotz der Menschenmassen um sie herum. Er konnte keine Clique oder einen Freund entdecken.

Sie war ganz allein.

»Ich sehe mal nach«, sagte er zu dem Paar. »Danke, dass Sie Bescheid gesagt haben.«

»Hoffentlich ist es nichts Schlimmes«, sagte die freundliche Frau. »Sie sieht noch so jung aus.«

Sie tätschelte den Hund.

»Ich habe selbst Söhne in dem Alter. Man will ja nicht, dass ihnen etwas passiert, besonders nicht an einem solchen Abend.«

Adrian nickte Anna zu und machte sich auf den Weg zu dem jungen Mädchen. Als er nur noch wenige Meter entfernt war, brach sie zusammen. Es war eine langsame, beinahe unwirkliche Bewegung, wie in extremer Zeitlupe. Der Körper verlor jeden Halt, und das Mädchen kippte mit ausgestreckten Beinen zur Seite.

Ein Betrunkener stolperte über ihre Füße, ging aber einfach weiter, ohne stehen zu bleiben.

Das Mädchen lag reglos direkt neben dem Kai, die linke Gesichtshälfte auf den Sand gepresst. Ihr blondes Haar umrahmte ihren Kopf wie der zerfetzte Glorienschein eines Engels.

Sonntag

Kapitel 7

Nora drehte sich im Bett um, irgendetwas hatte sie geweckt. Sie streckte die Hand nach Jonas aus, aber er war nicht da. Durch den Spalt zwischen Rollo und Fensterbank sah sie, dass es draußen dunkel war.

Sie drehte den Kopf zum alten Uhrenradio, das auf dem Nachttisch stand. Die Digitalziffern leuchteten weiß. Es war Viertel nach eins, und Wilma hätte jetzt zu Hause sein müssen.

Nora machte die Augen wieder zu und horchte auf Geräusche im Haus. War Wilma nach Hause gekommen? Es waren keine Stimmen zu hören.

Sie blieb noch einige Minuten so liegen, dann stand sie auf und griff nach ihrem Morgenrock. Barfuß tappste sie zur Treppe und lauschte wieder.

Nichts.

Die Tür zu Simons Zimmer stand halb offen, und sie hörte seine leichten Atemzüge. Wie immer hatte er seinen Teddy fest im Arm. Im Dunkeln konnte sie seine immer noch runden Wangen erahnen; er wurde im Oktober neun.

Rasch warf sie einen Blick in Adams Zimmer. Er schlief ebenso tief, aber auf dem Rücken, die Bettdecke bis auf Bauchhöhe zurückgeschoben. Er hatte aufgehört, einen Pyjama zu tragen, und schlief in Unterhose.

Gegenüber von Adams Zimmer lag das Gästezimmer, aber noch bevor sie hineinschaute, wusste sie, dass es zwecklos war.

Nora ging die Treppe hinunter und warf einen Blick in die leere Küche. Sie ging weiter zur Veranda und fand Jonas in einem der Korbstühle sitzend. Er starrte aufs Meer hinaus, das Kinn in die Hand gestützt. Am Horizont waren die Konturen einer flachen Wolkenbank zu erkennen, weit entfernt blinkte das Leuchtfeuer von Getholmen.

Nora blieb auf der Schwelle stehen und zog den Morgenrock fester zusammen.

»Was ist los?«, fragte sie.

»Wilma ist nicht nach Hause gekommen.«

Nora ging zu ihm und hockte sich neben ihn. Sie strich ihm leicht über den Arm.

»Sie hat bestimmt die Zeit vergessen. Das passiert schnell, wenn man sich amüsiert.«

Jonas rieb sich den Nacken. Er trug Jeans und T-Shirt. Sie roch seinen Duft und dachte daran, wie sie sich vor wenigen Stunden geliebt hatten.

»Sie sollte doch längst zu Hause sein«, sagte er, und auch im Dunkeln konnte Nora sehen, wie angespannt sein Gesicht war.

»Hast du versucht, sie anzurufen?«

»Sie geht nicht ran. Ich habe es mindestens fünf Mal versucht.«

»Vielleicht hat sie ihr Handy irgendwo liegen gelassen.«

»Wilma macht keinen Schritt ohne ihr Telefon.«

»Vielleicht ist der Akku leer?«

Nora hörte selbst, wie das klang. Sie verstand sehr gut, was in ihm vorging. Wenn es Adam gewesen wäre, hätte sie sich genau solche Sorgen gemacht.

»Ausgerechnet heute Abend?« Jonas schlug mit der Hand auf die Rattanlehne. »Das hier ist nicht okay. Die kriegt was zu hören, wenn sie nach Hause kommt!«

In Noras Beinen begann es zu kribbeln, und sie erhob sich. Die Nachtluft ließ sie frösteln.

»Soll ich uns eine Tasse Tee machen? Du wirst sehen, sie ist schon unterwegs.«

»Leg dich nur wieder hin.« Seine Stimme wurde weicher. »Du musst nicht die halbe Nacht mit mir aufbleiben und auf meine ungehorsame Tochter warten.«

Nora strich ihm über die Wange.

»Keine Sorge. Ich bleibe bei dir. Sie kommt bestimmt jede Minute zur Tür herein.«

Kapitel 8

Aus der Entfernung betrachtet, wogte die Menschenmenge im Hafen hin und her wie eine unförmige Amöbe. Ab und zu breitete sie sich aus, zog sich dann aber wieder rasch zusammen, als könnten ihre Teile nicht längere Zeit getrennt sein, sondern müssten sich immer wieder zusammenfinden.

Es war deutlich kühler geworden, eine Erinnerung daran, dass erst Frühsommer war. Eine dünne Nebelbank war hereingezogen, und die Luft war klamm und feucht. Durch das Scheinwerferlicht des Seglerhotels zogen schmale Nebelstreifen.

Die Musik der Freiluftdisco schallte durch die Frühsommernacht. Die Bässe hämmerten und ließen mit ihren harten Rhythmen die ganze Umgebung erzittern. Eine lange Schlange von immer noch Hoffnungsvollen drängte sich vor dem Eingang, an dem zwei bullige Türsteher das abgesperrte Areal bewachten.

Adrian und Anna waren mittlerweile seit über fünfzehn Stunden im Dienst. Nachdem sie das junge Mädchen im PKC abgeliefert hatten, wo eine Frau von »Mütter in der Stadt« sich um sie kümmerte, hatten sie sich wieder ins Getümmel begeben.

Die Polizei patrouillierte mit Doppelstreifen im Hafengebiet zwischen Värdshuset und dem Klubhaus der Königlich Schwedischen Seglergesellschaft KSSS. In den vergangenen Stunden waren Adrian und Anna die Strandpromenade auf und ab gegangen. Ihre Anwesenheit hatte eine dämpfende Wirkung, und so wanderten sie die knapp fünfhundert Meter lange Strecke von einem Ende zum anderen.

Adrian blieb stehen und rückte den schweren Koppelgürtel zurecht. Die lange Schicht machte sich körperlich bemerkbar, seine Hüften schmerzten.

Anna bemerkte sein Manöver.

»Alles okay?«, fragte sie.

»Mhm.«

Er ließ den Gürtel sein, und sie setzten sich wieder Richtung Värdshuset in Bewegung.

Ständig kamen Jugendliche zu ihnen und stellten Fragen: *Wann geht das letzte Boot in die Stadt? Ist das sicher, dass um zwei noch eine Extrafähre geht? Wo sind die Toiletten?*

Sie waren gerade beim Kiosk am Dampfschiffkai angekommen, als es in ihren Ohrhörern knackte. Adrian warf einen hastigen Blick zum Seglerhotel und drehte sich um.

»Feindselige Auseinandersetzung auf zwei Booten«, sagte er laut, obwohl Anna dieselbe Durchsage gehört hatte. »Am ersten KSSS-Anleger.«

Im Laufschritt nahmen sie Kurs aufs Seglerhotel.

Schon von Weitem hörte Adrian lautes Gebrüll, es schien von zwei Booten zu kommen, die nebeneinander auf der Westseite des langen Stegs lagen. Eine Gruppe Jugendlicher befand sich achtern auf einem großen Außenborder. Auf dem Nachbarboot saß eine Biker-Gang in schwarzen Lederjacken, viele von ihnen mit rasierten Schädeln.

Aus den Lautsprechern der beiden Boote dröhnte laute Musik, und Beschimpfungen flogen hin und her. Als Adrian näher kam, sah er zwei Männer, die auf dem Steg standen und sich anstierten.

»Du lausige Ratte«, schrie der eine, ein etwa Dreißigjähriger mit abgewetzten Jeans und nacktem Oberkörper. Seine schwarzen Haare waren im Nacken zu einem Pferdeschwanz zusammengebunden.

Sein Gegenüber war bedeutend jünger, um die zwanzig, wenn überhaupt. Er stand breitbeinig da, die Fäuste erhoben, als sei er es gewohnt zu boxen. Sein Körper war angespannt, bereit, sich zu verteidigen.

Gerade als Adrian den Anleger erreichte, durchschnitt eine gellende Mädchenstimme den Lärm.

»Schluss jetzt, ihr Idioten. Hört ihr nicht, was ich sage! Ihr sollt aufhören!«

Immer mehr Neugierige strömten herbei, plötzlich war den beiden Polizisten der Weg versperrt. Da machte der Zwanzigjährige einen Ausfallschritt. Kühl täuschte er mit der Linken an, schien die Wucht des Schlages zu berechnen – und landete stattdessen einen Schwinger mit der Rechten.

Die Finte überrumpelte seinen Gegner, und der Schwinger traf genau auf dessen Kinnspitze. Der Mann mit dem Pferdeschwanz sackte zusammen und schlug so hart auf den Boden, dass der ganze Ponton schwankte.

»Hältst du jetzt endlich die Fresse, oder was!«

Der Zwanzigjährige drehte sich um und grinste das Mädchen, das so besorgt gerufen hatte, zufrieden an. Siegessicher schüttelte er die Fäuste in Richtung seiner Kumpels, die ihn jubelnd beklatschten.

»Assi-Pack«, sagte er und wischte sich mit dem Handrücken die Stirn ab.

Der andere Mann lag immer noch flach mit der Nase auf den Boden gepresst da. Dann kam langsam Bewegung in den Körper, er rappelte sich auf die Knie und schüttelte den Kopf, als würde ihm das helfen, klarer zu sehen. Er spuckte einen blutigen Schleimklumpen aus. Trotz der kühlen Nachtluft glänzte seine Haut von Schweiß.

Eine Sekunde später hielt er ein Messer in der Hand. Mit einem wütenden Hieb, immer noch auf Knien, schlug er nach dem jüngeren Mann. Ehe dieser reagieren konnte, hatte das Messer seine Hose zerfetzt. Im Nu färbte sich der weiße Jeansstoff rot.

Der Getroffene drehte sich um, im Gesicht ein ungläubiger Ausdruck, als verstünde er nicht ganz, was los war.

Adrian merkte, wie seine Muskeln sich anspannten.

»Aufhören! Polizei!«, brüllte er aus Leibeskräften und versuchte, die vor ihm Stehenden beiseitezustoßen.

Er zog seine Waffe, obwohl er sich mitten in der Menge befand, und rammte seinen Ellbogen in die Rippen eines Mannes, der ihm den Weg versperrte.

Der Messerstecher holte erneut aus und zielte auf den linken Arm des Zwanzigjährigen. Die scharfe Klinge schnitt durch die Luft und traf ohne einen Laut genau dort, wo der kurze Ärmel des T-Shirts endete.

Der junge Mann starrte auf seinen Arm. Instinktiv presste er die Hand auf die Wunde, um das Blut zu stoppen, aber es quoll ihm durch die Finger und tropfte dunkelrot auf den Boden.

Just als Adrian es geschafft hatte, sich durch die Menschenmenge zu drängen, hob der Mann mit dem Pferdeschwanz wieder das Messer. Adrian machte einen Satz nach vorn und packte ihn an der Schulter.

»Messer weg!«, brüllte er. »Polizei, lassen Sie sofort das Messer fallen! Haben Sie verstanden?«

Er presste die Pistole an die nackte Schulter des Mannes und merkte, wie ihm der Schweiß auf die Oberlippe trat.

»Sie lassen jetzt sofort das Messer fallen!«, brüllte er dem Mann ins Gesicht und umschloss den Pistolenkolben fester.

Eine Sekunde verstrich, noch eine, dann hörte man den Laut von Metall, das auf dem Boden aufschlug.

Im nächsten Moment stand Anna neben ihm und packte den Messerstecher von der anderen Seite. Gemeinsam zwangen sie ihn in die Knie, und kurz darauf lag er flach auf dem feuchten Betonpier.

Außer Atem packte Adrian die Hände des Mannes und fesselte sie ihm mit Handschellen auf dem Rücken.

»Alles okay?«, fragte Anna leise.

Adrian nickte, obwohl ihm ein bisschen schwummerig war. Seit der Funkdurchsage konnten nicht mehr als ein paar Minuten vergangen sein, aber ihm kam es viel länger vor. Er richtete sich auf und ging zu dem verletzten jungen Mann, der ganz grün im Gesicht war und am ganzen Körper zitterte.

»Setzen Sie sich hin, damit Sie nicht zusammenklappen«, sagte Adrian. »Und halten Sie den Arm hoch.«

Der Typ nickte stumm. Aus der Nähe war jetzt deutlich zu erkennen, wie jung er noch war.

Zwei weitere Kollegen waren inzwischen am Schauplatz angekommen und leuchteten mit starken Taschenlampen die Partygäste auf den beiden Booten ab.

Adrian wollte den Übeltäter möglichst schnell abführen, bevor einer seiner Kumpel noch auf dumme Gedanken kam. Mit so einer Rockerbande war nicht zu spaßen, einer von denen konnte durchaus versuchen, das zu Ende zu bringen, was dem Messerstecher nicht gelungen war.

Er zwang den Mann wieder auf die Beine, packte ihn am Arm und führte ihn Richtung Kai.

»Ich bringe ihn ins PKC«, rief er Anna zu.

Am landseitigen Ende des Stegs war es erstaunlich ruhig, die Menge der Schaulustigen hatte sich noch nicht wieder zerstreut. Adrian blieb einen Moment im Halbdunkel stehen.

»Das war ja wohl verdammt unnötig«, sagte er und gab dem Rocker einen harten Stoß in den Rücken.

Kapitel 9

»Wo kann sie nur sein? So sehr hat sie sich noch nie verspätet.«

Jonas' Stimme war heiser vor Sorge. Er erhob sich aus dem Korbstuhl und trat an das große Fenster, das aufs Meer hinaus zeigte.

Nora sah wieder auf die Armbanduhr. Die Zeiger hatten sich seit ihrem letzten Kontrollblick kaum bewegt. Die Zeit kroch im Schneckentempo voran, während die Unruhe wuchs.

Der Himmel war heller geworden, im Osten färbte er sich einen Hauch rosa. Die Boote, die am Nachbarsteg festgemacht hatten, lagen reglos im spiegelglatten Wasser.

»Ich halte das nicht länger aus. Ich gehe sie suchen.«

Jonas fuhr sich mit der Hand über den Kopf. Er war sonst immer die Ruhe selbst, aber als er sich jetzt vom Fenster abwandte, spürte Nora seine Angst.

»Dann komme ich mit. Ich ziehe mir nur schnell was an.«

Adam und Simon schliefen oben in ihren Zimmern. Einen Dreizehn- und einen Neunjährigen konnte sie auch mal eine halbe Stunde allein lassen. Der Ort war so klein, und sie blieb ja ganz in der Nähe, wäre kaum mehr als zehn Minuten entfernt. Es konnte nicht lange dauern, das Hafengelände abzusuchen.

Jonas schüttelte den Kopf.

»Besser, du bleibst hier, falls sie plötzlich auftaucht. Dann kannst du mich anrufen, wenn sie nach Hause kommt.«

»Bist du sicher?«

Er nickte nachdrücklich, und sie willigte ein.

»Okay. Aber vergiss dein Handy nicht.«

Nora streckte die Hand aus und strich ihm über die Wange. Sie wusste, dass es dort jetzt von betrunkenen Jugendlichen wimmelte. Die meisten Einwohner von Sandhamn blieben der Hafengegend in dieser Nacht fern.

Falls Wilma Alkohol getrunken hatte, konnte es sein, dass sie zu betrunken war, um auf sich achtzugeben. Dasselbe galt für ihre

Freundinnen. Sie waren erst vierzehn, auch wenn sie versuchten, sich älter zu machen.

Um sich selbst und Jonas zu beruhigen, sagte sie:

»Bestimmt ist sie auf irgendeinem Boot und hat die Zeit vergessen. Du weißt ja, wie Teenager sind.«

Sie merkte, dass ihre Worte keinen Unterschied machten.

»Willst du die Polizei informieren?«, fragte sie hastig. »Ich kann Thomas anrufen. Er ist ja auf Harö.«

»Nein, es ist mitten in der Nacht. Du hast wohl recht, sicher ist sie auf einem Boot und feiert.«

Ohne noch etwas zu sagen, ging er in die Diele und nahm seine Jacke vom Haken. In der Stille hörte Nora, wie die Haustür ins Schloss fiel.

Kapitel 10

Adrian überprüfte den Sitz seines Ohrhörers, während er auf den großen Wohnwagen zuging, der als mobile Polizeistation diente. Er stand an der Ecke zum Seglerhotel, an der Einmündung der Allee, die parallel zur Strandpromenade verlief. Von diesem Wohnwagen aus wurde die Polizeiarbeit während des Mittsommerwochenendes geleitet.

Anna war auf der Toilette, es würde einige Minuten dauern, bis sie zurückkam. Er hoffte, dass drinnen heißer Kaffee bereitstand. Irgendwas, das ein bisschen munterer machte.

Die Müdigkeit drückte auf die Augenlider, obwohl das Adrenalin von der Messerstecherei noch nicht wieder aus seinem Körper verschwunden war. Es hatte eine knappe Stunde gedauert, die Nachwirkungen der tätlichen Auseinandersetzung zu bearbeiten. Adrian und Anna kamen gerade von der Zollbrücke, wo sie den Messerstecher an eines der Polizeiboote übergeben hatten, das ihn nach Söder in die Untersuchungshaft bringen würde. Das Arztboot war glücklicherweise zur selben Zeit gekommen, die Besatzung war jetzt dabei, den Verletzten zu versorgen. Zwei betrunkene Minderjährige waren an den Sozialdienst übergeben worden, und außerdem hatte man die Namen und Personennummern aller bei dem Vorfall Anwesenden aufgenommen.

Die Bereitschaft, eine Zeugenaussage zu machen, war wie üblich gering, und die Fähigkeit, sich an etwas Wichtiges zu erinnern, womöglich noch geringer, aber wenigstens hatten sie die notwendigen Angaben für die kommende Untersuchung des Vorfalls aufgenommen. Um alles Weitere sollten sich andere kümmern.

Noch konnte Adrian keine Anzeichen dafür erkennen, dass die Feierstimmung abflaute. Die Lokale würden erst in einer Viertelstunde schließen, um zwei Uhr. Die letzte Fähre in die Stadt legte zur selben Zeit ab, und für gewöhnlich wurde es turbulent, wenn die Gäste aus den Kneipen strömten und gleichzeitig Hunderte betrunkener Jugendlicher versuchten, sich zur Fähre durchzukämpfen.

Danach würde es ruhiger werden, zumindest für dieses Mal. Zum Glück dauerte es ein ganzes Jahr bis zum nächsten Mittsommerfest.

Er wollte gerade in den Wohnwagen steigen, als hinter seinem Rücken eine helle Stimme erklang.

»Entschuldigung?«

Adrian nahm den Fuß von der untersten Treppenstufe und drehte sich um.

Ein zierliches dunkelhaariges Mädchen von etwa sechzehn Jahren stand einen Meter hinter ihm. Sie trug eine Jacke aus blauem Jaquardstoff mit glatten Revers und hatte die Arme vor der Brust verschränkt, als sei ihr kalt.

»Ja?«

»Ich suche meine Freunde«, sagte das Mädchen unsicher. »Ich kann sie nirgends finden. Können Sie mir helfen?«

Ohne Vorwarnung brach sie in Tränen aus. Sie presste die Hand auf den Mund, wie um die Kontrolle zu behalten, und stieß schluchzend hervor: »Ich suche sie seit Stunden. Erst dachte ich, sie wären schon weg, aber jetzt mache ich mir wirklich Sorgen. Keiner von ihnen ist ans Handy gegangen, ich habe immer wieder angerufen, und jetzt ist mein Akku leer.«

Adrian verdrängte seine Müdigkeit.

»Ganz ruhig«, sagte er. »Komm mit rein und erzähl, was passiert ist.«

Er zeigte auf den Wohnwagen, und das Mädchen stieg vor ihm die Treppe hoch.

»Setz dich«, sagte er freundlich und zeigte auf das lange braune Ledersofa unter dem Fenster.

Es war ein funktioneller Raum, schlicht, aber mit allem Notwendigen ausgestattet. Gegenüber des Sofas stand ein Schreibtisch mit zwei Laptops. An einer weißen Tafel hatte jemand die Anzahl der im Laufe der Nacht festgenommenen Personen notiert, außerdem die Zahl der in Gewahrsam genommenen Personen gemäß LOB – dem Gesetz zur Inobhutnahme Betrunkener. Im Moment waren das mehr als ein Dutzend.

Der Einsatzleiter dieses Wochenendes, Jens Sturup, saß am Schreibtisch und telefonierte leise, während er vor sich auf dem Laptop eine Personennummer kontrollierte. Er wandte den Blick nicht vom Bildschirm, als sie hereinkamen, hob aber grüßend die Hand.

Adrian riss ein Blatt von der Küchenrolle neben der Kaffeemaschine und reichte es dem Mädchen.

»Willst du Kaffee?«, fragte er und goss sich selbst eine Tasse ein. Der Kaffee roch ein bisschen angebrannt, wahrscheinlich stand er schon lange auf der Platte.

Das Mädchen schnäuzte sich und schüttelte den Kopf.

»Lieber ein Wasser?«

Sie nickte, und Adrian füllte einen Plastikbecher und gab ihn ihr.

»Wie heißt du?«

»Ebba«, kam es leise. »Ebba Halvorsen.«

»Wie alt bist du, Ebba?«

»Sechzehn. Ich habe gerade die neunte Klasse abgeschlossen.«

Adrian setzte sich auf den einzigen freien Stuhl.

»Was ist passiert, Ebba?«

Das Mädchen kämpfte immer noch mit den Tränen, schaffte es aber, einige Schlucke Wasser zu trinken.

Leise sagte sie: »Wir sind gestern hierhergekommen, am Mittsommerabend. Mit dem Boot.«

»Wessen Boot? Deinem?«

»Nein, Christoffers. Eigentlich gehört es seinem Vater. Wir durften es übers Wochenende leihen. Zuerst war alles ganz toll, wir sind gestern zum Mittsommerbaum gegangen und haben getanzt und ein Picknick im Gras gemacht.«

Ebba umklammerte den Wasserbecher.

»Danach haben wir den ganzen Abend gefeiert, aber nicht übermäßig. Das war echt ziemlich cool. Jedenfalls eine Zeit lang.«

Adrian betrachtete sie nachdenklich. Sie hatte ein Bein unter den Po gezogen, ihre offenen Haare waren ein wenig zerzaust.

»Wann hörte es auf, cool zu sein?«

»Heute. Am Nachmittag. Die Jungs haben gleich nach dem Aufwachen angefangen zu trinken. Immer und immer mehr, sie haben gar nicht mehr aufgehört, man konnte überhaupt nicht mit ihnen reden. Irgendwann hatte ich es satt und bin gegangen.«

»Wie spät war es da?«

Ebba wandte den Kopf ab.

»Ich weiß nicht genau, vielleicht sechs oder sieben.«

»Wohin bist du gegangen?«

»Zum Strand, nicht zu dem in Trouville, zu dem anderen, der näher am Ort ist.«

»Fläskberget«, warf Adrian ein.

»Mhm. Ich hab eine Weile da gesessen, und irgendwann bin ich eingeschlafen. Als ich aufgewacht bin, wollte ich am liebsten nach Hause, aber die nächste Fähre ging erst in ein paar Stunden. Also bin ich zurück, um nach meinen Freunden zu sehen, aber da war keiner. Das Boot war verlassen und verschlossen.«

Ihre Augen füllten sich wieder mit Tränen.

»Was hast du dann gemacht?«, fragte Adrian.

»Ich habe mich aufs Achterdeck gesetzt und gewartet, aber nach einer Weile bin ich los, um sie zu suchen. Ich habe immer wieder angerufen, aber keiner ist drangegangen, und am Ende war mein Akku leer.«

»Wie spät war es da?«

»Nach elf, glaube ich. Die Sonne war schon untergegangen.«

»Was ist dann passiert?«

»Ich bin zu den Aufpassern vor dem Festzelt gegangen, um zu fragen, ob sie meine Freunde gesehen hatten, aber sie wollten mir nicht helfen, und reingehen und nachsehen durfte ich auch nicht. Die letzten Stunden bin ich immer wieder alle Stege abgelaufen, um sie zu finden.«

Ebba begann wieder zu schluchzen. Adrian stand auf und holte mehr Küchenpapier.

»Danke«, sagte sie leise.

»Wie viele seid ihr?«, fragte Adrian. »Wie heißen deine Freunde?«

»Wir sind zu fünft.«

Sie verstummte und machte ein Gesicht, als wüsste sie nicht, ob sie weiterreden sollte.

»Christoffer und sein jüngerer Bruder Tobbe«, sagte sie nach einer Weile. »Und Felicia, das ist meine beste Freundin, und ihr Freund Victor.«

Adrian überlegte.

Die Freunde des Mädchens waren vermutlich auf einem anderen Boot und feierten, vielleicht zusammen mit ein paar neuen Freunden. Unter Alkoholeinfluss schloss man schnell neue Freundschaften, und es war leicht, an einem ganz anderen Steg zu landen als dem eigenen. Oder vielleicht waren sie auch zum Strand von Skärkarlshamn gegangen, das war ein beliebter Aufenthaltsort der Jugendlichen, nicht zuletzt der Camper. Die Polizei schaute dort regelmäßig vorbei, aber in diesem Jahr hatte es dort keine Vorfälle gegeben.

Falls sie stark betrunken waren, hatten sie vielleicht nicht gehört, dass ihre Handys klingelten, ganz egal, wo sie sich befanden. Aber merkwürdig war es doch, dass anscheinend alle auf einmal verschwunden waren.

Anna tauchte vor der offenen Wohnwagentür auf.

»Das hier ist Ebba«, sagte Adrian. »Ihre Clique ist verschwunden. Sie hat sie seit mehreren Stunden nicht mehr gesehen, ungefähr seit achtzehn Uhr.«

Ebba wischte sich mit dem Handrücken eine Träne ab.

»Mach dir keine Sorgen«, sagte Anna. »An diesem Wochenende ist hier der Teufel los, da kann man sich leicht aus den Augen verlieren, besonders jetzt, wo es dunkel ist.«

Sie lehnte sich an den Türrahmen.

»Kannst du deine Freunde ein bisschen näher beschreiben? Vielleicht sind wir ihnen heute Abend begegnet.«

»Tobbe ist rothaarig, man sieht ihn sofort«, sagte Ebba. »Er hat total lockige rote Haare, die richtig abstehen. Christoffer ist zwanzig und hat rotbraune Haare, aber die sind glatter. Sie sehen sich ziemlich ähnlich.«

»Und die anderen?«, hakte Anna nach.

Ebba zupfte am Sofaleder.

»Victor ist groß und kräftig, er hat blonde Haare, genau wie Felicia, aber sie ist kleiner, ungefähr meine Größe. Victor sieht viel älter aus, die Leute glauben immer, er ist schon erwachsen.«

»Was hatte Felicia an?«, fragte Anna.

»Einen Jeansrock, glaube ich.«

»Erinnerst du dich, was noch?«

»Einen rosa Pulli und eine weiße Jeansjacke.«

Anna wechselte einen Blick mit Adrian, was Ebba nicht entging. Ihre Augen wurden groß.

»Ist ihr was passiert?«, flüsterte sie.

Kapitel 11

Nora war auf dem Korbsofa eingenickt. Als sie aufwachte, stand die Sonne draußen vor dem Fenster schon ein ganzes Stück höher, also musste es fast zwei Stunden her sein, seit Jonas sich auf die Suche nach seiner Tochter gemacht hatte.

Vermutlich hatte Wilma zu viel getrunken und wollte erst ein bisschen nüchterner werden, ehe sie sich nach Hause traute, versuchte Nora sich einzureden. Oder vielleicht war sie auch irgendwo eingeschlafen.

Wilmas Bewunderung für ihre älteren Freunde war nicht zu übersehen gewesen, und Nora erinnerte sich daran, was ein einziges Jahr Unterschied bedeuten konnte, wenn man in der Oberstufe war. Wenn man in die achte Klasse ging, waren die Schüler in der neunten viel, viel interessanter als die eigenen Klassenkameraden. In dem Alter waren die richtigen Klamotten und die richtigen Freunde wichtiger als alles andere.

Nora stand auf und ging in die Küche. Vor dem Fenster zwitscherten ein paar Vögel, ansonsten war alles still. In den falunroten Häusern unterhalb der Brand'schen Villa waren die Rollos heruntergezogen, die Nachbarn schliefen um diese Zeit noch.

Simons Rad lag achtlos hingeworfen draußen vor dem Zaun, obwohl sie ihm eingeschärft hatte, es hereinzuholen, damit es nicht gestohlen wurde.

Es war ein schöner Morgen, aber Nora fühlte sich steif und beklommen. Im Haus war es kühl, doch das war nicht der Grund, warum sie fröstelte.

Plötzlich schrillte das Telefon.

Jonas erreichte das Hafengelände beim Café Strindbergsgården. Hier hatten die Insulaner ihre Liegeplätze, die Boote waren wesentlich bescheidener als die teuren Jachten an den Stegen des KSSS.

Der Hafen war wie ausgestorben, nirgends regte sich Leben, wie angestrengt Jonas auch Ausschau hielt. Seine Lungen schmerzten, und er beugte sich vor, um wieder zu Atem zu kommen.

Es war nach vier Uhr morgens und kühl, aber er schwitzte trotzdem.

Er hatte zuerst eine schnelle Runde durch den Hafen gedreht und anschließend die engen Gassen im alten Teil des Dorfes abgesucht. Danach war er zum Missionshaus, über den Friedhof und hinüber zum Strand von Fläskberget gelaufen. Als er dort ankam, war der Strand menschenleer. Nur ein paar leere Bierdosen dümpelten am Wassersaum.

Auf dem Rückweg überquerte er Adolfs Torg, wo die Mittsommerstange sechsunddreißig Stunden zuvor aufgerichtet worden war. Da hatten Hunderte von Menschen zu Akkordeonmusik um die Stange getanzt, und Wilma hatte einen Blumenkranz im Haar getragen. Den hatte sie am Vormittag geflochten, obwohl sie immer behauptete, sie finde Blumen im Haar blöd.

Jonas sah seine Tochter vor sich, wie sie die traditionellen Mittsommerlieder mitgesungen hatte. Ihr blondes Haar schwang vor und zurück, als sie zu »Små grodorna« auf und ab hüpfte und abwechselnd über dem Kopf und hinter dem Rücken in die Hände klatschte. Als sie vorbeitanzte, hatte sie ihm einen Kuss zugeworfen. Er hatte mit Nora im Arm am Rand gestanden und fröhlich zurückgewinkt.

Jetzt war sie verschwunden.

Wieder reckte er den Hals und suchte die Umgebung mit den Augen ab. So als könnte Wilma urplötzlich aus dem Nichts auftauchen.

Ein struppiger Hund lief an ihm vorbei und begann in einer Plastiktüte zu wühlen, die auf der Erde lag. Er stieß ein freudiges Winseln aus, schnappte zu und rannte mit seiner Beute davon, offenbar die Reste eines Grillhähnchens.

Jonas machte den Rücken gerade und nahm mit schnellen Schritten Kurs auf den KSSS-Hafen. Kurz darauf hatte er den Kiosk passiert und erreichte den langen hölzernen Kai, der vor den Verkaufsbuden verlief.

Dort blieb er stehen.

Im matten Morgenlicht sah der Hafen wüst und verdreckt aus. Die Abfallkörbe entlang der Strandpromenade quollen über, und Unmengen von Müll bedeckten den Boden – ein wildes Durcheinander von leeren Dosen, Chipstüten und Kaffeebechern. Überall stank es nach Alkohol.

Jonas setzte sich auf eine Holzbank und versuchte nachzudenken. Hatte Wilma nicht erwähnt, dass das Boot ihrer Freunde an der Via-Mare-Brücke am Rand des KSSS-Hafens lag?

Er runzelte die Stirn, während er sich zu erinnern versuchte, wie diese Freunde hießen. Wilma hatte nur ihre Vornamen genannt. Ohne weitere Angaben konnte er weder die Eltern erreichen noch irgendeine Handynummer herausfinden.

Jonas verfluchte sich selbst. Wie konnte ich nur so naiv sein?, dachte er. Ich weiß nichts, gar nichts. Was nützt es, dass sie ihr Mobiltelefon dabeihat, wenn sie nicht rangeht?

Vielleicht war der Akku des Handys leer, schlimmer brauchte es gar nicht zu sein. Vielleicht hatte sie es verloren oder irgendwo liegen gelassen. Aber während er nach einer logischen Erklärung suchte, tauchten vor seinem geistigen Auge alle möglichen Schreckensbilder auf.

Sollte er Margot anrufen? Nein, zuerst musste er Wilma finden. Die Sache wurde nicht besser davon, dass er seine Ex aus dem Schlaf holte und sie in Angst und Schrecken versetzte.

Eine Bewegung auf einem der Querstege erregte seine Aufmerksamkeit, und er drehte den Kopf. Auf einem Segelboot schlurfte ein Typ in Unterhosen schlaftrunken zum Heck, um zu pinkeln.

Jonas rannte auf ihn zu.

»Entschuldigung?«, rief er halblaut.

Keine Reaktion.

»Hallo«, rief er wieder, lauter diesmal. »Hallo!«

Jetzt hörte der Mann ihn und drehte sich um.

»Haben Sie ein blondes Mädchen gesehen, vierzehn, mit schulterlangen Haaren?«

Der verschlafene Typ hob abwehrend die Hand.

»Was?«

Jonas wiederholte seine Frage, bekam aber nur ein Kopfschütteln zur Antwort. Dann verschwand der Mann wortlos wieder nach unten in die Kajüte.

Jonas blieb unschlüssig mitten auf dem Steg stehen.

Um ihn herum lagen Hunderte von Booten an den diversen Stegen vertäut. Falls Wilma mit einem Unbekannten mitgegangen war, konnte sie sich irgendwo an Bord eines dieser Boote befinden.

Wie sollte er sie dann finden?

Kapitel 12

Nora ging eilig zum Telefon, das auf einem kleinen Tisch im Flur stand. Es war ein altmodisches schwarzes Bakelit-Telefon, eins von der Sorte, die es schon seit Jahrzehnten nicht mehr zu kaufen gab.

Das Telefon klingelte wieder, und Nora spürte ein Ziehen im Magen. Aber Jonas konnte es nicht sein, er hätte sie auf ihrem Handy angerufen.

Sie zwang sich, den Hörer abzunehmen. Und hörte eine wohlbekannte Stimme.

»Nora, hier ist Monica.«

»Monica?«

Nora konnte ihre Überraschung nicht verbergen. Ihre ehemalige Schwiegermutter würde nicht nachts um vier anrufen, wenn nicht etwas Schwerwiegendes passiert wäre.

Ging es um Henrik?

Sie bemühte sich, mit ruhiger Stimme zu sprechen, während sie den Hörer fest umklammerte.

»Ist was mit Henrik?«

Eine Sekunde Stille. Nora hielt den Atem an.

»Henrik? Nein, was soll mit ihm sein? Das ist nicht der Grund meines Anrufs.«

Nora entschlüpfte ein nervöses Lachen, als die Anspannung von ihr abfiel. Sie war so überzeugt gewesen, dass ihm etwas zugstoßen war.

»Du musst mir helfen«, fuhr Monica in ihrem üblichen Befehlston fort. »Das Enkelkind von guten Freunden von uns wurde von der Polizei aufgegriffen. Kannst du dir das vorstellen? Von der Polizei!«

Empörtes Luftholen.

»Erinnerst du dich an Karin und Holger Grimstad? Du hast sie bei uns getroffen, da bin ich mir fast sicher. Holger ist Honorarkonsul von Island, ein sehr angesehener Mann. Sie haben einen herrlichen Landsitz in Torekov, direkt am Meer mit einer fantastischen Aussicht.«

Während Monica plapperte, versuchte Nora ihr Gehirn umzuschalten, von »Sorge um Henrik« auf »Was erzählt die Frau da eigentlich«.

Schließlich sah sie sich gezwungen, den Redefluss zu unterbrechen.

»Monica, bitte. Was ist passiert?«

»Die Polizei hat Grimstads Enkelin in Obhut genommen. Sie ist offenbar in einem beklagenswerten Zustand, und die Eltern verbringen das Mittsommerwochenende in Torekov. Karin hat mich gerade angerufen, sie ist völlig verzweifelt. Keiner aus der Familie ist in der Nähe von Stockholm.«

»Aha.«

Nora hatte immer noch keine Ahnung, was Monica wollte.

»Du musst zur Polizei und dich um Grimstads Enkelin kümmern, bis die Eltern sie abholen können. Im Moment ist eine Freundin bei ihr.«

Monica unterbrach sich, um Atem zu holen, aber ehe Nora etwas sagen konnte, sprach sie weiter.

»Karins Tochter und ihr Mann nehmen heute die erste Maschine, aber anscheinend gibt es nicht so viele Flüge von Ängelholm nach Stockholm.«

»Ist das Mädchen auf Sandhamn?«, fragte Nora.

Monica seufzte ungeduldig, und Nora schloss die Augen. Wie so viele Male zuvor gab Monica ihr das Gefühl, schwer von Begriff zu sein. Sie verstand es meisterhaft, andere Menschen in ihrem Umfeld herabzuwürdigen, diese Erfahrung hatte Nora während ihrer Ehe mit Henrik zur Genüge gemacht.

»Ja, natürlich ist sie auf der Insel. Warum hätte ich dich sonst anrufen sollen?«

Nora wünschte, sie könnte Nachsicht mit ihr haben, aber wie üblich ärgerte sie sich nur. Der Gedanke, sich für den frühen Anruf zu entschuldigen, war Monica vollkommen fremd. Für sie war es selbstverständlich, dass Nora, genauso wie auch der Rest der Welt, nach ihrer Pfeife tanzte.

»Hör zu«, sagte Monica, bevor Nora protestieren konnte. »Das Mädchen kann nicht auf sich selbst aufpassen, und du bist die einzige Person, die ich kenne, die im Moment auf Sandhamn ist.«

Monica seufzte hörbar.

»Wie viel einfacher wäre doch alles, wenn ihr noch verheiratet wärt, Henrik und du. Dann hätte ich mich darauf verlassen können, dass er sich um diese schreckliche Sache kümmert.«

Nora dachte an Wilma. Sie sah Adam und Simon vor sich. Es hätte Adam sein können, der zu viel getrunken hatte und an einem Ort, wo er niemanden kannte, halb besinnungslos gestrandet war. Oder Simon, der sich in einer Notlage befand.

Sie musste helfen.

»Was soll ich deiner Meinung nach tun?«

»Es wäre gut, wenn du das Mädchen abholen und zu dir nach Hause mitnehmen könntest, bis die Eltern auf die Insel kommen. Die Polizei will sie offenbar so schnell wie möglich loswerden. Was ganz schön unverschämt ist, wenn man es recht bedenkt.«

Das war typisch Monica, sich sowohl darüber aufzuregen, dass die Polizei das Mädchen mitgenommen hatte, als auch darüber, dass sie es nicht dabehalten wollten. Gegen ihren Willen musste Nora schmunzeln.

»Wann kommen die Eltern hierher, sagst du?«

»So schnell sie können. Aber das wird wohl erst gegen Mittag sein, eher später.«

Nora machte eine rasche Überschlagsrechnung.

Wenn sie auf dem Flugplatz Bromma gelandet waren, brauchten sie mindestens eine Stunde mit dem Taxi zum Hafen von Stavsnäs. Von dort gingen die Waxholmfähren nach Sandhamn, und die Überfahrt dauerte ungefähr eine Dreiviertelstunde.

»Wie heißen sie?«, fragte sie.

»Die Mutter heißt Jeanette. Jeanette und Jochen Grimstad.«

»Hast du eine Telefonnummer von ihnen?«

»Nein, nur von Karin. Aber sie haben deine Nummer, also werden sie sich bestimmt bald bei dir melden.«

»Wie heißt ihre Tochter?«

»Felicia.«

Kapitel 13

Als Adrian zurück zum Wohnwagen kam, hatte Harry Anjou, den Adrian nur flüchtig kannte, Jens Sturup am Schreibtisch abgelöst.

Adrian ging zur Kaffeemaschine und goss sich den letzten Rest der verkochten Brühe ein. Er war hundemüde. Mittlerweile war er seit achtzehn Stunden im Dienst.

Erschöpft ließ er sich auf das Sofa fallen. Es war kurz vor vier Uhr morgens, der Polizeieinsatz würde in Kürze beendet sein. Mit dem Abklingen des Nachtlebens hatten die meisten Kollegen ihre Schicht beendet. Jetzt waren nur noch wenige Polizisten im Dienst.

»Ich habe die Eltern des Mädchens im PKC erreicht«, sagte Adrian zu Anjou, der mit dem Rücken zu ihm vor dem Bildschirm saß und las.

An der Pinnwand über dem Schreibtisch war die Statistik der aufgegriffenen und in Obhut genommenen Personen deutlich gestiegen.

»Sind sie unterwegs?«, fragte Harry Anjou und wandte den Blick vom Bildschirm.

Adrian schüttelte den Kopf.

»Sie sind weit weg, in Südschweden. Aber sie haben eine Bekannte, die ein Haus auf der Insel hat. Diese Bekannte hat versprochen, das Mädchen abzuholen, sobald sie kann. Anna ist im PKC geblieben und wartet auf sie.«

»Wie geht's dem Mädchen?«

Als Ebba ihre Freundin gefunden hatte, war sie wieder in Tränen ausgebrochen. Dann hatte sie sich zu Felicia gelegt. Felicia war immer noch völlig weggetreten und hatte Ebba kaum wahrgenommen.

»Sie ist sehr betrunken«, sagte Adrian. »Aber bis morgen geht das sicher vorbei.«

Adrian trank den letzten Schluck Kaffee und schnitt unwillkürlich eine Grimasse, als er den bitteren Geschmack auf der Zunge spürte.

»Was machen wir mit ihren vermissten Freunden?«, fragte er. »Hat jemand nach ihnen gesucht?«

»Die liegen bestimmt in irgendeiner Ecke und schlafen ihren Rausch aus«, erwiderte Anjou. »Wie alle anderen, die zu voll waren, um die letzte Nachtfähre zu erwischen. Suffköppe.«

Anjou schien es nicht zu kümmern, dass Adrian ein erstauntes Gesicht machte. Er kam von einer ländlichen Dienststelle in Norrland und arbeitete erst seit einem halben Jahr bei der Polizei Nacka. Offenbar war die Ausdrucksweise in Nordschweden ein wenig derber.

Adrian überlegte, ob er eine letzte Runde drehen sollte, um die verschwundenen Freunde zu suchen. Aber Anjou hatte wahrscheinlich recht. Die Freunde der Mädchen waren wohl einfach irgendwo eingeschlafen. Sie würden sicher am nächsten Vormittag wieder auftauchen, mit Brummschädel und roten Augen. Vermutlich nicht mehr ganz so großspurig wie zu dem Zeitpunkt, als Ebba sie verlassen hatte.

Er reckte sich und gähnte herzhaft.

»Dann leg ich mich jetzt auch mal aufs Ohr«, sagte er. »Was hatten wir gesagt, Treffen morgen um zehn?«

Der Transporter, der die Polizeiausrüstung zum Festland bringen würde, sollte gegen ein Uhr abfahren. Bis dahin mussten sie noch alles zusammenpacken. Viel Schlaf würden sie also nicht bekommen.

Anjou nickte bestätigend. Er wirkte auch müde, seine Augen waren ganz klein.

»Ich mache hier gleich dicht«, sagte Anjou über die Schulter. »Wenn noch was ist, ruf an.«

Er zeigte auf die Handytasche an seinem Gürtel.

Adrian konnte ein erneutes Gähnen nicht unterdrücken. Er stand auf und stellte den Kaffeebecher ab.

»Dann bis morgen.« Er sah auf die Uhr. »Oder besser, bis in ein paar Stunden.«

»Okay«, antwortete Anjou, ohne vom Bildschirm aufzusehen.

Kapitel 14

Molly hatte schon eine ganze Weile gewinselt. Irgendwann war es nicht mehr auszuhalten, und Pelle Forsberg schlug seufzend die Bettdecke zurück.

Er rieb sich die Augen und schüttelte den Kopf, um wach zu werden. Es war erst vier Uhr morgens.

»Na, dann komm«, sagte er mit einer Stimme, die freundlicher klang, als ihm zumute war.

Es war eigentlich viel zu früh für ihren Morgenspaziergang, aber Molly hatte schon viele Jahre auf dem Buckel und konnte nicht mehr lange einhalten. Tief in seinem Herzen wusste Pelle, dass es irgendwann Zeit sein würde, einen letzten Besuch beim Tierarzt zu machen. Aber sie waren jetzt schon so lange zusammen, und während der Scheidung, als er und Linda sich bis aufs Blut gestritten hatten, war der Hund so manches Mal sein größter Trost gewesen.

Sein einziger Trost, um genau zu sein. Insbesondere als Mutter und Tochter gemeinsam Front gegen ihn gemacht hatten.

»Schon gut, altes Mädchen«, sagte er und strich ihr über die weiche Nase. »Du hast gewonnen. Wir gehen eine Runde.«

Er versuchte, sie streng anzusehen.

»Aber danach wird weitergeschlafen, hast du verstanden?«

Molly wedelte eifrig mit dem Schwanz, und Pelle Forsberg stieg in die Jeans, die am Fußende seines Bettes lag. Er griff nach seinem Pullover, der über dem Stuhl hing, und steckte die Füße in ein paar ausgetretene Turnschuhe.

Wenn sie zurück waren, musste er versuchen, noch ein Auge zuzumachen. Das war bitter nötig, denn am Abend hatte er nur schwer einschlafen können.

Das Haus lag ein Stück abseits des Hafens, genau an den Tennisplätzen, aber trotzdem war der Discolärm unerträglich gewesen. Die Bässe, die durch die Nacht wummerten, drangen einem durch Mark und Bein, so war es ihm jedenfalls vorgekommen, als er sich das Kopfkissen über die Ohren zog, um dem Spektakel zu entgehen.

Pelle Forsberg nahm die Leine vom Haken, ließ Molly aber frei laufen. Um diese Zeit brauchte er sie nicht anzuleinen. Wer sollte sich daran stören? Aber er schloss die Tür sorgfältig hinter sich ab. Das machte er normalerweise nicht, doch an diesem Wochenende konnte es nicht schaden, vorsichtig zu sein.

Molly lief in Richtung des Strands von Skärkarlshamn, und es dauerte nicht lange, bis sie sich hinhockte. Pelle Forsberg konnte ihre Erleichterung beinahe spüren, und er schämte sich ein bisschen, dass er sie so lange hatte warten lassen.

Mittlerweile war er einigermaßen wach und sah, dass es ein wunderschöner Morgen war. Die Sonne stieg hinter dem Turm von Korsö auf, es würde vermutlich wieder ein herrlicher Tag werden. Die Luft war morgenfrisch und klar.

Während Molly herumschnüffelte, blieb er stehen und kramte in seinen Taschen. Er steckte sich eine Zigarette an und genoss den ersten Zug. Er machte für einen Moment die Augen zu. Dann folgte er Molly in gemächlichem Tempo.

Lass sie nur laufen, dachte er. Sie soll den Morgen auch genießen. Anschließend schlafen wir zwei noch eine Runde.

Er musste über seine eigene Sentimentalität schmunzeln.

In einiger Entfernung konnte er Zelte inmitten des lichten Kiefernwalds erkennen. Dort, wo sich gelbgrünes Moos mit Blaubeersträuchern mischte, verschmolzen die grauen Zeltwände mit der Umgebung. Die Vegetation bildete hier so etwas wie Inseln im Sand, oft mit einer kleinwüchsigen Kiefer als Mittelpunkt eines quadratmetergroßen Flecks voller Kiefernnadeln und Zapfen.

Er ging zum Strand hinunter und bog nach rechts ab. Ein paar Hundert Meter weiter, wo der Strand endete, stand ein Zaun, der bis hinunter ans Wasser reichte. Aus Tradition verzichtete man normalerweise darauf, Strandgrundstücke einzuzäunen, und der Zaun vor ihm war für die Inselbewohner und die Sommergäste ein ständiges Ärgernis.

In Pelle Forsbergs Fall steigerte er nur seine Lust, demonstrativ über genau diesen Strandabschnitt zu spazieren.

Molly hatte irgendeine Witterung aufgenommen und verschwand am entlegensten Ende des Strandes. Er folgte ihr ohne jede Eile, während er überlegte, ob sie noch nach Trouville hinuntergehen sollten, wo sie doch jetzt schon mal draußen waren.

Pelle zog wieder an seiner Zigarette und stolperte über eine Wurzel im Sand. Als er sich aufrichtete, hörte er, wie die Hündin eifrig zu bellen begann. Sie befand sich einige Hundert Meter entfernt vor einer großen Erle mit dickem Stamm. Der Baum stand genau dort, wo der Strand in felsige Klippen überging, etwa zwanzig Meter vor dem ärgerlichen Zaun.

Das Bellen hallte durch den stillen Morgen.

»Schhh!«, machte Pelle Forsberg, so leise er konnte. »Schhh, Molly. Aus! Die Leute schlafen noch.«

Er ging schneller und stieg über dickes Wurzelwerk, das aus dem Sand ragte.

Molly kläffte weiter.

»Jetzt ist es aber genug!«

Pelle Forsberg wurde lauter, und der scharfe Tonfall brachte die Hündin endlich zum Schweigen. Stattdessen ging sie zu einem leisen Knurren über, das tief aus der Brust kam. Aber sie stand weiterhin da und weigerte sich, ihren Platz zu verlassen.

Pelle Forsberg ging näher heran. Etwas Weißes war zwischen dem Grün zu erahnen. Er schob ein paar lang ausgeschossene Zweige beiseite und kniete sich hin, um besser sehen zu können.

Plötzlich verstand er, warum der Hund so reagiert hatte.

Auf der Erde unter dem Laub sah er ein bleiches Gesicht mit leblosen Augen.

Mollys kalte Nase an seiner Wange brachte Pelle auf die Beine. Das Herz hämmerte ihm in der Brust, während er zurück zu seinem Haus rannte, wo sein Telefon immer noch auf dem Nachttisch lag.

Kapitel 15

Nora nahm die Segeljacke vom Haken. Die Jungs schliefen noch tief und fest, sie würden wahrscheinlich nicht aufwachen, während sie weg war, aber sicherheitshalber schrieb sie ihnen einen Zettel und legte ihn auf den Küchentisch.

Obwohl sie Hunger hatte, nahm sie sich nicht die Zeit für ein Stück Brot. Stattdessen goss sie sich ein Glas Joghurt ein, das sie im Stehen austrank. Dann zog sie die Haustür hinter sich zu und öffnete die weiße Gartenpforte. Flüchtig ging ihr durch den Kopf, dass der Zaun gestrichen werden musste.

Während sie eilig den Kvarnberget hinunterging, zog sie das Handy aus der Jackentasche und wählte Jonas' Nummer.

Er nahm beim ersten Klingelton ab.

»Ist sie nach Hause gekommen?«

Nora wurde das Herz schwer, als sie die Hoffnung in seiner Stimme hörte. Mittlerweile machte er sich große Sorgen um Wilma.

»Nein, leider nicht«, sagte Nora und drückte das Handy fest ans Ohr. »Deswegen rufe ich nicht an. Es ist was anderes passiert.«

Rasch erklärte sie ihm die Situation.

»Ich bin unterwegs zum Kontaktcenter der Polizei, wo die Mädchen im Moment sind. Ich habe Monica versprochen, sie zu mir nach Hause zu holen.«

Sie zögerte.

»Hast du die Polizei informiert, dass Wilma verschwunden ist?«

»Nein.«

»Solltest du das nicht besser tun?«

»Ich habe keine Polizisten gesehen.«

Er atmete gepresst und sprach viel schneller als sonst.

»Soll ich mich im PKC erkundigen, ob jemand sie gesehen hat, wenn ich sowieso schon mal dort bin? Schaden kann es ja nicht.«

Sie hörte, wie Jonas tief durchatmete.

»Ja«, sagte er dann. »Das kann es wohl nicht.«

»Wo bist du?«, fragte Nora.

»Ganz am Ende des äußeren Pontons, gegenüber der Via-Mare-Brücke. Ich versuche, einen Blick in die großen Boote zu werfen, aber es ist aussichtslos. Um die Zeit schlafen alle. Nirgends eine Menschenseele, die man fragen könnte.«

Die Via-Mare-Brücke befand sich neben der Tankstelle im KSSS-Hafen. Der lange, abgesperrte Landungssteg war für besondere Mitglieder reserviert, und man brauchte einen Code, um das Tor zu öffnen.

Nora hätte ihm so gerne etwas gesagt, was ihn beruhigte, aber sie hatte Mühe, die richtigen Worte zu finden.

»Sie wird sich bestimmt jede Minute melden«, sagte sie lahm. »Du wirst sehen, das Telefon klingelt, sobald wir aufgelegt haben.«

Sie ließ das Handy wieder in die Jackentasche gleiten und ging so schnell sie konnte durch die schmalen Gassen, die von weißen und roten Lattenzäunen gesäumt wurden. Der Holunder stand in voller Pracht, und die schönen cremeweißen Blütendolden erinnerten sie daran, wie süß Wilma gestern beim Tanz um die Mittsommerstange ausgesehen hatte.

Nachdem Nora die Rückseite der Taucherbar passiert hatte, trat sie bei dem hellen Haus, das den Supermarkt der Insel beherbergte, hinaus in den Hafen.

Jonas hatte recht gehabt, die ganze Umgebung war wie ausgestorben. Die grauen Metallrollläden des Kiosks am Dampfschiffkai waren heruntergelassen, und die Modeboutique gegenüber war verriegelt und verrammelt.

Etwas entfernt kreisten ein paar Möwen im Morgendunst.

Die Sonne stand bereits ein gutes Stück über dem Korsö-Turm, aber es wehte ein kalter Wind. Nora fröstelte.

Als Nora am PKC klingelte, wurde die Tür fast sofort von einer hübschen Polizistin mit asiatischen Gesichtszügen geöffnet.

»Mein Name ist Nora Linde, ich glaube, ich soll hier zwei Mädchen abholen.«

Sie hörte selbst, wie verwirrt sie klang, aber die Polizistin ließ sich nichts anmerken. Sie streckte die Hand aus und begrüßte sie.

»Anna Miller, ich habe Sie erwartet. Die Mädchen sind oben. Haben Sie einen Ausweis dabei?«

»Äh, ja.«

Etwas verblüfft zog Nora ihren Führerschein hervor und hielt ihn hoch. Anna warf einen schnellen Blick darauf.

»Danke. Felicias Vater sagte, dass Sie kommen würden, aber ich muss ja sichergehen, dass Sie es sind.«

Sie zeigte auf eine Treppe.

»Kommen Sie bitte mit.«

Wie jung sie sind. Das war Noras erster Gedanke, als Anna die Tür öffnete und ihr Blick auf die Mädchen fiel.

Schmale Schultern, halblanges Haar, schmächtige Körper und dünne Kleider. Sie lagen nebeneinander auf einer Pritsche, zugedeckt mit einer Wolldecke.

Eines der Mädchen stand auf, um Nora die Hand zu geben. Sie stellte sich schüchtern als »Ebba« vor und knickste leicht. Ihr Gesicht war streifig von Tränen. Das andere Mädchen, das Felicia sein musste, sah nicht viel besser aus, wie sie dalag mit ihren zerzausten Haaren. Nora musste sofort an Wilma denken.

Spontan beugte sie sich vor und umarmte Ebba.

»Ich heiße Nora Linde und wohne hier auf Sandhamn«, sagte sie. »Meine Schwiegermutter ist mit Felicias Familie bekannt, deshalb bin ich hier. Wie geht es dir und deiner Freundin?«

»Nicht so gut«, antwortete Ebba leise.

Nora strich ihr übers Haar, genauso wie sie es bei Simon tat, wenn er Trost brauchte.

»Ich nehme euch jetzt mit zu mir nach Hause, dort könnt ihr euch ausschlafen, bis eure Eltern in ein paar Stunden kommen und euch abholen. Das renkt sich alles wieder ein, du wirst sehen. Mach dir keine Sorgen.«

Ebba nickte, sagte aber nichts. Felicia war ansprechbar, obwohl ihre Augen ins Leere starrten. Aber als Nora versuchte, mit ihr zu reden, murmelte sie nur zusammenhanglose Worte.

»Dann überlasse ich die Mädchen jetzt Ihnen«, sagte Anna.

Ein paar dunkle Haarsträhnen hatten sich aus ihrem Pferdeschwanz gelöst und umspielten ihren Hals. Sie zog das Haargummi ab, fasste die Haare zusammen und band das Gummi wieder um.

»Muss ich etwas Besonderes beachten?«, fragte Nora, plötzlich unsicher, auf was sie sich da eingelassen hatte.

»Lassen Sie sie schlafen und sich erholen«, sagte Anna. »Es wäre gut, wenn Sie ihnen später eine Kleinigkeit zu essen und zu trinken geben könnten.«

»Hat sie eine Alkoholvergiftung?«, fragte Nora leise mit einem Blick auf Felicia.

»Ganz so schlimm ist es nicht, sonst hätten wir sie ins Krankenhaus bringen müssen. Aber sie hat definitiv zu viel getrunken, sie war völlig weggetreten, als wir sie fanden.«

»Verstehe«, sagte Nora, obwohl sie es nicht tat.

Die Mädchen waren kaum älter als Adam. Ob ihm auch so etwas passieren könnte, aufgegriffen von der Polizei, außerstande, sich selbst zu helfen?

Sie konnte sich ihren Sohn nicht angetrunken vorstellen, geschweige denn sinnlos betrunken.

»Fängt es wirklich so früh an?«, fragte sie wider besseren Wissens.

»Sie machen sich keinen Begriff. Wir haben schon Schüler aus der Mittelstufe aufgegriffen, die sich mit Bier und Wein ins Koma getrunken hatten.«

»Aber wie kann das angehen?«, fragte Nora. »Wie kommen sie an den Alkohol?«

Anna sah Nora an, als würde diese in einer anderen Welt leben.

»Den stibitzen sie ihren Eltern, oder sie bringen ihre älteren Geschwister dazu, ihn für sie zu kaufen. Professionelle Dealer sind eine andere Möglichkeit, die warten freitags vor den Schulen.«

Anna lächelte nachsichtig.

»Schließen Sie zu Hause Ihren Alkohol ein?«, fragte sie in einem Tonfall, als wüsste sie die Antwort bereits.

Nora schüttelte verlegen den Kopf. Im Gegenteil, in ihrer Küche lagerte der Wein frei zugänglich auf der Anrichte, in einem Flaschenregal aus Olivenholz, das sie mal aus Spanien mitgebracht hatte. Und im Kühlschrank stand ein offener Tetrapak Weißwein.

Nicht eine Sekunde lang hatte sie daran gedacht, den Wein wegzuschließen, obwohl sie selbst gesehen hatte, wie Wilma sich auf den Mittsommerabend vorbereitete.

So nichtsahnend.

Ebba unterbrach ihre Gedanken.

»Entschuldigung«, sagte sie schüchtern.

»Ich wollte nur fragen ... haben Sie unsere Freunde gefunden?«

»Leider nicht«, erwiderte Anna. »Aber mach dir keine Sorgen. Sie schlafen sicher irgendwo ihren Rausch aus, genau wie ihr beide es tun solltet.«

Sie wirkte erschöpft, dachte Nora, ihre Lippen waren trocken und ihre Augen matt.

Nora berührte den Arm der Polizistin.

»Ich möchte Sie etwas anderes fragen.«

Sie gingen ein paar Schritte weiter zu einem Fenster, damit Ebba und Felicia nicht hörten, was sie miteinander sprachen.

»Meine ...«

Sie unterbrach sich. Wie sollte sie Wilma nennen? Stieftochter klang so fremd, sie wohnte ja nicht einmal mit Jonas zusammen. Extrakind, war das besser?

Sie begann noch einmal.

»Die Tochter meines Lebensgefährten ist heute Nacht nicht nach Hause gekommen. Ihr Vater ist seit Stunden unterwegs und sucht sie. Wir sind ziemlich besorgt, wie Sie sich vielleicht vorstellen können.«

Als Anna die Stirn runzelte, merkte Nora, dass sie auf eine andere Reaktion gehofft hatte. Ein freundliches Lächeln, ein paar beruhigende Worte über Teenager, die auf Partys die Zeit vergaßen. Kein Grund, sich Sorgen zu machen.

Stattdessen fragte die Polizistin: »Seit wann ist sie verschwunden?«

»Sie hätte um eins zu Hause sein müssen.«

»Haben Sie versucht, sie anzurufen?«

»Sie geht nicht an ihr Handy.«

Anna sah Nora forschend an.

»Verstehen Sie mich nicht falsch«, sagte sie, »aber es wäre gut zu wissen, ob es Streit gab, bevor sie losging. Gab es irgendeinen Grund, warum sie sich davor drückt, nach Hause zu gehen?«

»Überhaupt nicht«, erwiderte Nora heftiger als beabsichtigt. »Sie wollte nur mit ein paar Freunden Mittsommer feiern.«

»Sind Sie sicher?«

»Ja, natürlich.«

Die Frage war nicht ungewöhnlich, aber trotzdem fühlte Nora sich schuldig. Als hätte sie es versäumt, aufmerksamer zu sein.

Anna hatte weitere Fragen.

»Es gab kein Anzeichen für etwas Ungewöhnliches? Zum Beispiel, dass sie traurig war oder sich über etwas aufgeregt hat?«

»Nein, das habe ich doch schon gesagt.«

Nora hörte selbst, dass dies nach Abwehrhaltung klang, aber sie konnte nicht anders.

»Okay, belassen wir es dabei«, sagte Anna. »Wie sieht sie aus, gibt es besondere Kennzeichen?«

Nora beschrieb Wilma, so gut sie konnte, ihre Kleidung, die Haarfarbe.

»Nicht viel anders als die beiden«, schloss sie und blickte hinüber zu Ebba und Felicia.

Sie dachte an das Foto, das Jonas als Displayhintergrund auf seinem Handy hatte. Das unbekümmerte Lachen, die blonden Haare.

»Ihre Freunde werden auch vermisst«, sagte Anna und deutete mit einer Handbewegung auf die Mädchen. »Wie war ihr Name, sagten Sie?«

»Wilma, Wilma Sköld. Ihr Vater heißt Jonas Sköld, er hat ein Haus von mir gemietet.«

Warum sie Letzteres anfügte, wusste sie nicht, es gab keinen Grund, der Polizei mitzuteilen, dass Jonas ihr Mieter war.

»Wie alt ist sie?«

»Vierzehn.«

»Kennt sie sich auf der Insel aus?«

»Das weiß ich nicht genau.«

»Erst vierzehn also«, wiederholte Anna.

Nora gefiel der Ton in ihrer Stimme nicht.

Kapitel 16

Adrian hatte zwar zu Anjou gesagt, dass er sich schlafen legen würde, aber er ging trotzdem zu dem Ponton, an dem das Boot von Ebbas Freunden lag. Er wollte es noch ein letztes Mal kontrollieren, vielleicht war inzwischen jemand zurückgekommen.

Das Boot lag fast ganz am Ende. Es war ein zweiundvierzig Fuß langer Sunseeker mit großem Sonnendeck und weißen Ledermöbeln auf dem Achterdeck. Das Erste, was Adrian ins Auge fiel, war ein eingetrockneter Fleck auf den Decksplanken, vermutlich Rotwein. Ebba hatte gesagt, dass das Boot dem Vater eines ihrer Freunde gehörte. Der würde über den Fleck sicher alles andere als erfreut sein.

Wie es aussah, war die Tür zur Kajüte nicht richtig geschlossen. Ob jemand unten war?

Adrian kletterte an Bord und zog versuchsweise am Türgriff. Die Tür glitt problemlos auf, und er steckte den Kopf hinein.

»Hallo«, sagte er halblaut.

Niemand antwortete.

Als seine Augen sich an das Dämmerlicht gewöhnt hatten, sah er einen Essplatz und eine Pantry. Die Einrichtung war teuer, überall schimmerndes Holz und der Fußboden aus edlem Mahagoni. Im Spülbecken lagen ein paar leere Bierdosen, auf dem Tisch standen mehrere Flaschen. Ein Energydrink war in eine Ecke gerollt.

Auf dem ausladenden Ledersofa lag ein Junge auf dem Bauch und schlief. Er hatte rote krause Haare und war voll bekleidet.

»Hallo«, sagte Adrian wieder, lauter diesmal.

Keine Reaktion.

Nach kurzem Zögern kletterte Adrian hinunter und inspizierte die geräumige Kajüte. In einem Regal standen mehrere Bücher über Bootssport, auf dem Fußboden lagen Kissen mit Signalflaggen als Motiv.

Eine Edelholztür mit Messinghandgriff führte zu einer Doppelkoje im Bug. Als Adrian einen Blick hineinwarf, entdeckte er ein Pärchen, das ebenfalls fest schlief. Das Mädchen trug nur einen Slip, das Laken war heruntergerutscht und hatte sich zwischen ihren Beinen verfangen. Der junge Mann neben ihr lag auf dem Rücken und schlief mit offenem Mund.

Es stank nach Alkohol in dem engen Raum.

Adrian zog sich zurück und drehte sich um. Er legte die Hand auf die Schulter des schlafenden Teenagers auf dem Sofa und rüttelte ihn.

Als nichts passierte, rüttelte er wieder, diesmal etwas fester.

»Was ist«, knurrte der Junge plötzlich und schlug die Augen auf.

Er drehte den Kopf in Adrians Richtung. Als er die Uniform sah, blinzelte er verwirrt.

»Ich hab nichts gemacht«, sagte er sofort.

Verschlafen setzte er sich auf, seine roten Haare standen in alle Richtungen ab. Er blickte Adrian an.

»Was wollen Sie hier? Ist was passiert?«

Adrian begriff, dass er ihn erschreckt hatte, und trat einige Schritte zurück.

»Wie heißt du?«

»Tobbe. Tobias Hökström.«

»Kennst du ein Mädchen namens Ebba Halvorsen?«

Der Junge nickte, immer noch verwirrt. Das Sofaleder hatte Streifen in seine Wange gedrückt, auf der sich ein Bluterguss Richtung Ohr ausbreitete.

»Ja, wir gehen in dieselbe Klasse.«

»Weißt du, dass sie dich und deine Clique die ganze Nacht lang gesucht hat?«

»Wieso das denn? Sie war doch diejenige, die abgehauen ist.«

»Aber ihr seid zusammen hierhergekommen. Es wäre wohl nicht zu viel verlangt gewesen, sie anzurufen und ihr Bescheid zu sagen. Sie ist zu uns gekommen, weil sie sich Sorgen gemacht hat.«

»Sie ist zur Polizei gegangen? Tickt die nicht mehr ganz sauber?«

Adrian wusste nicht recht, wie er auf den Ausbruch des Teenagers reagieren sollte.

»Wo wart ihr denn?«, fragte er stattdessen.

Tobbe kratzte sich im Nacken und gähnte.

»Wir waren auf einem anderen Boot und haben Party gemacht, mit ein paar Freunden von meinem Bruder.«

»Wart ihr die ganze Zeit dort?«

»Glaub schon.«

Wieder ein Gähnen.

»Du hast nicht daran gedacht, Ebba anzurufen und ihr zu sagen, wo ihr seid?«

»Nö«, sagte Tobbe mit leerem Blick.

»Wann seid ihr hierher zurückgekommen?«

»Keine Ahnung. Weiß ich nicht mehr.«

Adrian deutete mit einem Kopfnicken auf die vordere Koje.

»Wer ist das?«

Tobbe reckte den Hals und warf einen Blick durch den Türspalt.

»Das ist mein großer Bruder.«

»Und das Mädchen?«

»Die ist von dem anderen Boot.« Er gähnte wieder. »Ich hab nichts gemacht. Kann ich jetzt weiterschlafen?«

Adrian überlegte.

»Wir haben eure Freundin Felicia in Obhut genommen. Nach Angaben von Ebba hat sie nach ihrem Freund gesucht, Victor. Weißt du, wo er ist?«

»Ist Victor noch nicht wieder da?«

»Das kannst du besser beantworten als ich.«

Widerwillig stand Tobbe auf und steckte den Kopf in die andere Koje, wo eine Tasche und eine Jacke nachlässig hingeworfen auf der Matratze lagen.

»Da ist keiner«, sagte Adrian überflüssigerweise.

Tobias sank wieder auf das Sofa und sah aus, als würde er jeden Moment einschlafen.

»Dann ist er wohl bei Felicia.«

Adrian hatte es langsam satt.

»Hörst du nicht zu, was ich sage? Felicia wurde von der Polizei in Obhut genommen.«

Diesmal waren die Worte offenbar angekommen. In Tobias' Augen erschien ein verwunderter Ausdruck.

Adrian fuhr fort: »Ebba ist jetzt bei ihr. Aber ich frage mich, wo Victor wohl ist. War er mit euch auf dem anderen Boot, auf dem ihr gefeiert habt?«

»Ich glaube nicht.«

»Wann hast du ihn zuletzt gesehen?«

Tobbe machte ein ratloses Gesicht. Er raufte sich die Haare und sah Adrian unsicher an.

»Ich habe echt keine Ahnung.«

Kapitel 17

Anna nestelte an ihrem Funkgerät, als wüsste sie nicht recht, was sie tun sollte. Nora merkte, wie ihre Unruhe wuchs. Dann schien die junge Polizistin einen Entschluss gefasst zu haben, denn sie führte den Mund zu dem kleinen Mikrofon, das an ihrer Jacke befestigt war, und murmelte etwas, das Nora nicht verstand.

Mit in sich gekehrtem Blick lauschte Anna der Antwort. Sie beendete das Gespräch und wandte sich an Nora.

»Mein Kollege sagt, dass einer der Jugendlichen immer noch vermisst wird.«

Sie machte eine Geste in Richtung der Mädchen. Noras Magen krampfte sich zusammen.

»Vermutlich ist das kein Grund zur Sorge«, fuhr Anna fort. »Das passiert andauernd. Sie ahnen ja nicht, wie viele sich bei uns melden, weil sie ihre Freunde nicht finden können. Aber da die Tochter Ihres Lebensgefährten ebenfalls verschwunden ist, wollen wir trotzdem noch einige Sachen überprüfen. Könnten Sie eine Weile hier warten?«

»Natürlich.«

Nora nickte, aber beruhigter war sie deswegen noch lange nicht.

»Soll ich ihrem Vater sagen, dass er hierherkommen soll?«

»Wenn Sie möchten.«

»Glauben Sie, es ist was Schlimmes passiert?«, fragte Nora.

Ohne zu antworten, begann Anna wieder in ihr Mikrofon zu sprechen.

Adrian zog die Kajütentür zu und stieg an Land. Tobias Hökström war schon wieder eingeschlafen.

»Hallo, Sie, warten Sie mal!«

Als Adrian den Kopf drehte, um nachzusehen, wer da gerufen hatte, bemerkte er einen Mann um die fünfunddreißig, der im Laufschritt auf ihn zukam, ohne darauf zu achten, wohin er die Füße setzte, obwohl die Holzplanken rutschig vom Morgentau waren.

»Warten Sie einen Moment«, rief er wieder und winkte.

Als er ankam, war er so außer Atem, dass er kaum sprechen konnte. Trotzdem stürzten die Worte aus ihm heraus.

»Entschuldigung, kann ich Sie kurz sprechen? Ich heiße Jonas Sköld, meine Tochter ist verschwunden, ich bin schon seit Stunden auf der Suche nach ihr.«

Seine Sorge war nicht zu übersehen. Der Blick irrte unruhig hin und her.

»Ich habe alles abgesucht.«

Adrian ging auf, wen er vor sich hatte.

»Ist das Ihre Lebensgefährtin, die sich um das aufgegriffene Mädchen und deren Freundin kümmern soll?«, fragte er.

»Ja.« Der Mann schien erstaunt. »Woher wissen Sie das?«

»Ich habe gerade mit meiner Kollegin über Ihre Tochter gesprochen. Kommen Sie mit, wir werden versuchen, die Sache aufzuklären.«

Nora saß auf einem Stuhl am langen Tisch im PKC, als die Tür aufging. Ihre Lider waren schwer, sie hatte Mühe, wach zu bleiben. Auf dem Tisch standen ein paar benutzte Kaffeebecher, niemand hatte sich die Mühe gemacht, sie abzuräumen.

Die Mädchen waren noch im oberen Stockwerk. Nora hatte ihnen gesagt, dass sie bald zu ihr nach Hause gehen würden, sie müsse nur noch schnell etwas erledigen. Sie hatten nicht protestiert, Ebba hatte sich wieder neben Felicia gelegt, und nun dösten sie unter der gemeinsamen Wolldecke.

Ein großer, etwa dreißigjähriger Polizist mit aschblondem Haar und sympathischem Gesicht trat ein. Hinter ihm folgte Jonas. Seine Haare waren zerzaust, und er war aschfahl. Die braunen Segelschuhe waren staubig von den Kieswegen. Nora erhob sich sofort und umarmte ihn. Er lächelte müde, sagte aber nichts.

Anna kam aus dem ersten Stock herunter. Sie wollte gerade die Hand ausstrecken und sich mit Jonas bekannt machen, als es in den Ohrhörern der Polizisten knisterte.

Nora fiel auf, dass beide erstarrten.

Der große Polizist wandte sich ab, sodass sie sein Gesicht nicht sehen konnte. Er sagte etwas ins Mikrofon, lauschte und sagte wieder etwas.

Die Worte waren nicht zu verstehen, aber Noras Unruhe wuchs, als er sie und Jonas ansah, während er sprach.

»Entschuldigen Sie uns einen Moment«, sagte er plötzlich und zog seine Kollegin in die Pantryküche, wo sie sich gedämpft unterhielten.

»Was geht hier vor?«, sagte Jonas halblaut zu Nora.

»Ich habe keine Ahnung. Ich verstehe gar nichts mehr.«

Sie merkte, wie ihr die Tränen in die Augen stiegen – ob vor Angst oder nur vor Erschöpfung, war schwer zu sagen.

Die Polizisten kamen zurück.

»Wir müssen Sie eine Weile allein lassen. Ich glaube, es wird am besten sein, Sie bringen die Mädchen nach Hause, dann melden wir uns später bei Ihnen.«

Jonas trat einen Schritt vor und sagte in einem Ton, den Nora noch nie an ihm gehört hatte:

»Jetzt sagen Sie uns endlich, was hier vorgeht. Ich habe ein Recht darauf, meine Tochter ist verschwunden.«

Jonas starrte den Polizisten an. Anna war bereits auf dem Weg zur Tür, blieb aber stehen, als sie hörte, dass er die Stimme erhoben hatte.

»Ich kann Ihnen die Situation im Moment nicht erklären«, sagte der Polizist. »Es tut mir leid.«

Anna drehte sich um.

»Es ist wirklich am besten, Sie bringen erst mal die Mädchen nach Hause«, sagte sie zu Nora. »Wir melden uns.«

Kapitel 18

Adrian setzte sich hinters Steuer des Jeeps, der für die Polizisten bereitstand, und ließ den Motor an. Anna nahm auf dem Beifahrersitz Platz.

»Der Anrufer wartet bei den Tennisplätzen auf euch«, rief Jens Sturup ihnen nach. »Er heißt Pelle Forsberg.«

Mit einem Ruck setzte der Jeep sich in Bewegung. Adrian wendete und steuerte auf die Anhöhe hinter dem Seglerhotel zu, auf Skärkarlshamn.

Als sie an dem hohen Drahtgitterzaun ankamen, hinter dem die beiden Tennisplätze der Insel lagen, wartete ein hagerer Mann am Tor. Adrian bremste und hielt neben ihm an.

»Waren Sie das, der die Polizei alarmiert hat?«

»Ja, das war ich«, sagte der Mann und streckte eine leicht zitternde Hand aus. »Pelle Forsberg.«

»Können Sie uns den Fundort zeigen?«, fragte Adrian.

»Natürlich.«

»Steigen Sie ein.«

Adrian zeigte auf den Hund, der schwanzwedelnd herumlief und sie mit eifrigem Gebell begrüßt hatte.

»Den nehmen wir besser mit, damit er mir nicht vor den Wagen läuft. Ich will nicht riskieren, ihn anzufahren.«

Die Hündin winselte ein bisschen, als Forsberg sie an die Leine legte, fügte sich aber, als er sie mit festem Griff auf den Schoß hob.

»Biegen Sie bei dem großen gelben Haus da vorne ab«, sagte Pelle Forsberg und deutete mit einer Hand in Richtung Haus.

Mit dem Jeep dauerte es nur wenige Minuten, bis sie die große Erle am Strand erreicht hatten. Adrian stellte den Motor ab, und sie stiegen aus.

»Hier ist es«, sagte Pelle Forsberg und zeigte auf einen Haufen nachlässig aufgeschichteter Blätter und Pflanzen.

Etwas ragte aus dem Blattwerk heraus.

Adrian ging näher, um nachzusehen. Mehr war nicht nötig.
Er hob das Sprechfunkgerät an den Mund.

Jonas starrte auf die Haustür, die die Polizisten hinter sich zugezogen hatten. Sein Oberkörper war vorgebeugt, als habe er ihnen nachlaufen wollen, es sich im letzten Moment aber anders überlegt.

Nora hätte am liebsten die Hand ausgestreckt und ihn berührt, aber sie zögerte. Sie begriff, dass sie keine Ahnung hatte, wie er in einer Krisensituation reagierte.

Er ist Pilot, dachte sie. Er hat Hunderte von Stunden trainiert, was in Notsituationen zu tun ist. Es gehört zu seinem Job, auch unter Stress die Ruhe zu bewahren.

Aber jetzt ging es um seine Tochter. Es ging um Wilma. Was nützte da alles Training?

Anna hatte gesagt, es sei normal, dass Leute sich an einem solchen Wochenende aus den Augen verloren, erinnerte sich Nora. Daran mussten sie sich klammern.

Aber der Stein in ihrem Magen wollte nicht verschwinden. Warum waren die Polizisten dann weggefahren? Warum hatten sie es so eilig gehabt?

Vor dem Fenster begrüßten die Vögel den anbrechenden Morgen mit ausdauerndem Gezwitscher. Jemand hatte einen Strauß Wiesenblumen gepflückt und ihn auf den Konferenztisch gestellt, neben eine kleine Mittsommerstange in den Farben der schwedischen Flagge.

»Sollten wir nicht tun, was die Polizisten gesagt haben, und mit den Mädchen nach Hause gehen?«, sagte Nora. »Es hat keinen Sinn, hierzubleiben. Wir können ja doch nichts tun, und Felicia und Ebba müssen ins Bett, sie sind beide völlig erschöpft.«

Die runde Wanduhr aus Stahl zeigte zwanzig vor fünf. Noras Körper zitterte vor Schlafmangel, und sie spürte einen unangenehmen Druck hinter den Schläfen.

Adam und Simon waren allein im Haus. Sie war viel länger fort gewesen, als sie gedacht hatte. Wenn Simon aufwachte und sie nicht da war, würde er Angst bekommen.

Jonas setzte sich auf die Tischkante und verschränkte die Hände hinter dem Kopf, als versuchte er nachzudenken. Sein Gesicht war immer noch grau, es tat Nora im Herzen weh, ihn so zu sehen.

Er seufzte tief und senkte den Kopf.

»Geh du mit den Mädchen nach Hause. Ich werde weiter nach Wilma suchen.«

Als das Telefon klingelte, schreckte Thomas sofort aus dem Schlaf hoch und setzte sich auf. Seit Elins Geburt war sein Schlaf leichter denn je. Müde öffnete er die Augen, griff nach dem Telefon und stellte es leise.

Draußen war es hell. Vor dem Fenster leuchteten die zartgrünen Blätter der großen Trauerbirke, die dicht am Haus stand. Sie hatte erst vor wenigen Wochen ausgeschlagen. Im Schärengarten kam alles später, der Flieder hatte gerade erst abgeblüht.

Neben ihm schlief Pernilla auf dem Bauch. Ihr blondes Haar war lang geworden, es reichte ihr inzwischen ein gutes Stück über die Schultern. Jetzt lag es ausgebreitet auf dem blauen Kopfkissen mit dem unregelmäßigen Muster aus kleinen Schiffsankern. Thomas gefiel es, dass sie es wachsen ließ. Als sie sich kennenlernten, hatte sie auch langes Haar gehabt.

Pernillas Schlaf war durch das schrille Telefonsignal nicht gestört worden. Vielmehr drehte sie sich auf die Seite und bohrte das Gesicht noch tiefer ins Kissen. Elin lag immer noch auf dem Rücken, aber im Schlaf musste sie ihren Teddy umgeworfen haben, denn der weiße Schmusebär lag mit der Nase auf der Matratze. Auch sie schlief immer noch tief und fest.

Mit dem Telefon in der Hand ging Thomas hinaus auf die Veranda und zog die Tür hinter sich zu. Er hatte das ganze Wochenende Bereitschaftsdienst und war auf Anrufe vorbereitet.

Als er einige Minuten lang zugehört hatte, begriff er, dass es mit der Nachtruhe vorbei war.

Kapitel 19

Mit schweren Schritten ging Nora auf die Veranda und ließ sich auf dem Korbsofa nieder. Sie stellte das Tablett auf dem Tisch ab und schloss die Augen. Jede Bewegung war eine Kraftanstrengung, aber an Schlaf war jetzt nicht zu denken, dazu war sie viel zu aufgewühlt. Stattdessen hatte sie sich eine Tasse Tee und ein belegtes Brot gemacht. Sie biss ein Stück von dem Roggenbrot ab, vielleicht ging es ihr besser, wenn sie etwas aß.

Die Mädchen schliefen im Gästezimmer. Im selben Bett, in dem Wilma seit Stunden hätte liegen sollen, dachte Nora unwillkürlich. Sie waren sofort eingeschlafen, eng aneinandergekuschelt, noch bevor Nora das Rollo heruntergezogen und sie allein gelassen hatte.

Eine Sekunde später hatte Felicias Vater angerufen, und kaum war das Gespräch beendet, meldete sich Ebbas Mutter, Lena Halvorsen. Auch sie befand sich mehrere Stunden von Sandhamn entfernt, wollte aber so schnell wie möglich kommen.

Beide Eltern hatten sich etwas gezwungen angehört, so als seien sie erleichtert, dass die Mädchen in guten Händen waren, gleichzeitig aber beschämt.

»Es ist mir so unangenehm, dass wir Ihnen solche Umstände machen«, hatte Lena Halvorsen immer wieder gesagt. »Ich war überzeugt, dass Ebba das Wochenende bei Felicias Familie verbringt. Ich hatte ja keine Ahnung, dass sie im Schärengarten ist.«

Nora hatte ihr versichert, dass alles in Ordnung sei und sie sich freue, helfen zu können.

»Ich habe zwei Söhne, ich kann mir vorstellen, wie Sie sich fühlen. Aber den Mädchen geht es gut, sie schlafen im Moment. Wir sehen uns dann in ein paar Stunden.«

Seufzend zog Nora die Beine aufs Sofa. Jonas war noch nicht wieder zurück, sie mochte gar nicht daran denken, wie besorgt er sein musste. Sie fühlte sich zerschlagen und ihr war kalt, und sie schloss die Hände um die Tasse, um sich zu wärmen.

Im Morgendunst entdeckte sie ein Boot, das sich von Nordwesten näherte. Es sah aus, als steuerte es geradewegs auf ihren Steg zu. Nora stellte die Teetasse ab und stand auf, um besser sehen zu können. Tatsächlich, das war Thomas' Außenborder, ein fünf Meter langer Buster mit grau schimmerndem Aluminiumrumpf.

Sie spürte jäh einen bleischweren Druck auf der Brust. Es musste etwas Schlimmes passiert sein, wenn ihr alter Jugendfreund auf die Insel gerufen wurde. Sie konnte sich keinen Grund vorstellen, warum er so früh nach Sandhamn fahren sollte, außer für einen Diensteinsatz.

Es musste mit Wilma zu tun haben. Nora dachte daran zurück, wie überstürzt die Polizisten im PKC sie und Jonas allein gelassen hatten. Großer Gott.

Ohne noch weiter nachzudenken, schlüpfte sie in Schuhe und Jacke und lief nach draußen, Thomas entgegen. Sie erreichte den Steg just in dem Moment, als er das Gas wegnahm und um die Brückennock bog.

Das Aluminiumboot glitt elegant an den mittleren Steinkasten heran, und im selben Moment entdeckte Thomas sie. Zuerst schien er erstaut, dann hob er die Hand und winkte.

»Fängst du?«, rief er und warf ihr die Bugleine zu, die sie schnell an einem Poller festmachte.

Automatisch prüfte sie, dass der Knoten saß, wie er sollte.

Thomas befestigte die Achterleine auf die gleiche Weise und stieg an Land.

»Habt ihr Wilma gefunden?«, fragte Nora sofort. »Ist sie verletzt?«

Sie hob den Blick und sah ihm ins Gesicht. War es Mitleid, was sie darin entdeckte? Oder Schlimmeres?

Eine nie gekannte Panik schoss in ihr hoch, und sie schrie ihn an:

»Warum hat uns keiner etwas gesagt? Thomas, du musst mir gegenüber ehrlich sein!«

Er wich einen Schritt zurück. Die schlampige Rasur verriet, dass er in aller Eile aufgebrochen war. Nora packte ihn an der Schulter.

»Du musst mir sagen, warum du hier bist«, rief sie. »Bitte, Thomas.«

Ohne ein Wort zog Thomas sie an sich. Ebenso plötzlich, wie die Panik gekommen war, verschwand sie wieder. Nora entspannte sich an seiner Brust und zwang sich, langsamer zu atmen.

»Was ist passiert?«, fragte er, als er merkte, dass sie ruhiger wurde.

Nora murmelte mit dem Mund an seiner Jacke: »Wilma ist die ganze Nacht nicht nach Hause gekommen, und wir können sie nicht finden. Ich habe solche Angst, dass ihr etwas zugestoßen ist.«

Thomas schob sie sanft von sich, damit er ihr ins Gesicht sehen konnte.

»Wilma ist verschwunden?«

Er klang aufrichtig erstaunt.

»Jonas ist unterwegs und sucht sie«, sagte Nora. »Er sucht sie schon seit Stunden, und als du jetzt gekommen bist, hatte ich solche Angst ...«

Ihre Stimme versagte, und sie schluckte. Nach einer Weile hatte sie sich wieder in der Gewalt.

»Entschuldige«, flüsterte sie. »Ich bin nur so fertig wegen der Sache mit Wilma, du ahnst nicht, was für eine chaotische Nacht das war.«

Thomas legte ihr den Arm um die Schulter. Während sie den Steg entlanggingen, berichtete Nora ihm von Monicas Anruf und wie sie Felicia und Ebba von der Polizei abgeholt hatte.

Als sie das Ufer erreichten, blieb Thomas stehen.

»Die Sache ist die«, sagte er. »Ich weiß im Moment nicht mehr über Wilma als du, und ich muss jetzt wirklich los. Aber ich melde mich, sobald ich kann.«

Schlafmangel, dachte Nora, deshalb habe ich überreagiert. Ich muss nur ein paar Stunden schlafen, dann bin ich wieder fit.

»Kommst du zurecht?«, fragte er.

Nora nickte, ihre Knie zitterten immer noch.

»Übrigens«, sagte Thomas und zeigte auf seinen Buster. »Kann ich das Boot ein paar Stunden hierlassen? Es ist fast aussichtslos, um diese Zeit einen Liegeplatz im Hafen zu finden.«

Nora versuchte, sich ein Lächeln abzuringen.

»Natürlich«, sagte sie. »Du brauchst doch gar nicht zu fragen.«

Sie begleitete Thomas zur Gartenpforte. Dort angekommen, sah er ihr forschend ins Gesicht.

»Hast du heute Nacht überhaupt geschlafen?«

»Nicht viel.«

»Versuch, dich ein bisschen auszuruhen, ich rufe dich später an. Versprochen.«

Dann verschwand er mit eiligen Schritten.

Erst als er weg war, ging Nora auf, dass Thomas ihr nicht gesagt hatte, warum er auf die Insel gekommen war.

Kapitel 20

Der kürzeste Weg von der Brand'schen Villa nach Skärkarlshamn führte an der alten Schule vorbei und dann übers Sandfeld.

Der Kies knirschte unter Thomas' Füßen, als er das Missionshaus passierte und den Hügel hinauflief.

Sein Handy klingelte. Thomas sah auf dem Display, dass es die Einsatzzentrale war.

»Andreasson.«

Eine Männerstimme am anderen Ende, mit leichtem Gotland-Dialekt.

»Malmqvist hier. Wollte nur Bescheid sagen, dass die Techniker unterwegs sind. Der Heli ist vor zwanzig Minuten gestartet. Sie müssten bald dort sein.«

»Das bin ich auch gleich. Wer kommt?«

»Moment, ich sehe nach.« Kurze Pause. »Staffan Nilsson. Er bringt Poul Anderberg mit.«

Thomas hatte schon öfter mit Nilsson gearbeitet, er war ein erfahrener Kriminaltechniker, der Sandhamn und Umgebung kannte. Als im letzten Jahr ein schrecklicher Zerstückelungsmord auf der Insel passiert war, hatte man Nilsson geschickt. Damals hatten sie viele frostige Stunden zusammen im Wald verbracht.

»Ach übrigens«, sagte Thomas. »Sag dem Piloten, er soll nicht auf der Plattform, sondern direkt in Skärkarlshamn landen.«

Der offizielle Hubschrauberlandeplatz lag an der Zollbrücke, direkt neben Sandhamns Värdshus. Von dort aus würden die Techniker mit ihrer ganzen Ausrüstung mindestens eine Viertelstunde bis zum Fundort brauchen. Es war besser, der Hubschrauber landete direkt am Strand. Das würde zwar die Anwohner aus dem Schlaf reißen und ihnen sagen, dass etwas passiert war, aber über kurz oder lang würden es ohnehin alle wissen.

Auf einer kleinen Insel wie Sandhamn ließ sich nichts geheim halten.

»Okay, mach ich.«

»Danke.«

Wenig später hörte Thomas das wohlbekannte Geräusch eines Hubschraubers, der immer näher kam. Als er mit ohrenbetäubendem Knattern über seinem Kopf hinwegflog, begann Thomas zu laufen.

Das offene Gelände des Sandfelds war in Kiefernwald übergegangen, Blaubeersträucher und weiches, grünes Moos bedeckten den Boden. Überall stand Heidekraut mit kleinen rosa Blüten.

Thomas dachte unwillkürlich, dass man noch hundert Jahre zuvor über die ganze Insel hatte blicken können, aber das war inzwischen nur noch schwer vorstellbar. Er hätte sich ebenso gut in einem der tiefen Wälder Smålands befinden können, so dicht standen die Kiefern hier.

Als er die Tennisplätze erreichte, sah er einen Jeep am Zaun parken, und ein dunkelhaariger Polizist winkte ihm zu.

Er wurde erwartet.

Thomas ging auf den Kollegen zu und erkannte, dass sie sich früher schon einmal begegnet waren.

»Jens Sturup, Einsatzleiter für Sandhamn und Möja an diesem Wochenende«, sagte der jüngere Polizist und streckte die Hand aus. »Man hatte mir gesagt, dass du unterwegs bist, deshalb bin ich schon mal hochgegangen, um dich abzuholen. Komm mit, ich zeig dir, wo die Leiche liegt.«

Thomas blickte sich um. Sie standen an einem weißen Lattenzaun, der sich um eine große, schöne Kaufmannsvilla zog. Direkt unter ihnen lag Skärkarlshamn, der nordöstliche Strand der Insel, genau gegenüber von Korsö. Hierher gingen viele Einheimische, die den bekannten und meist von Touristen belagerten Trouvillestrand meiden wollten. Der Platz war auch bei den Windsurfern der Insel beliebt, wie man an den Surfbrettern erkennen konnte, die ein Stück oberhalb der Wasserkante auf dem Strand lagen.

Es war mühsam, durch den Sand zu laufen, und schon nach wenigen Schritten sammelte er sich in Thomas' Schuhen. Zum Glück war es nicht weit, nur kurze Zeit später waren sie vor Ort.

Ein größeres Areal war bereits abgesperrt. Das blauweiße Polizeiband war an Baumstämmen befestigt und umspannte eine Fläche von einigen Hundert Quadratmetern. Im Schatten einer Kiefer lag eine vergessene orangefarbene Kinderschwimmweste, bei deren Anblick er an Elin denken musste.

Leben und Tod lagen dicht beieinander.

Der Hubschrauber hatte die Kriminaltechniker abgesetzt und sofort wieder abgehoben. Inzwischen war er nur noch ein kleiner Punkt am Himmel mit Kurs aufs Festland.

Thomas und Jens Sturup duckten sich unter dem Absperrband hindurch und gingen auf Staffan Nilsson zu, der vor einer dicht belaubten Erle stand. Er hatte bereits eine Kamera aus der halb geöffneten Arbeitstasche geholt. Der zweite Techniker war ein Stück weiter konzentriert damit beschäftigt, die Umgebung abzusuchen.

»Tag, Andreasson«, sagte Staffan Nilsson. »Wollen wir mal einen Blick darauf werfen?«

Kapitel 21

Als Nora hörte, wie die Haustür aufging, lief sie in die Diele. Jonas stand da mit gesenktem Kopf, und sie ging zu ihm und umarmte ihn fest. So standen sie eine ganze Weile. Dann ließ sie ihn los und trat einen Schritt zurück.

»Hast du sie gefunden?«, fragte sie, obwohl sie die Antwort schon wusste.

»Nein.«

Er zog seine Jacke aus, ging auf die Veranda und setzte sich in einen der Korbsessel. Plötzlich schlug er mit der geballten Faust auf die Armlehne.

»Wo kann sie nur sein?«, schrie er beinahe.

Nora streckte die Hand aus und berührte seine Wange.

»Sie kommt sicher bald«, murmelte sie ohne Überzeugung.

»Ich muss Margot anrufen«, sagte Jonas dumpf. »Sie wird außer sich sein.«

Er seufzte.

»Hast du ein bisschen geschlafen?«, fragte er dann und streckte den Arm nach Nora aus.

Er zog sie zu sich heran, und sie setzte sich auf die Armlehne und lehnte ihren Kopf an seinen. Jonas' braune Haare waren ein wenig feucht und rochen nach Meer.

Sie schüttelte den Kopf.

»Ich habe einen Moment auf dem Sofa gedöst, das war alles. Es ist schwer, abzuschalten.«

Sie zeigte auf den Steg unterhalb des Hauses, wo das Aluminiumboot lag. Es zerrte an seiner Vertäuung, als die Wellen der ersten Morgenfähre heranrollten.

»Thomas ist hier, dahinten liegt sein Boot.«

»Thomas ist hier?«, echote Jonas und richtete sich auf. »Wieso das?«

Er reagierte genauso wie sie, als sie das Boot hatte kommen sehen. Die Angst lag dicht unter der Oberfläche.

»Ich weiß nicht«, flüsterte sie. »Er hat es mir nicht gesagt.«

Automatisch sah sie zur Uhr. Gleich halb acht, also war es knapp eine Stunde her, seit sie mit Thomas gesprochen hatte.

Jonas bewegte sich unruhig im Sessel, so als könnte er vor nervöser Energie nicht stillsitzen.

»Ich habe ihn gefragt, ob er etwas von Wilma gehört hat«, sagte Nora, »aber er wusste nichts davon. Er hat versprochen, sich zu melden.«

»Weißt du, wann er zurückkommt?«

Jonas stand auf und ging zum Fenster. Wortlos starrte er zu Thomas' Boot hinüber. Nora stellte sich hinter ihn, legte ihre Arme um seine Mitte und rieb ihre Nase sanft an seinem Hals.

»Willst du nicht versuchen, ein bisschen zu schlafen? Du warst die ganze Nacht auf den Beinen, du musst völlig erschöpft sein.«

»Ich glaube nicht, dass ich das kann.«

»Willst du dann etwas essen? Ich kann dir ein Käsebrot machen, wenn du möchtest.«

»Das wäre lieb.«

Jonas schüttelte sich. Dann sagte er leise wie zu sich selbst, ohne sich darum zu kümmern, dass Nora es hörte:

»Diese verdammte Göre.«

Kapitel 22

Pernilla las den Zettel, den Thomas ihr auf dem Küchentisch hinterlassen hatte:

Auf Sandhamn ist was passiert, ich ruf dich an, wenn ich mehr weiß.

Die hingekritzelten Zeilen entlockten ihr ein leichtes Lächeln. Er hatte eine schreckliche Klaue, nahezu unleserlich, aber im Laufe der Jahre hatte sie gelernt, sie zu entziffern.

Was wohl auf Sandhamn passiert sein mochte?

Zwar hatte Thomas während des Mittsommerwochenendes Rufbereitschaft, aber bisher war wider Erwarten alles ruhig geblieben. Sie hatten ein friedliches Wochenende auf Harö verbracht.

Elin war nach dem morgendlichen Stillen wieder eingeschlafen, und Pernilla genoss die Ruhe.

Jede Minute mit Elin war kostbar, aber Pernilla merkte, dass sie keine blutjunge Mutter mehr war. Im November wurde sie einundvierzig, und das nächtliche Stillen zehrte an ihren Kräften. Thomas versuchte, sie so gut es ging zu entlasten, aber letztlich war sie es, die die Milch hatte.

Sie sehnte sich danach, einmal wieder etwas nur für sich zu tun, auch wenn sie sich das selbst kaum eingestehen mochte. Ihr kam es wie ein Verrat vor, an Elin und an Emily.

Sie schaltete die Kaffeemaschine an und nahm einen Becher aus dem altmodischen Küchenschrank.

Das Sommerhaus war eine umgebaute alte Scheune auf einem Grundstück, das Thomas' Eltern vor ein paar Jahren von ihrem eigenen Stück Land abgeteilt hatten. Damals, als sie den Umbau geplant hatten, war ihnen der offene Grundriss und der geräumige Schlafboden unter dem Dach perfekt erschienen, dazu noch mit der Aussicht aufs Wasser.

Jetzt, mit einem kleinen Baby, wurde immer deutlicher, dass sie sich eine andere Lösung einfallen lassen mussten, um ein Kinderzimmer für Elin und ein richtiges Schlafzimmer für sich selbst zu schaffen.

Pernilla nahm den Milchkarton aus dem Kühlschrank und hörte, wie der Kaffee in die Kanne zu laufen begann.

In den schweren Jahren nach Emilys Tod, als sie und Thomas jeweils für sich allein mit der Trauer fertigzuwerden versuchten, hatte sie es sich verboten, an das Haus auf Harö zu denken.

Sie hatten ihre glücklichsten Stunden hier verbracht, und als die Scheidung über die Bühne war, hatte sie beschlossen, nie wieder hierher zu fahren. Auch nicht nach Sandhamn, das war zu nah. Jedes Mal, wenn sie die Namen hörte, tat es weh.

Bei der Scheidung hatte Thomas das Sommerhaus behalten und sie die Eigentumswohnung in Stockholm. Diese Lösung hatte sich angeboten, und keiner von ihnen wollte den schmerzhaften Prozess dadurch verlängern, dass man sich um Besitzgüter stritt. Sie hatte die Wohnung vermietet und war nach Göteborg gezogen, wo sie einen Job als Projektleiterin in einer Werbeagentur angenommen hatte.

Die dunklen Erinnerungen lagen noch immer dicht unter der Oberfläche, aber dennoch hatten sie und Thomas es geschafft, wieder zueinanderzufinden. Jetzt hatten sie Elin, und Pernilla war fest entschlossen, alles zu tun, damit die Vergangenheit sie nicht einholte. Als sie Thomas erzählt hatte, dass sie schwanger war, hatte er ihr beinahe nicht geglaubt. Emily war das Ergebnis jahrelanger Versuche und In-vitro-Fertilisationsbehandlungen gewesen. Dass Pernilla auf natürliche Weise schwanger werden könnte, hätte sich keiner von ihnen träumen lassen.

Es war ihr nicht entgangen, wie lange es gedauert hatte, bis Thomas daran zu glauben wagte. Erst als die Hebamme ihm Elin zeigte, ihr kleines verschrumpeltes Gesicht mit den zusammengekniffenen Augen, erst da hatte er seiner Freude freien Lauf gelassen.

Sie hörte ein Geräusch aus dem Kinderbett und ging eilig zu ihrer Tochter. Elin war wach und lachte sie mit offenem Mund und rosigem, zahnlosem Gaumen an. Pernilla hob sie heraus und streichelte mit der Nasenspitze ihre weiche Haut.

»Dir darf nichts passieren«, murmelte sie. »Dir wird niemals etwas zustoßen. Das schwöre ich.«

Kapitel 23

Thomas wartete, während Staffan Nilsson vorsichtig die Blättter und Pflanzen entfernte, mit denen die Leiche bedeckt war.

Die buschige Erle vor ihnen breitete sich mit ihren dicken Zweigen fast bis zum Wasser aus. Der Boden darunter war überwuchert von üppigem Grün, und drum herum standen Strandblumen mit jungen Knospen an der Spitze und verblühten rosa Blüten im unteren Bereich.

Nilsson trat zur Seite, damit Thomas besser sehen konnte.

Die Leiche lag auf dem Rücken, mit zur Seite gedrehtem Kopf, eine Wange fest in den Boden gedrückt. Ein Arm lag unnatürlich abgewinkelt hinter dem Rücken, so als hätte jemand versucht, den Körper so kompakt wie möglich zuammenzudrücken.

Ein paar Fliegen surrten im Morgendunst umher, und mehrere hatten sich auf dem toten Körper niedergelassen. Thomas sah, wie sie mit ihren dürren Fliegenbeinen im geronnenen Blut stocherten.

Nilsson studierte die Leiche. Er trug ebensolche Gummihandschuhe, wie Thomas sie gerade übergestreift hatte, und suchte etwas in seiner schwarzen Tasche.

»Alter zwischen fünfzehn und achtzehn, schätze ich«, sagte Nilsson. »Nicht viel mehr als ein Kind. Es ist zum Kotzen.«

Thomas ließ den Blick langsam über einen langen Lattenzaun wandern, der am Wasser endete. Dahinter standen mehrere graue Holzhäuser, das größte hatte geschlossene Fensterläden, so als sei es während des Mittsommerwochenendes unbewohnt gewesen. Auf dem Grundstück rührte sich nichts, niemand schaute neugierig aus dem Fenster.

Thomas hoffte trotzdem, dass in der Nacht jemand dort gewesen war. Sie brauchten jeden Zeugen, den sie kriegen konnten.

Staffan Nilsson hatte seine Fotos gemacht. Jetzt nahm er die letzten Zweige weg, sodass die Leiche in ihrer vollen Größe zu sehen war.

»Schau mal«, sagte er und zeigte auf den Kopf, der jetzt nicht mehr mit der Wange auf dem Boden lag. Der blonde Pony war nach hinten gefallen und entblößte eine große Wunde an der linken Schläfe. Etwas Dunkles war die Wange hinuntergelaufen, die Haare waren am Blut festgeklebt.

Den weit offenen Augen fehlte jeder menschliche Ausdruck.

Ihrem Gefühl nach war sie gerade erst eingeschlafen, als das Telefon klingelte, und ein Blick auf den Wecker bestätigte, dass ihr Gefühl sie nicht trog.

Die Zeiger standen auf zwanzig vor acht. Sie hatte höchstens dreizehn Minuten geschlafen.

Erschöpft drehte Nora den Kopf zur anderen Seite. Jonas lag neben ihr auf dem Rücken, er war eingenickt. Das war gut, er war noch müder als sie und brauchte dringend ein paar Stunden Ruhe.

Sie griff nach dem Telefon, flüsterte »einen Moment« und ging hastig die Treppe hinunter.

»Ja, hier ist Nora«, sagte sie, als sie in die Küche kam.

Die Sonne schien von Südosten herein, und es war schon ebenso warm wie zur Mittagszeit.

»Nora, was ist los mit dir? Wieso hast du dich eben so merkwürdig gemeldet?«

Monica.

Natürlich war es Monica, die dann anrief, wenn Nora versuchte, eine Mütze voll Schlaf zu nehmen, bevor die Eltern von Felicia und Ebba kamen, um ihre Töchter abzuholen. Gleich würde Simon aufwachen und sich wundern, warum zwei fremde Mädchen in Wilmas Zimmer lagen.

Es würde ein langer Tag werden.

»Guten Morgen, Monica.«

»Hast du dich um die Mädchen gekümmert? Warum hast du nicht angerufen und berichtet, wie es gelaufen ist?«

Nora begriff, dass Monica sich auch Sorgen gemacht haben musste, aber in den letzten Stunden hatte sie ihre Exschwiegermutter vollkommen vergessen. Ihr Verhältnis war nach der Scheidung immer noch angespannt, und Nora versuchte, den Kontakt nach Möglichkeit zu vermeiden, um nicht wieder alle unguten Erinnerungen heraufzubeschwören.

Mit der rechten Hand öffnete sie ein Fenster, um frische Luft hereinzulassen.

»Die Mädchen schlafen oben, und ich habe mit ihren Eltern gesprochen«, sagte sie. »Hier draußen ist alles unter Kontrolle.«

»Ich bin sehr enttäuscht von dir, dass du dich nicht gemeldet hast. Begreifst du nicht, dass ich die ganze Nacht auf war und gewartet habe?«

Nora lag eine spitze Bemerkung auf der Zunge, und sie atmete ein paar Mal tief durch, um die Ruhe zu bewahren.

»Ich hatte nicht die Absicht, dich im Ungewissen zu lassen«, sagte sie stattdessen. »Es war nur alles ein bisschen viel.«

»Ich habe gerade mit Henrik gesprochen, er kann auch nicht verstehen, warum du nicht zurückgerufen hast.«

Hatte das Weib etwa Henrik auch noch mit reingezogen?

»Monica, ich verstehe nicht ganz, was Henrik mit der Sache zu tun hat, aber ich tue wirklich mein Bestes. Du musst mir schon vertrauen.«

»Wir kommen mit der Fähre um elf. Das ist das Mindeste, was ich unter diesen Umständen tun kann. Das bin ich meinen lieben Freunden schuldig.«

»Du kommst hierher?«

Nora zog einen weißen Küchenstuhl mit alten Flecken hervor, die Simons Vorliebe für Ketchup verrieten.

»Selbstverständlich kommen wir. Harald und ich helfen gern. Dann können wir auch gleich Adam und Simon wiedersehen. Es wird richtig schön sein, euch zu besuchen, und mach dir nur keine Umstände, ein leichtes Mittagessen mit einem Glas Weißwein reicht uns vollkommen.«

Nora suchte nach einer freundlichen, aber bestimmten Antwort, um ihre ehemalige Schwiegermutter daran zu hindern, auf die Insel zu kommen.

»Monica, hör zu, das brauchst du wirklich nicht. Die Eltern der Mädchen kommen in ein paar Stunden, und ich glaube wirklich, dass die Sache nicht besser wird, wenn ihr euch auch noch auf den langen Weg von Stockholm hierher macht.«

»Unsinn, meine Liebe. Wir haben uns bereits entschieden. Aber es wäre nett, wenn du uns um zwölf von der Fähre abholen könntest.«

Monica legte auf. Nora schloss die Augen und versuchte vergeblich, so etwas wie innere Ruhe zu finden.

Kapitel 24

Thomas ging in die Hocke und musterte die Leiche.

»Kennst du ihn?«, fragte Nilsson.

»Ich habe keine Ahnung, wer das ist.«

Der halbwüchsige Junge hatte blondes Haar und blaue Augen. Seine gerade Nase war rot, so als wäre er zu lange in der Sonne gewesen. Er trug einen beigefarbenen Lacoste-Pulli, und auf seinen Bermudashorts waren Grasflecken. Eine Uhr, die an eine Taucheruhr erinnerte, saß an seinem linken Handgelenk.

»Teures Ding«, sagte Nilsson und deutete mit einem Kopfnicken auf die Armbanduhr.

»Mhmm.«

Thomas ging um die Leiche herum, um sich einen Gesamteindruck zu verschaffen. Dann trat er ein paar Meter zurück und drehte sich zu den Klippen auf der anderen Seite des Baums um. Dort ging Nilssons Kollege Anderberg mit gesenktem Kopf umher und studierte den Boden.

Thomas ging zu ihm.

»Wir haben ein Handtuch mit Erbrochenem gefunden«, sagte Anderberg zu Thomas. »Ob das was mit der Sache hier zu tun hat, lässt sich noch nicht sagen. Es stinkt jedenfalls nicht übermäßig, ist also noch ziemlich frisch.«

»Okay.«

»Aber hier haben wir was«, sagte Anderberg und zeigte auf einen einzelnen Stein, der etwa einen halben Meter von den Klippen entfernt aus dem Boden ragte.

Er war ungefähr achtzig Zentimeter hoch und vierzig Zentimeter breit, mit einer scharfen Spitze. Mehrere dunkle Flecken waren auf dem grauen Granit zu erkennen.

»Ist das Blut?«, fragte Thomas.

»Sieht so aus.«

Thomas beugte sich vor und musterte die Oberfläche.

»Wenn der Junge gestolpert ist oder gestoßen wurde, könnte er mit dem Kopf auf diesen Stein gefallen sein«, sagte er. »Das würde die Wunde an der Stirn erklären. Sie ist an der linken Seite, er muss also mit dem Rücken zum Wasser gestanden haben.«

Thomas nahm die beschriebene Position ein und blickte sich um. Schräg links von ihm stand das große graue Haus, vor sich hatte er den Kiefernwald.

»Was ist dann passiert?«, sagte er nachdenklich.

Er drehte sich wieder zu Anderberg um und beantwortete seine eigene Frage.

»Der Junge stirbt oder verletzt sich zumindest, wird vielleicht bewusstlos.«

Thomas ging ein paar Schritte auf die buschige Erle zu. Die Vegetation war flachgedrückt, als hätte jemand etwas Schweres über den Boden geschleift. Die Spur endete genau dort, wo der Tote lag.

»Also zieht der Täter den Jungen unter den Baum, um ihn zu verstecken.«

»Könnte hinkommen«, stimmte Anderberg zu.

»Würde man eine Leiche verstecken, wenn es ein Unfall war?«, überlegte Thomas laut. »Dann würde man doch wohl Hilfe holen?«

»Meiner Ansicht nach«, sagte Anderberg hinter seinem Rücken, »ist das schlampig gemacht. Es war nur eine Frage der Zeit, bis man den Toten entdecken musste. Der Täter hat einfach ein bisschen Grünzeug zusammengerafft und ihn damit bedeckt. In zwei Tagen wäre alles verwelkt gewesen und die Tarnung aufgeflogen.«

»Mit anderen Worten, es war nicht sorgfältig geplant.«

»Nicht besonders.«

»Das deutet auch darauf hin, dass der Täter es eilig hatte«, sagte Thomas, »die Leiche zu verstecken und sich aus dem Staub zu machen.«

Stirnrunzelnd musterte er den Boden.

»Gibt es Schuhabdrücke, die ihr sichern könnt?«

»Das wollen wir hoffen«, sagte Anderberg, »aber ideal sind die Voraussetzungen dafür nicht. Ich will mein Bestes versuchen.«

Staffan Nilsson kniete immer noch hinter dem Baum und untersuchte den toten Jungen.

»Thomas, komm doch mal kurz«, rief er.

Nilsson hatte die Leiche gedreht, sodass der Hinterkopf sichtbar wurde. Er zeigte auf eine weitere tiefe Wunde, die ein Stück höher saß, oberhalb des rechten Ohrs.

»Mehrere Schläge«, sagte er in bedeutungsschwangerem Tonfall. »Der Täter hat sich alle Mühe gegeben, sein Opfer umzubringen. Die Verletzung an der Schläfe reichte ihm nicht, er hat ihn außerdem noch mit einem harten Gegenstand geschlagen.«

Nilsson zog eine Lupe hervor und studierte die Wunde.

»Das hier kommt nicht von dem Felsen, darauf wette ich ein Monatsgehalt.«

»Was glaubst du, was das war?«, fragte Thomas.

Der Kriminaltechniker klang unschlüssig.

»Schwer zu sagen, aber vermutlich ein stumpfer Gegenstand, vielleicht der Kolben einer Schusswaffe.«

Thomas' Blick fiel auf die Steine an der Wasserkante. Es gab sie überall auf Sandhamn, in allen nur denkbaren Formen. Viele Insulaner fassten damit die Blumenbeete in ihren Gärten ein.

»Könnte es ein gewöhnlicher Granitstein gewesen sein?«

»Unmöglich wäre das nicht.«

Thomas blickte übers Wasser.

»Ich frage mich, ob er ihn hinterher ins Meer geworfen hat ... ich jedenfalls hätte es getan.«

»Du wirst wohl ein paar deiner jüngeren Kollegen bitten müssen, die Schuhe auszuziehen und sich die Füße nass zu machen«, sagte Nilsson. »Es kann nicht schaden, ein bisschen durch die Wellen zu waten. Das ist es doch wohl, was man auf Sandhamn macht, die frische Luft genießen und im Meer baden.«

In Nilssons Worten lag eine Andeutung von Ironie, aber er verzog keine Miene.

»Kannst du etwas über den Todeszeitpunkt sagen?«, fragte Thomas und erhob sich.

»Der dürfte wohl zehn, zwölf Stunden her sein, vielleicht mehr. Der Körper ist kalt. Aber das hängt auch von der Umgebungstemperatur ab, wie du weißt.«

Thomas sah auf die Uhr, es war inzwischen Viertel vor neun.

»Gestern Abend also?«, sagte er.

»Vermutlich. Wenn du es genauer haben willst, musst du den Obduktionsbericht abwarten.«

Ein kleines Segelboot zog vorbei und wendete. Das Segel flatterte in der Morgenbrise. Das Geräusch drang bis zu ihnen herüber.

»Warum hat er sein Opfer gerade hier versteckt?«, überlegte Thomas laut.

»Vielleicht, weil es nah am Tatort war und er es eilig hatte«, schlug Nilsson vor. »Hier ist es abgeschieden.«

Thomas drehte den Kopf.

Auf dem Weg hierher war er an einigen Zelten vorbeigekommen, jetzt stellte er fest, dass sie von diesem Platz aus nicht zu sehen waren. Der Fundort lag vollkommen abseits, einmal abgesehen von den leeren Ferienhäusern, die nicht weit entfernt standen.

Wenn man in Skärkarlshamn einen Toten verstecken wollte, gab es vermutlich keine bessere Stelle. Jedenfalls nicht, wenn man es vermeiden wollte, die Leiche über eine längere Strecke zu transportieren.

»Die einfachste Möglichkeit, mit anderen Worten.«

»Könnte man so sagen.«

Thomas war gerade im Begriff, zu einem der grauen Ferienhäuser zu gehen, als Nilsson ihn zurückrief.

»Ich habe was gefunden, komm her und sieh dir das an.«

Vorsichtig zog der Kriminaltechniker ein Handy aus den Khakishorts des Toten. Es war ein Ericsson, keins der billigen Modelle.

»Hier hast du was, womit du ihn identifizieren kannst.«

Thomas wog das Mobiltelefon in der Hand.

Wer bist du, Junge?, dachte er. Wo kommst du her?

Kapitel 25

Simon war natürlich aufgewacht, als seine Großmutter anrief, aber er hatte gute Laune und war bereitwillig zum Bäcker gelaufen. Kurz darauf war er mit frischen Brötchen und Seglerwecken zurückgekommen.

»Ich geh rüber zu Fabian«, sagte er jetzt, den Mund noch voll.

Nora war dankbar für eine kleine Atempause, es kostete Kraft, in all dem Chaos mit einem übersprudelnden Sohn zu plaudern, als sei nichts geschehen.

Sie blieb am Küchentisch sitzen, vor sich eine Hefewecke und eine Tasse extra starken Kaffee, obwohl das unangenehme Brennen im Magen ihr sagte, dass sie für eine Weile besser keinen Kaffee mehr trinken sollte. Aber vielleicht half er, ihre Benommenheit zu vertreiben. Sie hatte immer noch ein Rauschen in den Ohren.

Wie üblich strich sie sicherheitshalber den Hagelzucker von der noch warmen, nach Kardamom duftenden Wecke. Sie hatte bereits ihren Blutzucker kontrolliert und ihr Insulin genommen. Kalorien statt Schlaf, dachte sie. Nicht gerade zwei austauschbare Größen.

Auf der Treppe waren Schritte zu hören. Zu Noras Verwunderung stand Adam plötzlich in der Tür. Es war eigentlich noch viel zu früh für ihren morgenmuffeligen Sohn.

»Guten Morgen, mein Schatz«, sagte sie und versuchte, munter zu klingen. »Bist du schon auf?«

Ausnahmsweise hatte er eine Pyjamahose an, aber sie war zu kurz an den Beinen. Er würde groß werden, genau wie Henrik.

»Was sind das für welche, die in Wilmas Zimmer schlafen? Warum ist Wilma nicht hier?«

Woher wusste er das? Dann fiel Nora ein, dass sie die Tür zum Gästezimmer nur angelehnt hatte. Sicherheitshalber, damit sie hören konnte, wenn die Mädchen wach wurden.

»Es war ein bisschen unruhig heute Nacht«, sagte sie und beschloss, ihm eine frisierte Version der Wahrheit zu geben. »Felicia und Ebba sind die Enkelinnen von Freunden von Oma Monica. Sie durften hier übernachten, bis ihre Eltern kommen und sie abholen können.«

»Waren sie voll?«

»Warum denkst du das?«, fragte sie vorsichtig.

»Das stinkt da drinnen nach Schnaps, und an Mittsommer sind hier alle voll.«

Wieso glaubte sie eigentlich immer noch, Adam sei ein kleiner Junge, wenn er es doch ganz offensichtlich nicht mehr war?

»Wo ist Wilma übrigens?«, fragte Adam und öffnete den Kühlschrank.

Nora war unschlüssig, was sie tun sollte. Sie wollte ihn nicht erschrecken, aber sie konnte ihm die Wahrheit auch nicht verschweigen.

»Wilma ist noch nicht nach Hause gekommen.«

»Ui«, sagte Adam und setzte sich mit dem Milchkarton in der Hand an den Tisch. »Ist was passiert?«

Nora legte ihre Hand auf seine.

»Ich hoffe nicht. Sie schläft bestimmt bei irgendeiner Freundin.«

Nora bot ihm das letzte Stück ihrer Seglerwecke an. Er steckte es sich in den Mund und sagte: »Dann ist Jonas wohl stinksauer?«

»Eher besorgt, denke ich. Aber er schläft jetzt, er war die ganze Nacht draußen und hat sie gesucht. Sie taucht bestimmt auf, wenn sie ausgeschlafen hat.«

Adam grinste.

»Du würdest ausrasten, wenn ich so viel später nach Hause kommen würde.«

»Aber hallo.« Nora musste unwillkürlich lächeln. »Ich würde durchdrehen. Du musst mir versprechen, dass du so etwas niemals tust.«

Sie stand auf und ging zur Anrichte, wo das frische Brot auf einem Schneidbrett lag.

»Möchtest du ein Wurstbrot?«

»Mhmm.«

Er gähnte laut.

»Ach übrigens«, sagte Nora. »Wahrscheinlich kommen Oma Monica und Opa Harald heute zu Besuch.«

»Warum?«

»Sie haben Sehnsucht nach euch. Ihr habt euch lange nicht gesehen.«

»Papa hat gesagt, dass wir nach Ingarö fahren, wenn wir nächste Woche bei ihm sind.«

Monica und Harald Linde hatten ein Landhaus auf Ingarö vor den Toren Stockholms. Dort hatte Nora im Laufe der Jahre eine Reihe von Weihnachtsfesten durchlitten. Das war eine der Traditionen in ihrer Ehe, die sie wirklich nicht vermisste.

»Aha. Kommt Marie auch mit?«

Warum sagte sie das? Nora bereute es sofort. Sie wollte keine Mutter sein, die ihre Kinder über die neue Freundin ihres Vaters ausfragte. Sie schnitt eine dicke Scheibe Brot ab und bestrich sie mit Leberwurst.

»Weiß nicht.«

Adam zuckte die Schultern, und Nora wechselte hastig das Thema.

»Ach übrigens, hat Wilma was zu dir gesagt, mit wem sie sich gestern Abend treffen wollte?«

»Nein.«

Die Antwort kam schnell. Vielleicht zu schnell? Nora stellte ihm das Wurstbrot hin und setzte sich ihm gegenüber.

»Wirklich nicht? Falls doch, ist es ungeheuer wichtig, dass du es mir sagst.«

Druckste er herum?

»Weißt du, wo sie ist?«

»Nein.« Adam zögerte. »Nur, dass sie in einen Typen verknallt ist und ihn treffen wollte.«

»Wer ist das?«

»Er heißt Mattias.«

»Woher weißt du das?«

Jetzt wurde er verlegen.

»Du weißt ja, dass sie gestern die ganze Zeit unten am Steg gesessen und telefoniert hat, und dabei hat sie was auf eine Zeitung geschrieben, immer denselben Namen.«

Er sah plötzlich schuldbewusst aus, so als hätte er spioniert.

»Ich hab das gesehen, als du gesagt hast, ich soll ihren Kram draußen wegräumen«, erklärte er hastig. »Sie hatte mindestens zwanzig Mal ›Mattias‹ auf die Titelseite gekritzelt.«

»Weißt du, wie er mit Nachnamen heißt?«

»So wie Malena, denke ich, er ist ihr großer Bruder.«

Nora wusste, dass Wilma sich mit Malena treffen wollte, aber nicht, dass es noch einen Bruder gab.

»Und wie heißt Malena mit Nachnamen?«

»Weiß ich nicht. Kannst ja im Internet nachgucken.«

Es war immerhin eine kleine Beruhigung, zu wissen, dass Wilma mit Malena und ihrem älteren Bruder zusammen war.

Adam stopfte den letzten Bissen Brot in sich hinein. Wortlos stand er auf und ging aus der Küche, ohne sein Geschirr abzuräumen. Sekunden später hörte Nora, wie im Nebenzimmer der Fernseher anging.

Sie sah auf die Uhr. In ein paar Stunden würde Monica hier aufkreuzen. Plötzlich empfand sie den Besuch ihrer Schwiegermutter als Bedrohung. Es gab nur einen Ausweg, schlimmer konnte die Situation ja kaum werden.

Sie nahm ihr Handy und wählte Henriks Nummer. Als sie die Rufsignale hörte, bereute sie es plötzlich. Aber es war zu spät.

»Ja, Henrik.«

»Hallo, hier ist Nora.«

»Guten Morgen.« Er schien gut gelaunt zu sein. »Wie geht's dir? Wie ich höre, hat Mama dich heute Nacht auf Trab gehalten?«

»Das kann man wohl sagen. Oben schlafen zwei junge Mädchen, die ich mitten in der Nacht bei der Polizei abholen musste, und ich habe kein Auge zugemacht.«

»Das ist mal wieder typisch für meine liebe Mutter.«

Hörte sie da etwa Ironie heraus? Nora erkannte ihren Exmann nicht wieder.

Sie gab ihm eine kurze Zusammenfassung der Ereignisse, aber ohne etwas von Wilma zu erwähnen. Das ging ihn nichts an.

»Aber das ist nicht ...«, sie hätte um ein Haar gesagt »das Schlimmste«, biss sich jedoch im letzten Moment auf die Zunge, »... der Grund, warum ich anrufe.«

»Okay, worum geht es dann?«

»Deine Mutter ist mit deinem Vater unterwegs nach Sandhamn. Sie hat darauf bestanden, herzukommen und zu helfen, und in zwei Stunden wollen sie die Fähre von Stavsnäs nehmen.«

Wenn Henrik jetzt nur nicht aufbrauste. Damit könnte sie im Moment überhaupt nicht umgehen.

»Ach herrje, das ist nicht unbedingt das, was du jetzt gebrauchen kannst.«

Er klang mitfühlend. Das sah Henrik gar nicht ähnlich, sonst hatte er immer seine Mutter in Schutz genommen.

»Nein«, stimmte sie zu. »Nicht unbedingt.«

Sie nahm innerlich Anlauf.

»Ich dachte, vielleicht könntest du versuchen, sie davon abzubringen?«

Henrik lachte.

»Keine Sorge, ich rufe sie sofort an. Wie geht's den Jungs?«

Nora lächelte bei dem Gedanken an ihre Söhne.

»Denen geht's gut, Simon ist gerade rüber zu Fabian gelaufen, und Adam hängt vor dem Fernseher herum. Willst du mit ihm sprechen?«

»Nein, stör ihn mal nicht. Aber grüß die beiden ganz lieb von mir. Und mach dir keine Gedanken wegen Mama, ich werde sie überreden, zu Hause zu bleiben.«

Nora legte das Telefon auf dem Küchentisch ab. Starrte darauf. Hatte Henrik wirklich Partei für sie ergriffen, einfach so?

Kapitel 26

Als Thomas die Tür zum PKC öffnete, saß Jens Sturup dort bereits mit Staffan Nilsson und Poul Anderberg zusammen. Auf dem Tisch stand ein Teller mit Hefebrötchen, und der ganze Raum roch nach frisch gebrühtem Kaffee. Die Wanduhr zeigte kurz vor elf.

Im Obergeschoss waren die Ordnungspolizisten dabei, die letzten Ausrüstungsgegenstände zusammenzupacken, die zurück zum Festland transportiert werden sollten. Der Wohnwagen stand bereits unten am Dampfschiffkai und wartete auf seine Verladung.

Gerade als Thomas sich an den Tisch setzte, ging die Tür wieder auf, und Adrian Karlsson kam mit Anna Miller im Schlepptau herein, gefolgt von einem Polizisten mit dunklem Bart.

Jens Sturup nickte dem unbekannten Polizisten zu.

»Das ist Harry Anjou, er soll morgen bei euch im Ermittlungsdezernat anfangen. Er arbeitet sich gerade durch alle Abteilungen und hat seine sechs Monate bei uns hinter sich.«

Harry Anjou gab Thomas zur Begrüßung die Hand.

»Du kommst gerade recht mit deinem Wissen über die Ereignisse auf der Insel«, sagte Thomas. »Das können wir brauchen, wenn wir diesen Fall aufklären wollen.«

Ihm war soeben bestätigt worden, dass die Eltern des toten Jungen unterwegs waren. Er sah sein Gesicht vor sich, die blutverklebten Haare auf grünem Blattwerk.

Auf dem Weg vom Fundort zum PKC hatte Thomas versucht, die Situation zu durchdenken. Es lag eine fast unwirkliche Ruhe über Sandhamn, aber aus Erfahrung wusste er, wie laut und turbulent es am Abend zuvor zugegangen sein musste.

Irgendwo auf den Hunderten von Booten gab es Menschen, die genau wussten, was sich in der Nacht abgespielt hatte, als der Teenager ermordet wurde. Aber wie sollte er sie finden, bevor die Liegeplätze an den Stegen sich leerten und die Leute verschwanden?

Das war aussichtslos.

Jens Sturup räusperte sich, und Thomas schreckte aus seinen Überlegungen auf. Es war Zeit, die Besprechung zu beginnen.

»Gut«, sagte Thomas. »Versuchen wir doch mal zusammenzufassen, was wir bisher wissen. Das Opfer heißt höchstwahrscheinlich Victor Ekengreen, wir haben ein Handy bei ihm gefunden, das einer Person dieses Namens gehört. Außerdem scheint das Alter zu stimmen, er war sechzehn.«

»Victor«, wiederholte Adrian Karlsson. »So hieß doch auch dieser Junge, der letzte Nacht vermisst gemeldet wurde.«

Thomas drehte sich zu ihm um.

»Was sagst du da?«

»Wir haben gestern Abend ein junges Mädchen aufgegriffen, sie war sturzbetrunken und hatte ihre Clique verloren. Nach einer Weile tauchte ihre Freundin auf und fragte nach ihr, so haben wir erfahren, wer sie ist. Das aufgegriffene Mädchen hat einen Freund namens Victor.«

Adrian blätterte in seinem Notizblock. Dann fuhr er fort:

»Das Boot, zu dem das Mädchen gehört, liegt am ersten KSSS-Ponton. Ich war vor ein paar Stunden dort, gegen fünf, aber da habe ich nur zwei Brüder sowie die Freundin des Älteren angetroffen. Der Freund war nicht an Bord.«

»Wo sind die Mädchen jetzt?«, fragte Thomas.

»Die Eltern sind in Südschweden, in Skåne, aber sie kennen eine Frau hier auf der Insel, die sich um die beiden Mädchen kümmert, bis die Eltern eintreffen.«

Was hatte Nora heute Morgen erzählt? Thomas grub in seinem Gedächtnis. Irgendwas von zwei Mädchen, die sie mitten in der Nacht von der Polizei abgeholt hatte. Konnte das hinkommen? Das wäre ja ein unglaublicher Zufall.

»Wir müssen dafür sorgen, dass keiner der Jugendlichen aus der Clique sich aus dem Staub macht, bevor wir mit allen gesprochen haben«, sagte er.

Adrian erhob sich.

»Ich gehe gleich mal zu dem Boot.«

»Tu das«, sagte Jens Sturup. »Nimm Anna mit. Bringt alle her, die ihr an Bord finden könnt.«

»Wir müssen mit jedem Einzelnen reden«, ergänzte Thomas.

Er hatte gerade eine SMS erhalten, dass Margit Grankvist, seine

Partnerin im Ermittlungsdezernat, auf dem Weg nach Sandhamn war. Bis dahin musste er sich auf die Kollegen hier vor Ort verlassen.

Adrian Karlsson blieb in der Tür stehen.

»Im Hafen gab es gestern Abend eine Messerstecherei zwischen Bikern. Sollten wir da nicht mal nachhaken, ob das was mit der Sache zu tun hat?«

»Wann war das?«, fragte Thomas.

»Um Mitternacht herum«, erwiderte Jens Sturup. »Ich lasse dir das Protokoll zukommen.«

Thomas nickte und machte sich eine Notiz. Dann wandte er sich an Staffan Nilsson.

»Willst du auch was sagen?«

»Wir haben eine technische Untersuchung des Fundortes vorgenommen, der zugleich der Tatort ist. Victor Ekengreen ist höchstwahrscheinlich infolge mehrerer Schläge gegen den Kopf gestorben. Der Tod trat irgendwann am gestrigen Abend ein, über den genauen Zeitpunkt lässt sich noch nichts sagen. Grob geschätzt dürfte er jedoch vor zweiundzwanzig Uhr gelegen haben.«

»Wo ist die Leiche jetzt?«, fragte Sturup.

»Wir haben sie von Skärkarlshamn ins Seglerhotel gebracht, das uns einen Raum zur Verfügung gestellt hat. Die Wasserschutzpolizei steht bereit, um sie nach Stavsnäs zu transportieren, aber es spricht wohl nichts dagegen, die Identifizierung gleich hier durchzuführen?«

Er blickte in die Runde, als erwartete er Widerspruch, aber als nichts kam, fügte er hinzu:

»Ich denke dabei natürlich an Ekengreens Eltern, nicht an die Jugendlichen. Ich bin nicht scharf darauf, jungen Menschen ein lebenslanges Trauma zuzufügen.«

Nilsson wandte sich an Thomas.

»Hast du nicht gesagt, dass die Eltern hierher unterwegs sind?«

»Ja«, bestätigte Thomas. »Sie haben ein Haus auf einer Insel nördlich von Sandhamn. Sie müssten in einer halben Stunde hier sein.«

»Die Ärmsten«, murmelte Anderberg.

Er war ein stiller Mann mit wenig Haar, der auf die sechzig zuging. Auf seiner Halbglatze glänzte Schweiß.

»Wir müssen alle Anwohner in der Umgebung befragen, vielleicht gibt es jemanden, der etwas gesehen oder gehört hat«, sagte Thomas.

»Außerdem zelten mehrere Camper im Wald, sie müssen ebenfalls vernommen werden, bevor sie die Insel verlassen.«

»Gibt es Augenzeugen?«, fragte Harry Anjou.

»Nicht, soweit wir bisher wissen. Der Tatort ist außerdem gut gegen Einblicke geschützt.«

Thomas warf Jens Sturup einen Blick zu.

»Kannst du die Anwohner und Camper übernehmen und dafür sorgen, dass jemand mit ihnen spricht und ihre Kontaktdaten aufnimmt? Ich muss die Eltern in Empfang nehmen, sobald sie hier eintreffen. Anschließend will ich auch mit den Freunden des Jungen reden, mit allen. Können wir diesen Raum benutzen?«

»Ich kümmere mich darum«, sagte Sturup. »Unsere Überstundenberge werden durch die Decke gehen, dass es nur so kracht, aber das ist wohl eine andere Geschichte.«

Er grinste schief.

»Gibt es einen Pfarrer auf der Insel?«, fragte Thomas und blickte in die Runde. »Es wäre sicher gut, einen dabeizuhaben, wenn die Eltern eintreffen.«

»Keine Ahnung«, erwiderte Sturup.

»Schon gut«, sagte Thomas. »Ich frage eine Bekannte.«

Vielleicht wusste Nora, ob es hier einen Geistlichen gab. Er musste ohnehin zur Brand'schen Villa, um mit Victors Freundin und dem anderen Mädchen zu reden.

Als hätte Nora gespürt, dass er an sie dachte, piepste sein Handy. Thomas warf einen schnellen Blick aufs Display, sie hatte eine SMS geschickt.

Hast du was von Wilma gehört?

War Wilma immer noch verschwunden? Thomas hatte ganz vergessen, dass auch Jonas' Tochter vermisst wurde.

Gab es da einen Zusammenhang?

Kapitel 27

Der braun gebrannte Mann am Steuer der großen Motorjacht trug eine dunkle Sonnenbrille im Pilotenstil. Thomas erkannte ihn trotzdem sofort wieder.

Johan Ekengreen war einer der umstrittensten Risikokapital-Investoren des Landes. Der ehemalige Großunternehmer war ebenso bekannt für seine Härte wie für seinen Geschäftssinn. Er war in den Sechzigern, aber sein blondes Haar war dicht und er wirkte energiegeladen, obwohl er gerade eine Todesnachricht erhalten hatte.

Thomas begriff, dass der dramatische Tod seines Sohnes in der Presse hohe Wellen schlagen würde. Damit hatte er nicht gerechnet, aber bevor er den Vater zu Gesicht bekam, hatte er den toten Jungen auch nicht mit dem bekannten Johan Ekengreen in Verbindung gebracht.

Thomas wartete auf dem Steg, während zwei Hafenwärter in roten KSSS-Jacken die Delta 42 vertäuen halfen. Mit schnellen Handgriffen platzierten sie alle Fender zwischen Ponton und Schiffsrumpf, damit das Boot nicht an der Stegkante entlangschrammte.

Die kräftigen Motoren drehten ein letztes Mal auf, bevor sie abgestellt wurden.

Johan Ekengreen blieb am Steuer stehen, als ob er sich gegen das wappnete, was ihn erwartete. Dann zog er den Zündschlüssel ab, beugte sich hinunter und rief etwas durch die geöffnete Kajütentür.

Eine sehr blonde Frau in weißen Jeans und schwarzem Oberteil erschien auf der obersten Treppenstufe. Sie trug eine dunkle Sonnenbrille, genau wie ihr Mann. Plötzlich hielt sie inne, als sei sie unsicher, wohin sie gehen sollte.

Thomas ging ihnen entgegen. Ein Windstoß wehte Benzingeruch von der Tankstelle am Nachbarponton herüber.

»Thomas Andreasson«, sagte er und streckte die Hand aus. »Kriminalkommissar bei der Polizei Nacka. Gut, dass Sie so schnell kommen konnten.«

Johan Ekengreen sprang mit einem Satz an Land und half seiner Frau von Bord. Als er Thomas die Hand gab, wurde deutlich, dass er kein junger Mann mehr war. Die Haut unter dem Kinn war schlaff, und er hatte Altersflecken auf den Handrücken.

Auch Madeleine Ekengreen sah aus der Nähe älter aus, aber zwischen den Eheleuten lagen mindestens fünfzehn Jahre, schätzte Thomas, wenn nicht mehr. Sie senkte den Kopf, als wollte sie vermeiden, Thomas' Blick zu begegnen, trotz der sehr dunklen Sonnenbrille.

»Steht fest, dass er es ist?«, fragte Johan Ekengreen heiser. »Vielleicht ist es ein Irrtum, so etwas kommt vor, wir würden niemandem einen Vorwurf machen.«

Er strich sich übers Haar.

»Die Polizei hat viel zu tun, könnte es sich nicht um eine Verwechslung handeln?«, fuhr er fort. »Vielleicht ist der Junge, den Sie gefunden haben, gar nicht Victor? Könnte doch durchaus sein, oder?«

Thomas empfand Mitleid. Aber er konnte es nicht ändern, er musste die Eltern bitten, sich den Toten anzusehen. Und zwar je eher, desto besser, damit sie die Leiche in die Rechtsmedizin nach Solna bringen konnten.

Er war nicht dazu gekommen, Nora zu fragen, ob es auf Sandhamn einen Geistlichen gab, aber Anna Miller würde sie begleiten. Es war besser, zu zweit zu sein, und in diesem Fall wollte er gern eine Frau dabeihaben, schon wegen Victors Mutter.

Er wünschte, Margit wäre hier, sie war viel besser darin, mit solchen Situationen umzugehen. Thomas fühlte sich immer so hilflos, wenn der Schmerz die Angehörigen überwältigte. Wie sehr er sich auch bemühte, er fand nie die richtigen Worte, es klang immer unbeholfen und steif.

Johan Ekengreen sah aus, als erwartete er, dass Thomas etwas sagte.

»Es tut mir leid«, entgegnete Thomas. »Aber ich fürchte, ein Irrtum ist ausgeschlossen.«

Johan Ekengreens Gesicht zuckte, aber er sagte nichts.

Unter Madeleine Ekengreens Sonnenbrille rollten Tränen hervor. Thomas hätte ihr gern tröstend den Arm gedrückt, aber er brachte es nicht über sich, die Hand auszustrecken.

Stattdessen sagte er: »Kommen Sie, ich bringe Sie hin.«

Das Seglerhotel hatte der Polizei eine der kleineren Hütten zur Verfügung gestellt, die während des Mittsommerwochenendes leer gestanden hatten. Sobald die Erstuntersuchung abgeschlossen war, hatte man die Leiche dorthin gebracht. Nun lag sie in einem Leichensack auf einer Pritsche im Eingang der roten Seglerhütte.

Als sie das kleine Haus erreichten, stand Anna Miller mit einer grauhaarigen Frau dort, die sich als Gunilla Apelkvist vorstellte, Pastorin der Oscar-Gemeinde. Das Seglerhotel hatte sie aufgetrieben. Sie war zwar nur zu Besuch, konnte jedoch ein paar Stunden bleiben und helfen.

Ihr langes graues Haar war mit einer Spange zu einem lockeren Knoten zusammengefasst, aber Thomas hatte den Verdacht, dass sie nicht älter als fünfzig war. Ihr Gesicht war glatt.

Es war eine Erleichterung, sie hier zu haben.

»Fühlen Sie sich bereit?«, fragte Thomas. Er wandte sich an Johan Ekengreen. »Wollen Sie beide oder erst mal nur Sie ...?«

Die Frage hing unvollendet in der Luft.

Madeleine Ekengreen schwankte, und die freundliche Pastorin trat schnell einen Schritt vor und hakte sich bei ihr ein.

»Möchten Sie vielleicht hier mit mir warten?« Sie zeigte auf eine Bank an der Hauswand. »Wir setzen uns hier ein bisschen hin, Sie und ich, damit Sie sich sammeln können. Das wird sicher am besten sein.«

Johan Ekengreen wandte sich an seine Frau.

»Tu das. Bleib du so lange hier.«

Thomas ließ ihnen noch eine Minute Zeit, dann sah er Johan Ekengreen an, der seiner Frau über die Wange strich und tief Luft holte. Er nickte Thomas zu, der den Schlüssel ins Schloss steckte und umdrehte. Die Tür ging auf.

Trotz des Sonnenscheins draußen war es schummrig in dem kleinen Vorraum. Thomas meinte einen schwachen Geruch wahrzunehmen, der von dem dunklen Leichensack auf der provisorischen Bahre ausging. Oder bildete er sich das nur ein?

Johan Ekengreen blieb einen Moment zögernd an der Tür stehen, dann trat er über die Schwelle.

Thomas öffnete den Reißverschluss, der über die gesamte Länge des gummiartigen Leichensacks lief. Vorsichtig schlug er den oberen Teil über dem Gesicht des toten Jungen zurück. Dann trat er einen Schritt beiseite, um Platz für Victors Vater zu machen.

Johan Ekengreen streckte die Hand aus, als wollte er seinen Sohn berühren, hielt aber auf halbem Weg inne. Seine Finger griffen ins Leere, er krümmte sich und ging in die Knie.

Thomas blieb im Hintergrund, es gab nichts, was er hätte sagen oder tun können, um die Verzweiflung zu lindern, die den Raum erfüllte.

Nach einigen Sekunden klammerte Johan Ekengreen sich an der Pritsche fest, auf der die Leiche ausgestreckt lag. Schwerfällig sank er auf die Knie, mit dem Kopf dicht neben dem leblosen Gesicht seines Sohnes.

»Victor«, flüsterte er mit erstickter Stimme. »Papa ist jetzt da.«

Er beugte sich vor, bis seine Augen über denen des Sohnes waren, so dicht, dass sich die Gesichter beinahe berührten.

Mit zitternder Hand strich er über die bleiche Haut, über Kinn, Mund, Nase und Wangen. Bei einem frischen Mückenstich hielt er inne, ließ dann aber die Finger weitergleiten, so als liebkoste er einen Säugling, der einschlafen sollte und beruhigt werden musste.

Johan Ekengreen drehte den Kopf zu Thomas, mit tausend Fragen im Blick, bevor er sich wieder seinem Sohn zuwandte.

»Warum musstest du es sein? Warum ausgerechnet du!«, flüsterte er und presste die Lippen auf Victors Stirn.

Dann verlor er die Fassung und brach in Tränen aus. Er presste die geballte Faust vor den Mund und versuchte, sich zu sammeln.

»Sie dürfen ihn Madeleine nicht zeigen«, stieß er hervor. »Sie darf ihn nicht so sehen. Versprechen Sie mir das?«

Thomas nickte stumm.

Johan Ekengreens Blick fiel auf die tiefe Wunde an Victors Kopf. Ungläubig berührte er die Wundränder, streichelte das von geronnenem Blut verklebte Haar und fuhr mit dem Finger die getrockneten Blutspuren nach, die sich über Wange und Ohr bis hinunter zum blutdurchtränkten Kragen des Pullovers zogen.

Er las mit den Fingerspitzen die Geschichte von dem Schlag, der seinem Sohn das Leben genommen hatte.

Seine Augen verdunkelten sich. Er ballte die Fäuste so hart, dass seine Knöchel weiß unter der Haut hervortraten.

»Das wird er bereuen«, hauchte er in Victors Ohr, so leise, dass Thomas es kaum verstehen konnte. »Das verspreche ich dir, Victor. Wer immer das getan hat, wird es bereuen.«

Mit gebeugtem Rücken ging Johan Ekengreen hinaus in die Sonne, seiner verzweifelten Frau entgegen.

Madeleine Ekengreen war von der Bank aufgesprungen, kaum dass sie ihren Mann aus der Tür kommen sah, und noch ehe er ein Wort sagen konnte, begann sie zu schreien.

»Nein, nein!«, schrie sie und versuchte, in das Haus zu gelangen, wo ihr toter Sohn lag.

Als Johan Ekengreen sie daran hinderte, schlug sie ihm ins Gesicht. Ihr Ehering riss seine Wange auf, Blut bedeckte die eingefassten Steine.

»Lass mich, ich muss zu Victor, ich will ihn sehen!«

Er hielt sie fest, bis sie es aufgab zu kämpfen.

Da begann sie zu weinen, heftig und untröstlich. Die Pastorin versuchte, sie zu umarmen. Johan weinte auch.

Thomas hielt sich im Hintergrund. Ich habe immer noch keine Ahnung, wie man damit umgeht, dachte er.

Kapitel 28

Jonas schlief noch, als Nora sich ins Schlafzimmer schlich, um ihren Laptop zu holen. Sollte sie ihn wecken? Nein, es war eine anstrengende Nacht gewesen, er sollte ruhig ausschlafen.

Es war fünf nach zwölf, und Wilma war immer noch nicht wieder da. Thomas hatte sich auch nicht gemeldet, obwohl sie ihm zwei SMS geschickt hatte.

Weder Felicia noch Ebba gaben ein Lebenszeichen von sich, sie schliefen tief und fest, als Nora einen Blick ins Gästezimmer warf. Ihre Eltern würden in gut zwei Stunden, um Viertel nach zwei, mit der Waxholmfähre eintreffen.

Mit dem Laptop unterm Arm ging Nora hinunter in die Küche und stöpselte ihn ans Netz. Es dauerte eine ganze Weile, bis das träge Modem die Verbindung hergestellt hatte, der Empfang im Schärengarten ließ einiges zu wünschen übrig. Plötzlich machte der Rechner »pling«.

»Adam«, rief Nora.

Er lag immer noch vor dem Fernseher auf dem Sofa. Aber heute hatte sie keine Lust, sich darüber aufzuregen.

»Adam!«, rief sie wieder. »Kannst du mal kurz kommen?«

»Was ist?«

»Komm her, anstatt zu schreien.«

»Das tust du doch selbst«, rief er zurück.

Aber kurz darauf stand er in der Tür.

»Bist du auf Facebook mit Wilma befreundet?«, fragte Nora.

Adam schüttelte den Kopf.

»Nein, warum sollte ich?«

Nora merkte, wie ihr Mut sank. Vielleicht war ihr Plan, Malena und ihren Bruder Mattias im Internet zu suchen, doch nicht so brillant, wie sie gedacht hatte?

Adam machte kehrt, um sich wieder vor den Fernseher zu setzen. Von Weitem war die Vorspannmusik einer amerikanischen Serie zu hören, die er liebte.

»Aber Simon hat sie geadded«, sagte er über die Schulter und verschwand im Flur.

»Bist du sicher?«, rief sie ihm nach.

»Denk schon.«

»Warte, Adam, komm noch mal her.«

Adam tauchte wieder auf, mit einem Gesicht, das deutlich ausdrückte, was er davon hielt, gestört zu werden.

»Was ist denn noch?«

»Du bist doch sicher mit Simon befreundet?«

»Jaaa«, erwiderte er gedehnt.

»Dann geht es, wenn du mir einen Gefallen tust. Wir müssen Facebookfreunde werden.«

Adam wirkte geschockt.

»Aber du bist meine Mutter, ich kann dich nicht adden.«

»Das weiß ich, Schatz. Keine Panik.«

Sie zog ihn sanft zu sich heran.

»Ich verspreche dir, dass du mich sofort wieder löschen kannst, wenn ich fertig bin. Okay?«

Adam war immer noch misstrauisch.

»Warum willst du auf Facebook meine Freundin werden?«

Nora erklärte es ihm. Wenn Adam sie zu seinen Kontakten hinzufügte, würde sie Zugang zu Simons Facebookfreunden erhalten. Eine davon war Wilma. Auf diesem Weg konnte sie Malenas Nachnamen herausbekommen.

Es war die einzige Möglichkeit, mit Malenas Familie in Kontakt zu kommen, die ihr einfiel. Vielleich hätte Margot helfen können, aber Jonas hatte sie bisher nicht erreicht. Ihr Handy war abgeschaltet.

»Meinetwegen.«

Nora rutschte ein Stück zur Seite, und Adam loggte sich rasch bei Facebook ein und fügte Nora als Freundin hinzu.

»So, kann ich jetzt gehen?«

»Ja. Vielen Dank.«

Nora beugte sich über die Tasten. Hoffentlich hatte sie Erfolg.

Kapitel 29

Tobias und Christoffer Hökström waren schon da, als Thomas ins PKC kam. Harry Anjou saß ihnen gegenüber an dem langen Konferenztisch.

Als er Thomas sah, stand er auf und ging ihm entgegen.

»Der Ältere der beiden ist zwanzig«, sagte er leise mit einem kurzen Kopfnicken in Richtung der Brüder. »Wir brauchen vielleicht nicht auf die Eltern zu warten, wenn wir mit beiden zusammen reden.«

Minderjährige durften ohne Anwesenheit eines Erziehungsberechtigten nicht vernommen werden. Aber es war ja auch keine richtige Vernehmung, dachte Thomas, eher eine Art Unterhaltung.

Die Zeit drängte, bald würden alle Mittsommer-Besucher die Insel verlassen haben.

Thomas entschied sich. Er ging zu den Jugendlichen und stellte sich vor.

»Möchte einer von euch ein Glas Wasser, bevor wir anfangen?«, fragte er, ging zur Pantryküche und drehte den Wasserhahn auf.

»Ja, ich«, antwortete der jüngere Bruder, der sich als Tobbe vorgestellt hatte.

Sein roter Krauskopf sah aus, als hätte er eine flauschige Mütze auf. Ein frischer Bluterguss breitete sich auf dem rechten Wangenknochen aus und verlief als blauer Schatten bis zum Ohr.

Wer hat dir den denn verpasst?, dachte Thomas.

Die Haare des großen Bruders waren eher wellig, aber man sah ihnen deutlich an, dass sie Geschwister waren, sie hatten das gleiche Kinn und Sommersprossen auf der Nase.

Beide wirkten verwirrt, so als hätten sie keine Ahnung, warum die Polizei sie abgeholt hatte.

Thomas reichte Tobbe den Plastikbecher mit Wasser und zog einen Stuhl hervor.

»Wir müssen mit euch über einen Todesfall sprechen, der sich gestern Abend auf der Insel ereignet hat.«

Die Brüder sahen ihn verblüfft an.

»Wieso das?«, fragte Christoffer.

Es gab keine Möglichkeit, die Wahrheit abzumildern.

»Ich muss euch leider mitteilen, dass euer Freund Victor Ekengreen tot aufgefunden wurde.«

»Victor soll tot sein?«, stotterte Tobbe. »Sie machen Witze, oder?«

»Es ist leider wahr«, sagte Thomas. »Seine Leiche wurde heute Morgen gefunden.«

»Aber wir waren doch gestern zusammen«, protestierte der ältere Bruder und sprang auf. »Das kann nicht sein, er war gestern mit uns zusammen. Sie müssen sich irren.«

»Es tut mir wirklich leid«, sagte Thomas. »Wollen Sie sich nicht wieder setzen?«

Er stand auf und holte noch einen Becher Wasser.

»Hier« sagte er und reichte ihm den Becher. »Trinken Sie einen Schluck.«

Christoffer Hökström nahm den Becher mit der linken Hand. Verständnislos starrte er seinen Bruder an. Tobbe saß da wie versteinert. Sein Gesicht war ausdruckslos.

Plötzlich presste er die Hände auf den Magen und krümmte sich über dem Tisch.

»Was hast du, ist dir schlecht?«, fragte Thomas.

»Ja«, stöhnte er, die Stirn auf die Tischkante gepresst.

»Musst du dich übergeben? Willst du dich hinlegen?«

Tobbe schüttelte den Kopf und rang hörbar nach Luft.

Nach einer Weile fragte er: »Ist das wirklich sicher, dass Vic..., dass er es ist?«

Seine Stimme versagte, als er versuchte, den Namen des Freundes auszusprechen.

»Leider ja«, sagte Thomas. »Victors Eltern waren hier und haben ihn identifiziert.«

»Wie ist er gestorben?«, fragte Christoffer und blinzelte krampfhaft, ohne dass es ihm gelang, die aufsteigenden Tränen wegzuzwinkern.

Thomas wollte nicht ins Detail gehen.

»Durch eine Kopfverletzung«, sagte er kurz.

»Ist er gestürzt?«, flüsterte Tobbe, den Kopf immer noch auf der Tischplatte.

»Wir glauben, dass er erschlagen wurde«, erwiderte Thomas leise.

Christoffer Hökström riss den Mund auf.

»Wollen Sie damit sagen, jemand hat ihn ermordet?«

»Das ist zumindest eine von verschiedenen Möglichkeiten, die wir zur Zeit untersuchen.«

Tobbe richtete sich auf. Er öffnete den Mund, bekam aber kein Wort heraus. Schließlich stieß er hervor:

»Wissen Sie, wer das getan hat?«

»Noch nicht. Deshalb ist es so wichtig, mit euch zu sprechen. Wir werden alle befragen, die mit euch gefeiert haben, um uns ein Bild davon zu machen, was Victor getan hat, bevor er starb. Wir müssen wissen, was während der letzten Stunden seines Lebens passiert ist.«

Tobbe schluchzte auf und verbarg das Gesicht in den Händen.

Hätte ich auf die Eltern warten sollen?, dachte Thomas. Nein, dazu blieb keine Zeit.

Er erhob sich und holte ein paar Papierservietten, die er dem fassungslosen Jungen hinschob.

Tobbe nahm eine und schnäuzte sich.

»Geht's wieder?«, fragte Thomas nach einer Weile. »Es wäre gut, wenn wir weitermachen könnten, aber wenn es dir zu viel wird, verschieben wir das auf später.«

Harry Anjou machte ein Gesicht, als wollte er protestieren, sagte aber nichts.

Tobbe schnäuzte sich wieder.

»Ist schon okay«, sagte er und schluckte.

Sein Bruder tätschelte ihm unbeholfen den Arm.

»Wann habt ihr Victor das letzte Mal gesehen?«, fragte Thomas.

»Gestern Abend«, sagte Tobbe.

»Könntest du etwas konkreter werden? Wir müssen herausfinden, was Victor an seinem letzten Tag gemacht hat. Jedes Detail kann wichtig sein.«

Tobbe wandte das Gesicht ab, zog die Nase hoch, dann begann er zu erzählen.

Tobbe

Als Tobbe am Mittsommertag auf dem Boot aufwachte, war es nach zwölf.

Wahnsinn, das wird richtig geil heute Abend, dachte er und streckte sich. Er schwitzte, obwohl er nur eine Unterhose anhatte. Aber er lag in einem Daunenschlafsack, und die Sonne schien in die Kajüte.

Die Mädchen waren schon fix und fertig angezogen, während Victor noch in der Achterkoje döste.

»Jetzt kommt endlich!« Felicia saß draußen auf dem Achterdeck und rief nach ihnen. »Wir wollen zur Bäckerei und frühstücken. Ich habe einen Mordshunger!«

Als sie zurückkamen, begann der Hafen sich mit Booten zu füllen. Victor und Tobbe klatschten sich ab, als eine große Jacht mit leckeren Bräuten im Bikini ein Stück von ihnen entfernt festmachte.

Der Nachmittag floss dahin, sie saßen auf dem Achterdeck und hatten die Außenboxen an. Später würden sie die Lautstärke aufdrehen, sie würden zu härterer und schnellerer Clubmusik übergehen, die die Temperatur in die Höhe trieb. Aber bis dahin war es perfekt mit schönen alten Sommerhits, gemischt mit Coldplay und Beyoncé.

Ab und zu piepste ein Handy, SMS von verschiedenen Freunden, die auch unterwegs nach Sandhamn waren. Der Tisch füllte sich mit Gläsern und Flaschen.

Irgendwann am Nachmittag, vielleicht so gegen halb fünf, hörten sie Rufe vom Steg. Als Tobbe aufblickte, standen da drei Mädchen, die er aus der Schule kannte. Sie fragten, ob sie eine Weile mit ihnen abhängen dürften. Sie hatten gerade erst die achte Klasse hinter sich, waren aber verdammt süß.

Victor grinste ihnen entgegen.

»Wollt ihr an Bord kommen?«

Er machte eine einladende Handbewegung, obwohl nicht zu übersehen war, dass Felicia etwas dagegen hatte. Victor konnte ganz schön gemein sein, wenn er voll war.

Die Mädchen stiegen an Bord und setzten sich, auf dem Achterdeck des großen Motorboots war reichlich Platz. Sie waren um die Mittagszeit mit der Waxholmfähre angekommen und hatten sich bei einer Freundin im Gästezimmer einquartiert.

Es war richtig schön, mit einem Drink in der Sonne zu sitzen und zu chillen. Ihr Boot lag mitten im Getümmel, überall waren Leute, so als hätte sich der Hafen in ein großes Festivalgelände verwandelt, ungefähr wie bei der Stockholmsveckan auf Gotland oder wie in Båstad im Juli.

Tobbe hob sein Glas und stieß mit Victor an.

Die Mädchen, die an Bord gekommen waren, kicherten über fast alles. Die eine, die am meisten redete, Tessan, war ziemlich heiß. Sie trug ein rotes Bikini-Oberteil mit schmalen Trägern und ausgefranste Jeansshorts.

Er merkte, dass sie ihn abcheckte.

Nach einer Weile hielt sie ihm ihre Zigarettenschachtel hin und fragte, ob er auch eine wolle. Ob er ihr Feuer geben könne?

Als er ein Streichholz anzündete, rutschte sie an seine Seite. Sie steckte sich die Zigarette zwischen die Lippen und beugte sich zu seiner Hand hinunter.

Ihre Brüste schaukelten bei jeder Bewegung. Als er das brennende Streichholz hochhielt, kam sie so dicht heran, dass sie seinen Arm mit einer Brust streifte.

Victor verfolgte das Schauspiel durch halb geschlossene Lider. Felicia saß neben ihm und zog ein Gesicht, offenbar passte ihr die ganze Sache nicht.

Tessan nahm einen Zug und lehnte sich zurück, wobei ihr Schenkel sich an Tobbes presste. Ihre Haut war sonnenwarm und knackig braun. Sie blies den Rauch aus und lächelte ihn hinter ihrer Sonnenbrille an. Genau wie er trug sie eine dunkel getönte Aviator.

Ebba, die der Kajüte am nächsten saß, wurde immer wütender. Ab und an warf sie ihm einen bösen Blick zu.

Tobbe mochte sie immer noch, obwohl zwischen ihnen Schluss war, aber sie war so zickig geworden. Eigentlich hatte er nicht damit gerechnet, dass sie nach Sandhamn mitkommen würde, aber Felicia hatte sie wohl überredet, die beiden machten alles zusammen.

Tessan baggerte ihn richtiggehend an, irgendwie schaffte sie es, ihn dauernd zu berühren, und als sie ihre Kippe ausgedrückt hatte, sah sie ihm ins Gesicht und fragte, ob sie was zu trinken haben könne.

Das war kein Problem. Christoffer hatte Sprit besorgt, und er selbst hatte auch ein paar Flaschen beim Wodkadealer vor der Schule gekauft, bevor sie losfuhren.

Im Handumdrehen hatte Tobbe eine Fanta hervorgeholt und einen ordentlichen Drink für Tessan und sich gemixt. Es war ihm egal, ob Ebba auch einen wollte, sie konnte sich selbst bedienen.

Die Stunden vergingen, er fühlte sich nicht zugedröhnt, eher angetrunken, aber es war klar, dass er voll war. Als er aufstand, um Nachschub zu holen, musste er sich am Tisch festhalten, aber er fiel nicht hin oder so.

Eine Weile später setzte Tessan sich auf seinen Schoß. Sie küssten sich ein paar Mal. Er hatte die Arme um ihre Taille gelegt, und ihre eine Brust presste sich weich gegen ihn, das machte ihn ganz schön an. Ihre Körperwärme trieb ihm den Schweiß auf den Rücken, aber es war schön, so mit ihr in der Sonne zu sitzen.

Ebba war stinksauer, dass er mit Tessan herumknutschte. Sie sonderte bissige Kommentare ab, spitze Bemerkungen über kleine Mädchen, die sich schamlos an ältere Typen ranschmissen.

Na und? Er war es nicht, der sich in den letzten Monaten rar gemacht hatte. Ebba war diejenige, die komisch geworden war. Aber wenn sie nicht mit ihm zusammen sein wollte, gab es ja offensichtlich genug andere, die interessiert waren.

So wie Tessan.

Er grinste bei dem Gedanken und machte weiter mit ihr herum. Etwas in ihm genoss es, das vor Ebbas Augen zu tun. Tessan war keine, die sich zierte, sie war mittlerweile auch ganz schön abgefüllt, aber das schadete ja nicht.

Plötzlich brannte bei Ebba die Sicherung durch.

»Du kotzt mich an«, schrie sie. »Du bist so ein verdammtes Schwein.«

Tessan verstand gar nichts mehr, sie saß nur da und starrte auf seine Knie.

Im nächsten Augenblick war Ebba an Land gesprungen und in der Menschenmenge verschwunden. Felicia machte eine Bewegung, als wollte sie ihr nachlaufen, aber Victor streckte den Arm aus und hielt sie fest.

»Lass sie«, sagte er. »Sie kann es nur nicht ab, dass Tobbe Schlag bei anderen Weibern hat.«

Victor war auch voll. Er hatte den ganzen Nachmittag Wodka-Fanta in sich reingeschüttet, und seine Bewegungen waren unsicher. Jetzt versuchte er, Felicia auf seinen Schoß zu ziehen und sie zu streicheln, aber ihr hatte es die Laune verhagelt, dass Ebba abgehauen war. Sie hörte nicht auf, über Ebba zu reden, und schließlich fauchte sie Victor an, er solle mit dem Gefummel aufhören.

»Mach doch, was du willst«, sagte Victor, drehte ihr den Rücken zu und begann, sich mit Tessans Freundin zu unterhalten.

Die gute Stimmung war weg, und Tobbe war langsam angenervt. Sie waren doch hier, um Party zu machen und Spaß zu haben. Wieso musste es immer so kompliziert sein?

Felicia regte sich immer mehr auf und hackte auf Victor herum. Zuerst beachtete er sie nicht weiter, aber nach einer Weile fetzten sie sich heftig.

Tobbe hatte so was geahnt.

Victor hatte sich während des Frühjahrs verändert, er war launisch geworden und rastete schnell aus, und wenn Felicia was getrunken hatte, konnte sie jederzeit hochgehen.

»Krieg dich mal wieder ein, du blöde Kuh«, schrie Victor sie an.

Er zeigte ihr den Mittelfinger, aber Felicia keifte zurück.

»Du bist so dermaßen krank im Kopf.«

Victor sah aus, als wollte er ihr eine runterhauen.

»Halt die Schnauze.«

»Halt doch selber die Schnauze.«

Victor knallte das Glas so heftig auf den Tisch, dass es zersprang. Er stand auf und verließ das Boot.

Da brach Felicia in Tränen aus.

»Warte, Victor«, schrie sie und lief ihm nach.

Tobbe konnte nicht fassen, was da passierte. Es war so verdammt unnötig, auf die Art alles zu verderben. Manchmal ging ihm Victor echt auf den Sack, und Felicia auch.

Eine Weile nach dem Streit kam Christoffer vom Imbiss zurück, er hatte mit dem Geld, dass ihr Vater ihnen zugesteckt hatte, etwas zu essen besorgt. Ein paar seiner Kumpels von der Handelshochschule waren mit ihrem Boot eingetroffen, es war eine große Clique und sie hatten gesagt, Christoffers Bruder könne ruhig ein paar Leute mitbringen.

Warum nicht?, dachte Tobbe.

Die Mädels hier waren cool drauf, und was mit den anderen war, interessierte ihn ehrlich gesagt nicht. Victor und Felicia saßen wohl irgendwo und klärten ihre Probleme, und wenn Ebba die Beleidigte spielen wollte, hatte sie selbst Schuld.

Er nahm einen großen Schluck von seinem Drink, dann zog er entschlossen Tessans Gesicht zu sich herunter und schnappte nach ihren Lippen.

Als sie ihre Hamburger gegessen hatten, steckten sie ein paar Flaschen ein und gingen zu dem anderen Boot. Es lag ein Stück entfernt, im abgesperrten Bereich drüben an der Via-Mare-Brücke. Christoffer wusste den Code für das Tor, deshalb kamen sie ohne Probleme hinein.

Tobbe blieb auf der Party, bis die Musik aus dem Seglerrestaurant verstummte, und als er zurück aufs Boot kam, schlief er sofort wie ein Stein.

Stunden später wachte er davon auf, dass ein Polizist in der Kajüte stand.

Kapitel 30

Tobbe vermied es, Thomas anzusehen. Stattdessen begann er, an einem Zeigefingernagel zu knabbern. Thomas fiel auf, dass seine sämtlichen Fingernägel kräftig abgekaut waren, bis hinunter zum Nagelbett. Es war so wenig Fingernagel übrig, dass die Fingerkuppen im Vergleich zu den abgekauten Nagelresten geschwollen wirkten.

Offenbar wünschte Tobbe sich, er wäre ganz woanders. Sein Gesichtsausdruck war misstrauisch und unglücklich zugleich.

Sie waren also fünf Jugendliche gewesen, die nach Sandhamn gefahren waren, um Mittsommer zu feiern. Innerhalb weniger Stunden waren drei von ihnen abgehauen, und der Abend hatte mit einer Katastrophe geendet.

Tobbe hatte seine ehemalige Freundin dazu gebracht, verzweifelt das Boot zu verlassen und den ganzen Abend lang herumzuirren. Felicia war im Hafen zusammengebrochen, und ihr Freund war am Strand erschlagen worden. Aber die beiden Brüder, die Thomas jetzt gegenübersaßen, hatten anscheinend nichts von alldem bemerkt oder auch nur daran gedacht, dass etwas passiert sein könnte.

Stattdessen hatten sie mit ihren neuen Freunden gefeiert.

Thomas konnte über so viel Ignoranz nur den Kopf schütteln, sagte aber nichts. Harry Anjou regte sich mehr auf.

»Hast du dich nicht gefragt, wo deine Freunde abgeblieben sind?«, fragte er in scharfem Ton. »Oder war es dir scheißegal, weil du betrunken warst?«

Tobbe sank noch mehr in sich zusammen. Als er antwortete, zitterte seine Stimme.

»Ich hab versucht, die anderen anzurufen und ihnen Bescheid zu sagen, dass wir bei Christoffer und seinen Kumpels feiern, aber keiner ist rangegangen. Ich habe Victor eine SMS geschickt, aber er hat sich nicht gemeldet. Natürlich war es mir nicht egal, wo er ist, auch nicht, wo die Mädchen sind. Wir sind doch Freunde.«

Es sah aus, als würde er gleich in Tränen ausbrechen.

»Wie hätte ich denn ahnen könen, dass er tot ist?«, sagte er. »Ich dachte, er ist mit Felicia unterwegs, und dass sie später nachkommen würden. Ich schwöre.«

Der Daumennagel oder was noch davon übrig war, verschwand in seinem Mund.

»Wenn ich dich richtig verstanden habe, waren Ebba, Felicia und Victor ab etwa neunzehn Uhr verschwunden«, sagte Thomas. »Habt ihr euch nie gefragt, ob ihnen vielleicht etwas zugestoßen ist?«

Er blickte den älteren Bruder fragend an. Neben Tobbes schmaler Gestalt wirkte Christoffer Hökström mit seinen breiten Schultern unter dem grünen Tennisshirt wie ein ausgewachsener Mann.

Aber sein Blick war leer.

Harry Anjou wandte sich jetzt ihm zu.

»Hätten Sie nicht reagieren müssen, als so viele aus eurer Runde plötzlich verschwanden? Ihr Bruder und seine Freunde sind noch Schüler. Sie waren der einzige Erwachsene in der Gruppe.«

Jetzt schüttelte Christoffer den Kopf.

»Ich habe nicht darüber nachgedacht«, sagte er gepresst. »Es war ja alles voller Leute, überall wurde gefeiert, es war eine super Stimmung. Ich habe das irgendwie nicht so ernst genommen, dass sie weg waren.«

Er schluckte mehrere Male.

»Ich meine ... jetzt wünschte ich natürlich, ich hätte mich mehr darum gekümmert ... aber ich dachte, sie sind okay, sie tauchen schon wieder auf.«

Es führte zu nichts, den Brüdern noch mehr Vorwürfe zu machen. Das taten die beiden schon selbst. Thomas beugte sich vor.

»Jungs«, sagte er. »Ihr müsst versuchen, uns zu helfen. Hat keiner von euch eine Ahnung, wo euer Freund sich am Abend aufgehalten hat? Wo er gewesen sein könnte?«

»Nein«, sagte Tobbe mit einem verstohlenen Seitenblick.

Thomas war die schnelle Augenbewegung nicht entgangen. Hatte Tobbe seinem Bruder eine stumme Frage gestellt? Oder bildete er sich das nur ein?

Aber bevor er noch etwas sagen konnte, mischte sich Harry Anjou ein.

»Hat Victor jemandem Geld geschuldet? Oder hatte er Feinde?«

»Das glaube ich nicht«, sagte Tobbe.

Thomas betrachtete wieder den Bluterguss auf Tobbes Wange. Hatten die Jungs sich in die Haare gekriegt?

»Woher hast du den blauen Fleck?«, fragte er.

Tobbes Hand fuhr wie von selbst an die Wange.

»Ich bin hingeknallt«, sagte er.

»Wie kam das?«

»Bin auf einer Klippe ausgerutscht.«

»Ach ja?« Thomas wartete auf die Fortsetzung, aber Tobbe starrte auf die Tischplatte, ohne noch mehr zu sagen.

Anjou platzte der Kragen.

»Du wirst uns doch wohl irgendwas erzählen können?«, rief er aus.

Thomas bemerkte, wie der Junge auf den Tonfall reagierte. Er warf Anjou einen mahnenden Blick zu, damit er sich mäßigte; es hatte keinen Zweck, die Brüder noch mehr einzuschüchtern. Aber Harry Anjou schien den Wink nicht zu bemerken.

»Dein bester Freund ist ermordet worden«, sagte Anjou. »Hilf uns lieber, anstatt hier zu sitzen und zu maulen. Irgendwas musst du doch wissen!«

Tobbe hielt sich wieder den Magen. Thomas beschloss, dass es Zeit war, die Sache zu beenden.

»Ihr könnt jetzt gehen«, sagte er. »Aber bleibt den Tag heute auf der Insel, für den Fall, dass wir noch Fragen haben.«

Christoffer stand auf. Als sein Bruder sich nicht rührte, sondern sich weiterhin auf seinem Stuhl krümmte, versetzte er ihm einen Stoß.

»Komm jetzt.«

Stumm folgte Tobbe ihm zur Tür. Aber bevor er hinausging, drehte er sich noch einmal um und blickte Thomas flehend an.

»Sind Sie wirklich sicher, dass er umgebracht wurde?«

Kapitel 31

»Was machst du da?«

Jonas' Stimme ließ Nora vor ihrem Laptop zusammenzucken. Er stand in der Küchentür, mit strubbeligen Haaren und Augen schmal wie Schlitze.

»Bist du schon auf?«, fragte sie.

»Du hättest mich längst wecken sollen«, sagte Jonas, wenn auch ohne Überzeugung. »Wilma ist noch nicht gekommen?«

»Nein, leider nicht, sonst hätte ich dir Bescheid gesagt.«

Sie zeigte auf die Kaffeemaschine.

»Da ist frischer Kaffee, wenn du möchtest, und Brot aus der Bäckerei. Du musst was essen.«

Nora merkte selbst, dass sie sich anhörte, als würde sie mit einem ihrer Söhne sprechen. Sie änderte ihren Tonfall.

»Ich versuche, den Nachnamen von Wilmas Freunden herauszufinden, damit wir mit ihnen Kontakt aufnehmen können. Vielleicht erreichen wir Wilma auf diesem Weg.«

Sie zeigte auf ihren Laptop, und Jonas setzte sich auf den Stuhl neben ihr.

Nora bewegte den Mauszeiger über den Bildschirm. Nach ein paar Klicks tauchte Wilmas lachendes Gesicht auf. Jonas zuckte zusammen, als er seine Tochter sah.

Rasch klickte Nora auf das Wort Freunde direkt unter Wilmas Foto. Sie hatte mehrere Hundert davon.

Eine Liste mit sämtlichen Freunden und deren Profilfotos, alphabetisch nach Vornamen sortiert, klappte aus und Nora scrollte abwärts, bis sie zum Buchstaben M kam.

M wie Malena und Mattias.

Ein quadratisches Foto mit einem braunhaarigen Mädchen tauchte auf.

»Da haben wir sie«, sagte Nora. »Wassberg, Malena heißt Wassberg mit Nachnamen. Und ihr großer Bruder ist ...« Sie scrollte noch etwas weiter. »Hier.«

Sie klickte auf das Foto des etwa siebzehnjährigen Jungen, und sofort ging Mattias Wassbergs Facebookseite auf.

Laut seinem Profil spielte er Basketball und hatte gerade das zweite Jahr auf dem Östra Real hinter sich, einem Gymnasium in der Stockholmer Innenstadt. Auch er hatte Hunderte von Freunden. Und er mochte Musikgruppen, von denen Nora noch nie gehört hatte.

Er sah gut aus, das musste sie zugeben. Sogar Nora konnte verstehen, dass er auf Teenagerart cool war.

War Wilma deshalb so verknallt in ihn?

Er war siebzehn und Wilma erst vierzehn. Drei Jahre Unterschied waren in dem Alter eine Menge, dachte sie und hatte ein mulmiges Gefühl im Bauch.

»Erkennst du jemanden von den Freunden wieder?«, fragte sie Jonas.

»Nein, es ist keiner ihrer alten Freunde dabei.« Er kratzte sich am Kinn. »Früher habe ich die meisten gekannt, mit denen sie befreundet war, die Eltern auch. Aber das hat sich geändert, als sie in die Oberstufe kam. In der neuen Schule ist alles anders. Viel weniger Kontakt mit Klassenkameraden und deren Eltern.«

Nora öffnete ein neues Browserfenster und rief die Suchmaschine hitta.se auf. Rasch tippte sie »Malena Wassberg« ins Suchfeld.

Nichts.

Sie versuchte es mit »Mattias Wassberg« und erhielt fünfundzwanzig Ergebnisse. Vier Personen dieses Namens wohnten im Großraum Stockholm.

»Bingo«, sagte Jonas.

Er ging zur Kaffeemaschine und goss sich eine halbe Tasse ein.

»Möchtest du auch?«

»Im Moment nicht, danke. Ich hatte heute schon mehr als genug. Wenn ich noch mehr trinke, kriege ich Magenschmerzen.«

Nora griff nach dem Telefon.

»Sollen wir es versuchen?«

Ohne seine Antwort abzuwarten, tippte sie die erste Rufnummer ein. Dann schaltete sie auf Lautsprecher, damit Jonas mithören konnte.

Es klingelte ein paar Mal, dann ging der Anrufbeantworter an.

»Hallo, dies ist der Anschluss von Mattias Wassberg. Bitte hinterlassen Sie Ihren Namen und Ihre Telefonnummer, ich rufe zurück, sobald ich kann.«

»Klingt nach einem älteren Jahrgang«, sagte Jonas. »Nicht nach einem halbwüchsigen Jungen.«

Sicherheitshalber hinterließ Nora eine Nachricht und bat den Mann um Rückruf.

Der nächste Mattias Wassberg entpuppte sich als Familienvater, der keine Ahnung hatte, wovon sie überhaupt sprach, als sie nach Wilma Sköld fragte. Höflich entschuldigte sie sich und legte auf.

»Zwei haben wir noch«, sagte sie zu Jonas, der immer noch neben der Kaffeemaschine stand.

Sie wählte die dritte Nummer. Es klingelte und klingelte, ohne dass jemand abnahm. Nora rechnete schon damit, dass sich gleich ein Anrufbeantworter einschalten würde, aber plötzlich wurde die Verbindung gekappt.

»Merkwürdig«, sagte sie. »Soll ich noch mal versuchen?«

»Mach das.«

Sie drückte auf Wahlwiederholung, wieder klingelte es endlos. Gerade als sie dachte, die Verbindung würde wieder beendet, meldete sich jemand.

Es war ein junger Mann. Seine Stimme klang verschlafen.

»Ja, Mattias.«

Irgendwas war im Hintergrund zu hören. Waren das Vögel? Es hörte sich fast wie Möwengeschrei an. Wenn das im Schärengarten war, konnte es sein, dass sie den Richtigen am Apparat hatte.

Nora stellte sich rasch vor.

»Ich wollte fragen, ob du vielleicht ein Mädchen namens Wilma kennst, Wilma Sköld? Ich versuche herauszufinden, wo sie ist.«

»Wilma? Keine Ahnung.«

Es wurde still. Dann klickte es in der Leitung, und die Verbindung war beendet.

Nora starrte das Telefon an. Es war hoffnungslos. Für einen Moment hatte sie geglaubt, es wäre der richtige Mattias Wassberg.

Langsam wählte sie die letzte Nummer.

Nach zwei Rufsignalen meldete sich ein älterer Mann, seine Stimme klang etwas brummig.

»Bei Wassberg.«

Nora atmete enttäuscht aus.

»Entschuldigung«, sagte sie nur. »Falsche Nummer.«

Jonas drehte sich um und wollte die Kaffeetasse auf der Anrichte abstellen, aber er erwischte nur die Kante; die Tasse fiel zu Boden und zerschellte.

»Verdammt noch mal«, schrie er. »So ein Mist!«

Nora klappte den Laptop zu und stand auf.

»Ich gehe jetzt ins PKC und spreche mit Thomas«, sagte sie. »Es wird höchste Zeit, dass die Polizei etwas unternimmt.«

Kapitel 32

Thomas und Harry Anjou blieben noch im PKC sitzen, nachdem die Brüder Hökström gegangen waren. Es war Mittagszeit.

»Diese Jungs tun so unschuldig«, sagte Anjou. »Dabei merkt man schon von Weitem, dass das richtige Flegel sind. Sich auf Papas Motorboot volllaufen lassen, das können sie, aber sich bei der Polizei zusammenzureißen, ist offenbar zu viel verlangt.«

Er rieb sich die Augen und reckte die Arme.

»Guck dir nur mal den blauen Fleck bei dem Rothaarigen an. Würde mich nicht wundern, wenn er sich mit Ekengreen geprügelt hat.«

»Du meinst, irgendwas zwischen ihnen ist eskaliert?«, fragte Thomas.

Anjou zuckte die Schultern.

»Betrunkene Teenager machen Dummheiten. Du hast ja gehört, was er gesagt hat. Sie haben den ganzen Tag gesoffen. Vielleicht haben sie sich irgendwann am Abend in die Wolle gekriegt, was weiß ich. Bisher haben wir nur seine Aussage, dass sein Freund abgehauen ist und er ihn danach nicht mehr gesehen hat.«

Die Tür ging auf. Adrian Karlsson trat über die Schwelle.

»Ich soll von Jens ausrichten, dass jetzt zwei Streifen durch den Hafen gehen und eine ›Haustürbefragung‹ machen.«

Er malte mit den Fingern Gänsefüßchen in die Luft.

»Oder wie immer man das nennen soll, wenn man die Stege abklappert und mit den Leuten auf den Booten spricht. In einer halben Stunde kommt Verstärkung, sie werden die Jungs an den Absperrungen ablösen. Jens sagt, du sollst ihn anrufen, wenn du noch etwas brauchst.«

»Danke«, sagte Thomas. »Dann weiß ich Bescheid.«

»Wir fahren jetzt«, fügte Adrian hinzu, »aber die Neuen bleiben den ganzen Tag hier.«

Er unterdrückte ein Gähnen, und Thomas wurde bewusst, dass der Mann seit mehr als vierundzwanzig Stunden auf den Beinen war. Kein Wunder, dass auch Henry Anjou sich immer wieder die

Augen rieb. Es war ein sehr langes Mittsommerwochenende gewesen.

»Fährst du auch mit zurück zur Station, oder bleibst du noch hier?«, fragte Adrian und blickte Anjou an.

Der war offenbar hin- und hergerissen zwischen Pflichtgefühl und Erschöpfung. Er zögerte mit der Antwort, und noch ehe er etwas sagen konnte, traf Thomas die Entscheidung.

»Du warst die ganze Nacht auf«, sagte er zu Harry. »Fahr nach Hause und schlaf dich aus, wir sehen uns morgen früh in Nacka.«

Es hatte keinen Sinn, ihn auszupowern, noch bevor er überhaupt im Ermittlungsdezernat angefangen hatte.

Thomas blickte auf die Uhr und sah, dass Margit in ein paar Minuten auf der Insel eintreffen würde. Sobald sie da war, würde er zu Noras Haus gehen, um mit Victors Freundin und dem anderen Mädchen, Ebba, zu sprechen.

Er stand auf und streckte sich.

»Ich gehe mit euch zum Anleger, ich muss sowieso meine Kollegin abholen, die in ein paar Minuten mit der Fähre kommt.«

Er wollte gerade die Klinke herunterdrücken, als es an der Tür klingelte. Er öffnete und stand Nora gegenüber. Sie war blass, ihr Haar hatte sie zu einem lockeren Pferdeschwanz gebunden und den Pullover in die verblichenen Shorts gestopft.

»Thomas«, rief sie aus und packte ihn verzweifelt am Arm. »Wilma ist immer noch verschwunden. Wir haben versucht, Mattias Wassberg zu finden, ein Junge, mit dem sie sich gestern wahrscheinlich treffen wollte, aber wir können ihn nicht auftreiben. Ihr müsst jetzt etwas tun, sie ist bald zwölf Stunden überfällig.«

Sie machte einen Schritt auf ihn zu und entdeckte die beiden anderen Polizisten.

»Entschuldigung«, sagte sie verlegen. Offenbar hatte sie nicht bemerkt, dass noch mehr Leute im Raum waren.

Adrian hob grüßend die Hand.

»Wir haben uns heute Nacht getroffen, als Sie hier waren und die Mädchen abgeholt haben«, sagte er.

»Ja, richtig. Tut mir leid, ich habe Sie nicht gleich erkannt.«

Sie gab ihm und Harry Anjou die Hand.

»Ich war gerade auf dem Weg zu dir«, sagte Thomas.

»Warum?«

Angst stand in ihren Augen, und Thomas begriff, dass sie seine Worte falsch verstanden hatte.

»Das hat nichts mit Wilma zu tun«, versuchte er sie zu beruhigen. »Ich glaube nach wie vor, dass sie irgendwo ihren Rausch ausschläft.«

»Sie können sich nicht vorstellen, wie oft das passiert«, sagte Harry Anjou zu Nora. »Sie sind nicht die erste Mutter, die sich an diesem Wochenende bei uns meldet.«

»Aber heute Nacht ist etwas vorgefallen«, fuhr Thomas fort. »Ich muss so schnell wie möglich mit Ebba und Felicia sprechen.«

»Was ist vorgefallen? Etwas Schlimmes?«, fragte Nora.

Ihre Stimme zitterte, und Thomas wurde klar, dass er sie nicht im Mindesten beruhigt hatte. Er zog einen Stuhl für sie hervor und setzte sich neben sie.

»Bitte behalte das für dich. Es hat einen Todesfall gegeben. Ein sechzehnjähriger Junge wurde heute Morgen in Skärkarlshamn tot aufgefunden.«

Nora schrie erschrocken auf und schlug sich die Hand vor den Mund.

»Es scheint sich um Felicia Grimstads Freund zu handeln, deshalb wollte ich zu dir. Wir müssen mit ihr reden, wie du dir denken kannst.«

Nora war kreidebleich geworden.

»Alles okay mit dir?«, fragte Thomas.

»Bist du sicher, dass es nichts mit Wilma zu tun hat? Was, wenn ihr auch etwas passiert ist ...«

Die letzten Worte gingen in einem Schluchzen unter.

Thomas sah ein, dass seine Mitteilung die Sache nur noch schlimmer gemacht hatte, aber er konnte nicht mehr dazu sagen. Er musste sich auf seinen Instinkt verlassen, und der sagte ihm, dass Wilma nichts zugestoßen war.

Adrian Karlsson erhob sich und holte seine schwarze Reisetasche, die in einer Ecke neben der Teeküche stand.

»Wir müssen jetzt«, sagte er.

Anjou nickte Thomas zu und folgte Adrian nach draußen in die Sonne.

Thomas stand auf.

»Es wäre gut, wenn wir gleich zu dir nach Hause gehen könnten«, sagte er zu Nora. »Margit kommt jeden Moment mit der Fähre, ich möchte, dass sie dabei ist.«

Er strich ihr aufmunternd über die Wange.

»Wo ist Jonas denn?«

»Zu Hause. Er versucht, Wilmas Freundinnen anzurufen, vielleicht weiß eine von ihnen etwas. Ich hoffe wirklich, dass du recht hast ...« Ihre Stimme klang immer noch skeptisch.

Das hoffe ich auch, dachte Thomas.

Kapitel 33

Margit kam als Erste die Gangway herunter. Ihr kurzes Haar leuchtete in der grellen Sonne noch roter als sonst. Sie winkte kurz, als sie Thomas und Nora entdeckte, die ein wenig abseits des Gedränges warteten.

»Hallo Nora«, sagte Margit, als sie bei ihnen ankam. »Wie ich sehe, bist du auch in diese Sache involviert. Was für eine traurige Geschichte. Es ist immer hart, wenn es um junge Menschen geht.«

Nora nickte stumm. Sie hatte Margit schon etliche Male getroffen und wusste, wie sehr Thomas seine raubeinige Kollegin schätzte.

Während sie gemeinsam zur Brand'schen Villa gingen, fasste Thomas mit leiser Stimme die Ereignisse des Morgens für Margit zusammen.

Nora, die ein Stück vorausging, bekam einige Bruchstücke seines Berichts mit. Der Stein in ihrem Magen wurde schwerer. Wie konnte Thomas so sicher sein, dass Wilma nicht auch etwas zugestoßen war? Was, wenn er sich irrte und sie etwas mit der Sache zu tun hatte?

Am Värdshuset bogen sie ab und folgten der schmalen Gasse, die am Barnberget vorbeiführte, einem Felsen mit einer schmalen Rinne, die davon zeugte, dass ihn im Laufe der Jahre Tausende von Kindern als Rutschbahn benutzt hatten. Als sie vorbeigingen, rutschten gerade wieder ein paar Vierjährige voller Begeisterung den glatten Stein hinunter.

Bei ihrem fröhlichen Lachen wurde Nora das Herz noch schwerer, der Kontrast war einfach zu groß. Sie verlangsamte ihre Schritte, bis Thomas und Margit sie eingeholt hatten, und versuchte, an etwas anderes zu denken. Wenig später hatten sie die Brand'sche Villa erreicht.

Jonas war in der Küche. Als Nora die Haustür öffnete, kam er sofort hinaus in den Flur. Nora sah, dass er unwillkürlich zusammenzuckte, als er Thomas und Margit sah. Die gleiche Angst, die sie befallen hatte, als Thomas ihr von dem nächtlichen Todesfall erzählte, zeigte sich nun auch bei Jonas.

Sie beeilte sich, ihm seine Sorge zu nehmen.

»Es hat nichts mit Wilma zu tun. Thomas und Margit sind hier, um mit den Mädchen zu sprechen, über etwas ganz anderes.«

Thomas gab Jonas die Hand und klopfte ihm kameradschaftlich auf die Schulter. Sie hatten sich während des Winters ein paar Mal gesehen, aber seit Elins Geburt hatte sich noch keine passende Gelegenheit ergeben. Tatsache war, dass sie und Thomas in den letzten Monaten nur ein paar Mal miteinander telefoniert hatten. Im Sommer haben wir wieder mehr Zeit, hatte Nora gedacht, wenn das Baby ein bisschen größer ist und sich alles eingespielt hat.

Dass sie sich unter diesen Umständen wiedersehen würden, damit hätte sie nie gerechnet.

»Wie ich vorhin schon zu Nora sagte, ich glaube, dass Wilma irgendwo eingeschlafen ist«, sagte Thomas, der nichts von Noras Gedanken ahnte. »Du würdest dich wundern, wie viele verkaterte Jugendliche heute überall auf der Insel herumliegen.«

Das schien Jonas ein wenig zu beruhigen. Nora war erleichtert, als sie sah, dass seine Anspannung nachließ.

»Sie hätte um eins zu Hause sein sollen«, sagte Jonas. »Diese verflixte Göre. Ich hoffe, du hast recht und sie kommt demnächst angeschlichen. Na warte, nach der Aktion ist das Taschengeld für die nächsten Jahre gestrichen.«

Er lächelte schwach, aber es war immerhin ein Anfang.

Da ertönte eine aufgeregte Stimme auf der Veranda, und sie drehten sich um.

»Mama, wo bist du? Darf ich mir mit Fabian ein Eis holen?«

Das war Simon. Thomas antwortete an Noras Stelle.

»Ist Eis nicht neuerdings für kleine Jungs verboten? Ich glaube, das hat die Polizei so bestimmt.«

»Thomas!«

Simon kam angerannt und flog seinem Patenonkel in die Arme. Thomas zog sein Portemonnaie aus der Hosentasche.

»Aber heute können wir wohl eine Ausnahme machen«, sagte er und zog einen Hundertkronenschein heraus.

»Ist das alles für mich?«, rief Simon begeistert aus.

»Vielleicht bringst du deinem Bruder auch eins mit.«

»Ja klar, vielen, vielen Dank!«

Er schielte zu Nora hinüber, als sei er nicht sicher, ob er das Geld annehmen dürfe, aber sie hob den Daumen. Glücklich nahm er den Schein und lief wieder nach draußen.

»Du verwöhnst ihn«, sagte Nora streng.

Thomas zuckte zerknirscht die Schultern, aber er sah nicht so aus, als bereute er es im Geringsten.

Margit räusperte sich.

»Wollen wir dann mal mit den Mädchen reden?«

Sie wandte sich an Nora.

»Vielleicht können wir das auf der Veranda tun, wenn es dir recht ist?«

»Natürlich. Aber sie schlafen noch, soll ich sie wecken?«

»Ja, bitte.«

Gleich muss Thomas erzählen, was passiert ist, dachte Nora, als sie die Treppe hinaufging. Die nächsten Stunden werden schwer für die Mädchen.

Plötzlich durchzuckte sie ein Gedanke, und sie blieb auf der obersten Treppenstufe stehen.

Oder wussten die beiden etwa schon, was passiert war?

Kapitel 34

Als Nora die Tür zum Gästezimmer öffnete, war Ebba bereits wach. Sie lag auf dem Rücken im Bett und starrte an die Zimmerdecke. Felicia schlief noch, die Bettdecke mit den weiß-gelben Gänseblümchen bis über die Ohren hochgezogen, sodass nur ein paar Haarsträhnen hervorschauten.

Die Sonne schien durch das dünne weiße Stoffrollo, das den Raum kaum gegen die Helligkeit abschirmte. Vor dem Fenster tutete die Waxholmfähre eine letzte Warnung, bevor sie in den schmalen Sund bog.

Ebba zuckte zusammen, als sie Nora sah.

»Wie fühlst du dich?«, fragte Nora und setzte sich neben sie auf die Bettkante.

Das Mädchen schien immer noch durcheinander zu sein, und Nora wünschte, sie könnte etwas tun, damit sie sich besser fühlte. Bald würde sie etwas erfahren, was sie noch mehr erschütterte.

»Hast du Hunger?«, fragte Nora.

»Ein bisschen.«

Ebba setzte sich auf.

»Möchtest du etwas essen?«

»Gern, danke.«

Sie versuchte zu lächeln.

»Wissen Sie, wie spät es ist?«, fragte Ebba nach einer Weile.

Nora sah auf ihre Armbanduhr.

»Gleich halb zwei.«

»So spät schon?«

»Ja. Deine Mutter kommt in etwa einer Dreiviertelstunde. Felicias Eltern sind auch unterwegs, sie wollten dieselbe Fähre nehmen.«

Ebba senkte den Blick auf die Bettdecke.

»Sind sie sehr wütend auf uns?«, fragte sie leise.

Nora streckte die Hand aus und tätschelte den Arm des Mädchens.

»Sie sind wohl vor allem erleichtert, dass euch nichts zugestoßen ist. Ich würde mir an deiner Stelle keine großen Sorgen machen.«

Ebba wand sich unbehaglich. Wie sollte Nora es ihr beibringen?

»Wir müssen Felicia wecken«, sagte sie vorsichtig. »Zwei Polizisten sind hier und wollen mit euch reden.«

»Polizisten? Warum das denn?«

Ebba sah sie erschrocken an.

»Das sagen sie euch wohl besser selbst. Es wäre gut, wenn du dich anziehen könntest und so schnell wie möglich nach unten kommst.«

Nora erhob sich und zeigte auf einen Stapel Handtücher, die sie mitgebracht hatte.

»Wenn du dich waschen möchtest, das Badezimmer ist gegenüber. Ich habe Zahnbürsten für dich und Felicia hingelegt.«

Nora wandte sich um und wollte gehen, als sie eine Stimme flüstern hörte:

»Danke, dass Sie so nett zu uns sind.«

Nora ging in die Küche und machte einen Teller mit Brötchen für Thomas und Margit fertig. Dann nahm sie ein Tablett, stellte Kaffeetassen, die Brötchen und einen Teller mit zwei Käsebroten für Ebba darauf.

Die alltäglichen Handgriffe beruhigten sie, es war eine Erleichterung, Kaffee zu kochen, anstatt sich Gedanken um Wilma zu machen.

Nora spürte, dass sie am Rand der Erschöpfung war. Die Angst um Wilma nagte an ihr, gleichzeitig war das Haus voller Leute, die auf die eine oder andere Art versorgt werden wollten. Sie musste sich darauf konzentrieren, eins nach dem anderen zu tun, sonst würde sie zusammenbrechen.

Adam war ins Dorf geschickt worden, um nach Wilma zu suchen, und Jonas saß im Schlafzimmer und versuchte immer noch, Wilmas Freundeskreis abzutelefonieren. Als sie vorhin den Kopf durch die Tür gesteckt hatte, sah er so verbissen aus, dass sie sich leise wieder zurückzog, ohne ihn zu stören.

Nora wusste, dass es keinen Zweck hatte, Thomas noch mal darauf anzusprechen, er war vollauf damit beschäftigt, den Fall des toten Jungen zu untersuchen.

Aber ihr war, als befände sie sich in einem Irrenhaus. Sie wunderte sich, dass ihre Stimme so ruhig und gefasst geklungen hatte, als sie mit Ebba sprach.

Mit mechanischen Bewegungen wischte sie die Anrichte ab. Eins nach dem anderen, dachte sie, drückte das Spültuch aus und hängte es über den Wasserhahn. Dann trocknete sie sich die Hände an einem rot-weißen Küchenhandtuch ab, das noch aus Signes Zeit stammte. Es trug ein eingesticktes Monogramm mit ihren Initialen: SB.

Thomas und Margit wollten mit Ebba anfangen. Nora hatte es übernommen, sich währenddessen um Felicia zu kümmern. Das Mädchen musste duschen und sich anziehen, bald würden ihre Eltern hier sein. Nora hatte versprochen, sie von der Fähre abzuholen.

Sie musste noch eine Weile durchhalten.

Kapitel 35

Felicia übergab sich im Bad. Nora hörte es deutlich und war unschlüssig. Sollte sie das Mädchen in Ruhe lassen oder versuchen, ihr zu helfen?

Ein letztes Würgen, gefolgt vom Rauschen der Toilettenspülung.

»Alles in Ordnung bei dir?«, rief Nora durch die geschlossene Tür.

»Ich bin gleich so weit«, kam es schwach von drinnen.

»Okay, sag einfach Bescheid, wenn du etwas brauchst.«

Nora blieb noch einen Moment stehen, aber als sie hörte, wie die Dusche aufgedreht wurde, ging sie wieder hinunter in die Küche.

Durch die Verandatür drang dumpfes Gemurmel, aber es war nicht zu verstehen, worüber gesprochen wurde. Nora meinte, ein Schluchzen von Ebba zu hören.

Wie hatte es nur so weit kommen können? Wie war es möglich, dass ein sechzehnjähriger Junge tot am Strand lag, während seine gleichaltrige Freundin derart betrunken aufgefunden wurde, dass sie nahezu besinnungslos war?

Nora erinnerte sich an den Moment, als Adam ihr zum ersten Mal in die Arme gelegt wurde. Das kleine Gesicht, rot und faltig. Die Gesichtszüge, die sich langsam glätteten, als er ihre Brust fand und zu saugen begann. Ich werde dich behüten, hatte sie ihm damals versprochen. Bei mir bist du sicher.

Hatte Victor Ekengreens Mutter auch so ein Versprechen gegeben?

Wann haben wir eine Gesellschaft geschaffen, in der unsere Kinder so gefährdet sind?, dachte sie. Wir wollen sie vor allem Unglück beschützen, doch wir sind machtlos. Sie stürzen sich aus freiem Willen hinein.

Wie behütet man jemanden, der nicht behütet werden will?

Noras Augen füllten sich mit Tränen, und sie lehnte die Stirn an die Kühlschranktür.

Auf der Treppe waren Schritte zu hören, und Nora öffnete rasch den Kühlschrank und tat, als suchte sie etwas darin, um zu verbergen, dass sie gerade geweint hatte.

Felicia erschien in der Küchentür.

»Komm, setz dich und iss etwas«, sagte Nora und schluckte hart, während sie die Kühlschranktür schloss.

Als sie sich umdrehte, um den Teller mit den belegten Broten auf den Tisch zu stellen, hätte sie beinahe die kleine Vase mit den weißen und gelben Blumen umgestoßen, die Simon ihr am Mittsommerabend gepflückt hatte.

Das war erst zwei Tage her, aber ihr kam es unendlich lange vor, wie aus einer anderen Zeit.

»Möchtest du Tee?«, fragte sie. »Oder lieber heißen Kakao, falls dir kalt ist?«

»Tee ist okay.«

Felicia setzte sich vorsichtig auf die äußerste Stuhlkante. Nora hatte ihr einen Pullover geliehen, aber das kräftige Türkis betonte nur die blasse Gesichtsfarbe.

Felicia blickte unglücklich auf die Brote mit Leberwurst und Gurke.

»Ich weiß nicht, ob ich was essen kann«, sagte sie. »Mir ist nicht so gut.«

»Kein Problem«, sagte Nora. »Aber du solltest es wenigstens versuchen, es ist immer besser, wenn man was im Magen hat.«

Ich höre mich an wie meine eigene Mutter, dachte sie.

Felicia biss einen winzigen Happen ab, dann legte sie das Brot auf den Teller zurück.

»Meine Eltern sind bestimmt unheimlich wütend.« Ihre Unterlippe zitterte. »Ich hatte ihnen gesagt, ich würde Mittsommer bei Ebba in ihrem Landhaus verbringen. Ebba hat ihren Eltern dasselbe erzählt.«

»Das kommt schon wieder in Ordnung, du wirst sehen«, sagte Nora und fragte sich, wie oft sie diese abgedroschene Phrase in den letzten zwölf Stunden schon von sich gegeben hatte.

Sie gab Milch und Zucker in einen dunkelbraunen Keramikbecher, hängte einen Teebeutel hinein und goss mit heißem Wasse auf.

»Hier ist dein Tee. Möchtest du nicht wenigstens probieren?«

»Danke.«

Eine Andeutung von Lachgrübchen erschien auf Felicias Gesicht, aber sie sah alles andere als fröhlich aus. Sie schob das Leberwurstbrot auf dem Teller herum, ohne noch einen Bissen zu essen. Nach einer Weile sagte sie schüchten:

»Entschuldigung, haben Sie eine Ahnung, wo unsere Freunde sind? Victor und Tobbe? Wissen die, dass wir heute Nacht bei Ihnen geschlafen haben?«

Noras Rettung war, dass Jonas im selben Moment nach ihr rief. Sie stand hastig vom Tisch auf, dankbar, dass sie sich vor einer Antwort drücken konnte.

»Iss ruhig weiter, ich bin gleich wieder da.«

Sie lief die Treppe hinauf, nahm immer zwei Stufen auf einmal. Jonas stand mit dem Mobiltelefon in der Hand im Schlafzimmer. Er hielt es hoch, sodass sie das Display sehen konnte.

»Das hier ist gerade von Wilma gekommen.«

Nora las. Die SMS bestand nur aus einem einzigen Wort.

Entschuldige.

»Oh mein Gott, wie gut.«

Sie begriff, dass sie tatsächlich mit dem Schlimmsten gerechnet hatte, ohne es sich selbst einzugestehen.

Jonas' Miene war immer noch angespannt, aber er atmete tief durch.

»Ja, Gott sei Dank.«

Er sank auf das ungemachte Bett. Nora setzte sich neben ihn und legte den Kopf an seine Schulter.

Nach einer Weile flüsterte Jonas, als spräche er mit sich selbst: »Aber wo steckt sie?«

Kapitel 36

Nachdem Ebba Thomas und Margit die Hand gegeben hatte, setzte sie sich in einen der Korbsessel. Thomas zeigte auf den Teller mit den belegten Broten.

»Möchtest du etwas essen?«, sagte er. »Die sind für dich.«

Sie warf einen schnellen Blick auf den Teller. Wortlos nahm sie eines der Brote und biss ab. Dann griff sie nach dem Becher Tee, den Nora bereitgestellt hatte, und trank ein paar Schlucke. Immer noch schweigend stellte sie den Becher hin und widmete sich wieder dem Käsebrot.

Margit und Thomas ließen sie in Ruhe frühstücken. Sie wollten das Mädchen nicht hetzen. Erst als Ebba aufgegessen hatte und ihr Gesicht wieder etwas mehr Farbe zeigte, sagte Thomas mit freundlicher Stimme:

»Wir möchten, dass du uns erzählst, was gestern Abend passiert ist, bevor du zur Polizei gegangen bist.«

Der Pullover, den Ebba von Nora geliehen bekommen hatte, war ein bisschen zu groß; die Ärmel waren zu lang und reichten ihr bis über die Handgelenke. Trotzdem schien sie zu frieren.

»Ich habe dem anderen Polizisten schon alles erzählt«, sagte sie. »Dem Mann im Wohnwagen, der Felicia im Hafen gefunden hat.«

»Wir möchten gern, dass du es uns noch mal erzählst«, sagte Thomas. »Damit wir uns ein eigenes Bild machen können.«

Ebba protestierte nicht weiter. Aber sie hielt den Teebecher hoch, als wollte sie sich dahinter verstecken.

Vor dem breiten Verandafenster zog ein steter Strom von Freizeitbooten vorbei, die zurück nach Hause fuhren.

»Erzähl uns die ganze Geschichte von Anfang an«, sagte Margit ruhig. »So detailliert wie möglich. Es ist wichtig, dass wir alle Einzelheiten kennen.«

Ebba kaute auf der Unterlippe, als fürchtete sie sich, die Frage zu stellen, die sie offensichtlich beschäftigte.

»Kann ich Sie was fragen?«, sagte sie schließlich. »Haben Sie unsere

Freunde schon gefunden?« Sie zögerte und lächelte schüchtern. »Tobbe, der mit den roten Haaren, wissen Sie, wo er ist?«

In ihrer Frage schwangen tausend Hoffnungen mit.

Thomas und Margit wechselten einen Blick.

»Ja«, erwiderte Thomas. »Aber dazu später. Lass uns erst hören, was du zu erzählen hast.«

Ebbas Lächeln erlosch.

»Was ist gestern Abend passiert?«, fragte Margit.

Ebba

Ebba hatte nicht gewusst, dass etwas so wehtun konnte wie der Moment, als Tessan sich auf Tobbes Schoß setzte. Es war schlimmer als damals, als sie zehn war und von der Scheidung erfuhr und Papa ihr sagte, dass er zu Hause ausziehen werde. Da hatte sie sich gefühlt, als würde sie aufhören zu existieren, als wäre sie eine Zeichnung, die man zusammenknüllte, weil sie nicht ganz so geworden war, wie man gedacht hatte.

Damals hatte Papa sie auf seinen Schoß gehoben und ihr versprochen, dass er immer für sie und ihre kleine Schwester da sein werde, genauso wie bisher, die Sache sei nur die, dass Mama und er sich nicht mehr lieb hatten. Er hatte sie umarmt, und schließlich hatte sie es gewagt, ihm zu glauben.

Papa hatte sein Versprechen gehalten, aber jetzt war keiner da, der sie hätte trösten können.

Ebba erkannte sich in Tobbe wieder, sie hatten beide geschiedene Eltern und Väter, die wieder geheiratet und eine neue Familie gegründet hatten. Aber sie und ihre Schwester wohnten jede zweite Woche bei Papa, er war nicht abgehauen, so wie Tobbes Vater.

Tobbe redete nie über die Scheidung. Nur manchmal entschlüpfte ihm eine Bemerkung, so wie die, dass er nun nicht nur rothaarig, sondern auch noch Scheidungskind war und damit doppelt in den Arsch gekniffen.

Er grinste immer, wenn er so was sagte, halb im Scherz, halb im Ernst, aber sie wusste, dass die Bitterkeit dicht unter der Oberfläche lag.

Tobbe und sie hatten letztes Frühjahr, als sie noch in der Achten waren, ein bisschen miteinander rumgemacht, aber sie hatte schon viel früher ein Auge auf ihn geworfen.

Vor ihm hatte sie noch keinen festen Freund gehabt, nur ein paar kurze Flirts auf verschiedenen Partys. Aber Tobbe hatte etwas Besonderes, das ihr Interesse weckte. Er war so witzig, man konnte unmöglich ernst bleiben, wenn er dabei war.

Nach den Sommerferien waren sie ein Paar geworden.

Die Neunte war in vielerlei Hinsicht ganz schön schwer, aber Ebba wachte jeden Morgen mit einer prickelnden Vorfreude im Bauch auf. Sicher, Tobbe war ein Kasper, aber sie mochte seine verrückte Art und ließ sich von seiner Sorglosigkeit anstecken. Wenn er sie ansah, wurde ihr heiß, er war ihr Erster, so richtig mit allem.

Dann kam der Abend, an dem Victor und Felicia ein Paar wurden. Sie waren schon eine ganze Weile scharf aufeinander gewesen, Felicia konnte kaum über was anderes reden als über Tobbes besten Freund. Wie süß er war, wie toll er aussah.

Victors Eltern waren in Paris, er hatte das ganze Haus für sich. Alle waren in Partystimmung, es klirrte in Tobbes Rucksack, und kaum waren sie bei Victor angekommen, zeigte Tobbe auf seinen Rücken.

»Ich hab guten Stoff besorgt.«

Das rote Haar war mit Gel gezähmt, er grinste breit, küsste Ebba auf den Mund und zog die Jacke aus. Sie gingen ins Wohnzimmer und pflanzten sich auf das weiße Ledersofa.

»Mach uns doch gleich mal ein paar Gläser«, sagte Tobbe zu Victor.

Felicia sprang auf.

»Ich kann tragen helfen«, sagte sie.

Tobbe zwinkerte Ebba zu, als Victor mit Felicia auf den Fersen in der Küche verschwand. Es dauerte über eine halbe Stunde, bis sie mit den Drinks und zwei Schüsseln Chips zurückkamen.

Wenig später wummerte die Musik durchs Erdgeschoss, überall waren Leute. Es war das erste Mal, dass Ebba Victor betrunken erlebte, aber es sollte nicht das letzte Mal bleiben. Er war an diesem Abend total ausgewechselt, lachte wie ein Verrückter und knutschte wild mit Felicia. Er redete wie ein Wasserfall und tanzte, bis sein Hemd durchgeschwitzt war.

Jemand rempelte Victor an, und er verschüttete sein Glas über Felicia. Sie schrie auf, als der Drink sich auf ihr Top ergoss und der spitzenbesetzte BH darunter sichtbar wurde.

»Sorry, war keine Absicht«, sagte Victor.

»Das macht nichts.« Felicia kicherte. »Oh Gott, ich bin klitschnass.«

»Du kannst was von mir haben, wenn du willst. Komm.«

Victor nahm Felicia an die Hand, und sie warf Ebba ein schnelles Lächeln zu, ehe sie mit ihm die Treppe hinauf verschwand.

Nach diesem Wochenende hingen sie immer zusammen, alle vier.

Im Laufe des Winters tranken Victor und Tobbe immer mehr. Victor war eigentlich ein ruhiger Typ, fast schüchtern, aber wenn er einen im Tee hatte, war er wie verwandelt, genau wie Tobbe.

Tobbe wurde dann hemmungslos und Victor streitsüchtig.

Ein paar Mal machte Tobbe richtig dumme Sachen. Er spazierte auf den Bahngleisen entlang, obwohl die Schranken unten waren, und eines Nachts setzte er sich mitten auf die Straße. Beinahe hätte ihn ein Auto überfahren, erst in der letzten Sekunde brachte er sich in Sicherheit. Danach lachte er nur und legte seinen Arm um Ebbas Schultern. Als wäre das alles ein Riesenspaß.

Mehrmals hatte sie versucht, mit Tobbe zu reden, aber er wollte nicht hören. Außerdem machte Victor Druck. Seine Eltern waren oft weg, und so hingen sie meistens bei ihm zu Hause ab. Im Frühjahrshalbjahr fing Victor an, auch unter der Woche zu trinken, nicht nur an den Wochenenden, und er zog Tobbe mit. Ebba versuchte, ihn davon abzuhalten, sie gingen in die Neunte, die Abschlusszeugnisse standen auf dem Spiel.

Als alles nichts half und Tobbe sich taub stellte, begann Ebba sich zurückzuziehen. Sie dachte, er würde merken, dass sie das nicht länger mitmachen wollte. Würde zur Vernunft kommen. Aber stattdessen bekam sie zu hören, sie sei spießig und zickig.

Der Abstand wuchs.

Ein paar Mal, als sie nicht mit auf die Partys ging, knutschte Tobbe mit anderen Mädchen herum.

Ebba erfuhr auf Umwegen davon, sie war wütend und verletzt. Aber als sie ihn zur Rede stellte, schob er alle Schuld von sich; er sei so hackedicht gewesen, dass er sich an nichts erinnern könne, und überhaupt, was spielte das für eine Rolle? Danach war er für eine Weile besonders lieb, und sie beließ es dabei. Aber natürlich nagte es an ihr, sie wusste nicht, ob sie ihm noch vertrauen konnte.

Sie versuchte, mit Felicia darüber zu reden, aber die wich ihr aus und wollte nicht verstehen. Felicia war irrsinnig verknallt in Victor und tat alles, was er wollte. Nur wenn sie richtig voll war, sagte sie ihm ihre Meinung. Ansonsten war sie auf seiner Seite. Wenn Ebba mit ihr reden wollte, kam Felicia mit Ausflüchten.

Es wurde immer schwerer für Ebba, sich Felicia anzuvertrauen. Sie waren während der ganzen Oberstufe beste Freundinnen gewesen, zwei wie Pech und Schwefel, aber jetzt waren sie im Begriff, einander zu verlieren.

Als mit Tobbe Schluss war, hätte Ebba am liebsten nur noch geheult.

Zuerst hatte sie übers Mittsommerwochenende nicht nach Sandhamn mitfahren wollen. Aber dann hatte sie gedacht, dass es vielleicht eine gute Gelegenheit war. Irgendwie hoffte sie immer noch, dass sich alles wieder einrenken würde. Vielleicht konnten Tobbe und sie wieder zusammenkommen.

Sie wollte so gern bei ihm sein.

Und dann kam dieses Mädchen an Bord. Tessan mit den dicken Hupen. Es war so überdeutlich, was sie wollte. Und Tobbe sprang natürlich darauf an, es war ihm scheißegal, dass Ebba dabeisaß. Im Gegenteil, es schien, als würde er es genießen, mit dieser Teenagergöre rumzuknutschen, während sie zusah. Er betatschte sie ganz ungeniert, direkt vor Ebbas Augen.

Hinter ihrer Sonnenbrille kämpfte Ebba mit den Tränen, während sie gleichzeitig jede Berührung, jedes Streicheln registrierte. Als Tobbe seine Zunge in Tessans Mund steckte, schloss Ebba die Augen. Sie spürte einen Druck auf der Brust, so schwer, dass sie kaum Luft bekam. Aber um keinen Preis der Welt durfte Tobbe merken, wie unglücklich sie war. Das wäre ihr Untergang.

Für einen Moment dachte sie daran, seinen Bruder anzugraben, um es Tobbe heimzuzahlen, aber sie konnte nicht. Außerdem war Christoffer immer nett zu ihr gewesen.

Und dann platzte ihr doch der Kragen.

Sie wusste nicht mehr, was sie ihm ins Gesicht geschrien hatte, nur, dass sie sich hinterher besser fühlte.

Als sie den Kai entlangrannte, war ihr Hals wie zugeschnürt, aber sie schaffte es bis zum Strand, der ein Stück entfernt lag. Er war leer, als sie dort ankam, und endlich ließ sie ihren Tränen freien Lauf. Sie saß mutterseelenallein am Wasser und konnte gar nicht mehr aufhören zu weinen.

Dieser verdammte Tobbe mit seinen verdammten roten Haaren. Wieso vergaß sie ihn nicht einfach, sie war eine dumme Kuh, dass sie sich so viel aus ihm machte.

Es dauerte lange, bis sie sich beruhigt hatte. Erschöpft legte sie sich in den Sand, und da musste sie eingeschlafen sein, denn als sie aufwachte, ging die Sonne bereits unter, und sie fror.

Nach einer Weile ging sie zurück in den Hafen und steuerte die nächste Toilette an.

Sie betrachtete sich im Spiegel, sie sah furchtbar aus, die Mascara war verlaufen und ihre Haare waren zerzaust und voller Sand. Sie versuchte, sich ein bisschen aufzuhübschen, zog einen Kamm durchs Haar und wusch sich das Gesicht.

Es widerstrebte ihr, zurück zum Boot zu gehen, aber sie hatte ja ihre ganzen Sachen da. Als sie dort ankam, war das Boot abgeschlossen und niemand hatte ihre Freunde gesehen. Sie versuchte, erst Felicia und dann Tobbe anzurufen, aber sie gingen beide nicht ans Handy.

Nachdem sie stundenlang gesucht hatte, ging sie schließlich zum Wohnwagen, in dem die Polizei untergebracht war.

Kapitel 37

Als Ebba zu Ende erzählt hatte, sank sie in sich zusammen, vollkommen in Tränen aufgelöst.

Margit konnte nicht anders, sie beugte sich vor und legte den Arm um die Schultern des Mädchens. Für einen Moment wurde aus der nüchternen Polizistin eine mitfühlende Teenagermutter.

Margits Töchter Anna und Linda waren nur wenige Jahre älter als Ebba. Sie wusste nur zu gut, welchen Kummer eine unglückliche Teenagerliebe einem jungen Mädchen bereiten konnte.

Thomas dachte unwillkürlich an Elin. Hoffentlich würde sie nie so allein unter Fremden in einem Korbsessel kauern, vollkommen verzweifelt.

Margit zog ein Papiertaschentuch hervor und gab es Ebba.

Wir müssen ihr sagen, dass Victor Ekengreen tot ist, dachte Thomas.

Am liebsten wollte er damit warten, bis sie mit Felicia gesprochen hatten. Es war nicht abzusehen, wie die Mädchen reagieren würden.

Es klopfte an der Tür, und Nora steckte den Kopf herein.

»Entschuldigung, dass ich störe, aber ich wollte Bescheid sagen, dass ich jetzt zur Fähre gehe, um Ebbas und Felicias Eltern abzuholen. Felicia ist aufgestanden, sie sitzt in der Küche.«

Margit warf Thomas einen schnellen Blick zu. Er verstand, was sie meinte: Sollten sie mit Felicia reden, bevor ihre Eltern kamen?

Er nickte kurz.

Ebba umklammerte die Teetasse. Ein Schnoddertropfen hing unter ihrer Nase, und sie löste eine Hand von der Tasse und wischte den Tropfen mit dem zusammengeknüllten Taschentuch ab.

»Wussten Tobbes und Victors Eltern, was da ablief?«, fragte Margit. »Dass die beiden so viel tranken? Haben die nichts gemerkt?«

»Ich weiß nicht.« Ebba zog die Nase hoch. »Tobbe wohnt bei seiner Mutter, und Victors Eltern sind ständig verreist.«

»Gleich kommt deine Mutter und holt dich ab«, sagte Margit leise.

»Dann kannst du nach Hause und dich in deinem eigenen Bett ausschlafen. In ein paar Tagen geht es dir besser, glaub mir.«

Der Ausdruck in Ebbas Augen war trostlos.

Kapitel 38

Adam war zurück. Er lehnte das Fahrrad achtlos an den Zaun und ging zur Gartenpforte, gerade als Nora die Haustür öffnete.

»Hallo Liebling«, sagte sie. »Du hast sie nicht gefunden, was?«

Adam schüttelte den Kopf.

»Danke, dass du es versucht hast. Das war ganz lieb von dir.«

Adam blieb zögernd an der Pforte stehen.

»Wieso ist Thomas hier?«, fragte er.

»Er will mit den Mädchen reden, die bei uns geschlafen haben.«

»Da sind unheimlich viele Polizisten in Skärkarlshamn. Sie haben Absperrband um eine Menge Bäume gewickelt ...«

Nora tat so, als hätte sie die unausgesprochene Frage nicht bemerkt.

»Ich muss die Eltern der Mädchen von der Fähre abholen«, sagte sie stattdessen.

Sie nahm ihr Fahrrad und klopfte ihm im Vorbeigehen auf die Schulter.

»Jonas ist oben«, sagte sie. »In meinem Schlafzimmer. Er ist noch immer dabei, Wilmas Freunde anzurufen, ob sie vielleicht bei einem von ihnen ist.«

Mit einem Fuß kratzte Adam Striche in den Sand.

»Hat Wilma was damit zu tun, was in Skärkarlshamn passiert ist?«, fragte er. »Ist sie deshalb nicht nach Hause gekommen?«

Das ungute Gefühl hielt sich hartnäckig, als Nora zum Hafen radelte. Es ließ sich einfach nicht abschütteln.

Das Gartencafé des Värdshuset war voll besetzt, Kinderwagen parkten davor und mehrere Leute standen Schlange an der kleinen Treppe, die zur Holzterrasse hinaufführte. Auf den Tischen sah Nora Bierhumpen und Weingläser mit Roséwein. Aber an der Zollbrücke lagen zwei Polizeiboote. Sie erinnerten daran, was in der Nacht passiert war.

Es kam ihr unwirklich vor, dass Thomas und Margit auf ihrer Veranda saßen und Ebba und Felicia befragten.

Hinter ihren Schläfen pochte es vor Schlafmangel und Stress. Sobald sie wieder zu Hause war, musste sie eine Kopfschmerztablette nehmen.

Die Unruhe wollte nicht weichen. Konnte Wilma etwas mit Victor Ekengreens Tod zu tun haben? Was, wenn jemand ihr Handy an sich genommen und die SMS geschickt hatte? Jemand, der sie vielleicht gefangen hielt?

Hör auf, dachte sie. Es hat keinen Sinn, dass du dich verrückt machst, schon gar nicht, wenn Thomas offenbar nicht besorgt ist.

Nora kam just in dem Moment am Dampschiffkai an, als die weiße Waxholmfähre durch den Sund heranglitt. Es war die »Sandhamn«, eine der größten Fähren, die zwischen der Insel und dem Festland verkehrten. Letzten Donnerstag, als Jonas und sie mit den Kindern hierherfuhren, war sie bis zum letzten Platz voller Mittsommertouristen in Feierlaune gewesen.

Sie hörte schon von Weitem, dass sich auf dem Dampfschiffkai Massen von Menschen drängten. Die Schlange derer, die auf die Fähre wollten, zog sich bis zum Kiosk und noch fünfzig Meter weiter. Sie erkannte mehrere Inselbewohner darunter.

Die Fähre legte an und ein Matrose schob die Gangway auf den Kai. Nur wenige Passagiere wollten aussteigen, und eine kleine Gruppe erregte sofort Noras Aufmerksamkeit: drei Personen in ihrem Alter, zwei Frauen und ein Mann, die ungeduldig darauf warteten, an Land gehen zu können.

Die beiden Frauen trugen weiße Jeans und große Handtaschen, der Mann hatte eine blaue Hose und ein weißes Polohemd an.

Das mussten Ebbas Mutter und Felicias Eltern sein. Nora winkte, um sich bemerkbar zu machen.

Was sollte sie sagen? Sollte sie von Victor erzählen? Durfte sie das überhaupt?

Felicia blickte verstohlen zu Thomas und Margit. Ebba war auf die Toilette gegangen, und sie war allein mit den beiden Polizisten.

»Können wir nicht warten, bis meine Eltern da sind?«, fragte sie leise. »Sie müssten bald hier sein.«

Thomas wünschte, sie hätte das nicht gesagt. Es wäre besser gewesen, das Mädchen ohne die Anwesenheit der Eltern zu befragen, und dann dem Zeitdruck die Schuld zu geben. Das Risiko war groß, dass sie sonst nicht frei heraus reden würde. Aber er wusste natürlich, wie die Vorschriften waren.

Das Geräusch der Haustür, die geöffnet wurde, entschied die Sache.

»Felicia«, rief eine Frauenstimme, und das genügte, um das Mädchen aus dem Sessel aufspringen zu lassen.

»Mama!«

Felicia warf sich in die Arme ihrer Mutter. Sie brach in lautes, hemmungsloses Weinen aus; ihre Mutter versuchte, sie zu beruhigen, aber Felicia konnte sich nicht wieder einkriegen.

Hinter ihnen stand ein breitschultriger Mann um die fünfundvierzig. Das musste Felicias Vater sein, Jochen Grimstad. Sie war ihm wie aus dem Gesicht geschnitten.

Die Toilettentür ging auf, und Ebba kam heraus. Als sie ihre Mutter sah, brach sie ebenfalls zusammen.

»Entschuldige«, weinte sie. »Ich mache so etwas nie, nie wieder. Es tut mir so leid.«

Zehn Minuten später hatten die Mädchen sich beruhigt, und Thomas war es gelungen, sie alle in Noras Esszimmer zu lotsen.

Als Nora mit einem weiteren Kaffeetablett hereinkam, plagte Thomas das schlechte Gewissen. Ihr Haus hatte sich in eine provisorische Polizeiwache verwandelt. Nora sah gelinde gesagt erschöpft aus, und er rief sich in Erinnerung, dass sie ihre eigenen Sorgen hatte.

»Ist Wilma immer noch nicht da?«, fragte er leise, als sie mit einem Kännchen Milch und einem Teller Kekse abermals aus der Küche kam.

»Nein, aber sie hat Jonas eine SMS geschickt.«

»Das ist gut.«

Er atmete auf, dann war sie letzte Nacht wohl tatsächlich irgendwo betrunken eingeschlafen, genau wie er vermutet hatte.

Bevor Nora noch etwas sagen konnte, klingelte Thomas' Handy. Es war Jens Sturup.

»Ich wollte nur Bescheid sagen, dass die Leiche jetzt auf dem Weg in die Rechtsmedizin ist«, sagte er. »Aber Staffan Nilsson und seine Leute sind draußen und nehmen sich den Fundort noch mal vor.«

»Okay.«

»Da ist auch ein Reporter gekommen, nur damit du Bescheid weißt. Von TV4. Sie bringen wohl einen Bericht in den Nachrichten heute Abend. So was verbreitet sich schnell.«

Das war nicht gerade das, was sie gebrauchen konnten, aber Thomas hatte keine Zeit, noch weiter darüber nachzudenken. Darum sollte sich die Pressestelle kümmern.

Er beendete das Gespräch und ging zurück in Noras Esszimmer, wo die Eltern und die erschöpften Mädchen am großen Tisch Platz genommen hatten.

Die beiden Mütter unterhielten sich flüsternd. Anscheinend sprachen sie über die Ekengreens, offenbar hatte eine von ihnen erfolglos versucht, Madeleine Ekengreen zu erreichen.

Thomas spürte sofort, dass eine gewisse Verwunderung mit Tendenz zur Entrüstung in der Luft lag. Es war höchste Zeit, mit Felicia zu sprechen.

»Die Sache ist die«, sagte er, »dass wir Felicia gern ein paar Fragen stellen würden, und zwar zunächst allein, wenn Sie erlauben. Anschließend werden wir Sie darüber informieren, was passiert ist.«

»Hat das nicht Zeit?«, wandte Jochen Grimstad ein.

»Leider nein«, erwiderte Thomas. »Wir würden sehr gern jetzt sofort mit ihr sprechen.«

»Meine Tochter ist ziemlich mitgenommen, wie Sie sehen«, sagte Jochen Grimstad und legte Felicia den Arm um die Schulter. »Wir möchten sie so schnell wie möglich nach Hause bringen.«

Er warf Thomas einen misstrauischen Blick zu, als ob er ahnte, dass etwas Ernstes vorgefallen war, und gerade verlangen wollte, dass sie die Karten auf den Tisch legten.

Thomas wog die Vor- und Nachteile ab, jetzt schon mit der Wahrheit herauszurücken. Aber das Ergebnis blieb das gleiche: Es war besser, Felicia anzuhören, bevor sie wusste, wie die Dinge lagen.

Wenn sie es nicht schon tat.

Margit kam ihm zuvor. Sie wandte sich an Felicias Vater.

»Es wird sicher nicht lange dauern, und wir wären Ihnen wirklich dankbar, wenn Sie uns die Möglichkeit einräumen«, sagte sie. »Wir haben bereits mit Ebba gesprochen und möchten uns gern ein paar Minuten allein mit Ihrer Tochter unterhalten, wenn Sie nichts dagegen haben.«

Felicia schob sich die Haare aus der Stirn und stand auf.

»Das ist okay«, sagte sie. »Hauptsache, ich kann anschließend nach Hause. Versprechen Sie das?«

Thomas nickte beruhigend, und Felicia ging den Polizisten voraus zur Veranda.

Felicia

Warum hatte sie ihn so angeschrien? Sie liebte Victor doch. Wahnsinnig hoch drei.

Aber sie hatte ihn noch nie so wütend gesehen, und das hatte sie schockiert. Als er vom Boot stürmte, war sie ihm hinterhergelaufen. Er ging sehr schnell, und sie hätte ihn fast aus den Augen verloren, aber dann entdeckte sie seinen Rücken in der Menschenmenge. Er entfernte sich vom Hafen, Richtung Minigolfplatz, aber er ging daran vorbei und einen steilen Hügel hinauf.

»Victor«, rief Felicia. »Warte auf mich!«

Es gelang ihr, ihn oben auf der Kuppe einzuholen.

»Jetzt warte doch mal!«

Es hörte sich an, als würde er »blöde Fotze« zischen, aber sie hoffte, sie hatte sich verhört.

»Victor.«

Sie streckte den Arm aus und hielt ihn am Pullover fest, aber er schlug ihre Hand weg und ging weiter. Sie begann zu weinen, sie konnte es nicht unterdrücken. Er durfte nicht Schluss machen, sonst würde sie sterben.

Ich mache alles, was er will, wenn er mich nur nicht abserviert, dachte sie voller Panik. Alles, was er will.

»Bitte«, schluchzte sie, »lass uns doch wenigstens reden.«

Er ging ein bisschen langsamer, gerade so viel, dass sie ihn einholen konnte, aber er sagte immer noch nichts. Sie traute sich nicht, ihn anzufassen, und musste laufen, um mit ihm Schritt zu halten, aber sie hielt den Mund, um ihn nicht noch wütender zu machen.

Sie kamen an einer Stelle vorbei, wo der Wald sich zum Meer hin öffnete. Da saß eine Gruppe Jugendlicher beim Picknick, aber Victor ging weiter, vorbei an einer langen Reihe von Häusern und in einen Waldweg hinein, der an einer großen Villa vorbeiführte. Plötzlich bog er ab, zum Wasser hinunter, zu einem Strand, den sie noch nie gesehen hatte.

Er ging immer weiter, bis der Strand fast zu Ende war.

»Wollen wir uns nicht einen Moment hinsetzen?«, keuchte Felicia. Sie war völlig außer Atem und konnte nicht mehr.

Ohne ein Wort zu sagen, blieb Victor abrupt an einer Stelle stehen, die zwischen einem großen Baum und einem Haufen Felsklippen lag. Die Zweige des Baums schirmten sie vom restlichen Strand ab, Felicia konnte keine anderen Leute sehen, nur ein paar graue Häuser, die ein Stück entfernt standen und unbewohnt zu sein schienen.

Sie waren ganz allein.

Ängstlich setzte sie sich neben Victor. Sie traute sich immer noch nicht, etwas zu sagen, vielleicht wurde er dann wieder wütend. Sie versuchte krampfhaft, ihre Tränen zurückzudrängen, sie ahnte, dass es ihm auf die Nerven ging, wenn sie heulte. Sie wollte nicht mit ihm streiten, sie wollte einfach nur, dass alles wieder gut wurde.

Nach einer ganzen Weile griff sie zaghaft nach seiner Hand, er ließ es zu und entzog sie ihr nicht. Felicia schöpfte leise Hoffnung, Victor lächelte sogar ein wenig. Aber auf einmal wurde ihr schlecht und sie merkte, dass sie sich übergeben musste. Sofort war Victor wieder sauer und beschimpfte sie, obwohl sie sich dafür entschuldigte.

Irgendwann musste sie eingeschlafen sein. Als sie aufwachte, war Victor nicht mehr da, und sie hatte keine Ahnung, wo sie war. Sie fühlte sich erbärmlich, sie war durstig und fror und hatte rasende Kopfschmerzen. Sie konnte sich kaum auf den Beinen halten.

Zuerst wusste sie nicht, was sie machen sollte, aber dann stolperte sie zurück zum Hafen.

Doch Victor und die anderen waren verschwunden.

Kapitel 39

Thomas öffnete die Tür zum Esszimmer, wo Felicias Eltern zusammen mit Ebba und ihrer Mutter warteten. Er zeigte auf einen Stuhl neben Jeanette Grimstad.

»Setz dich am besten da hin, Felicia«, sagte er.

Sie mussten es jetzt erfahren, es ließ sich nicht länger aufschieben.

Er befürchtete, dass die Runde am Tisch kein Verständnis dafür aufbringen würde, dass er die Information über Victors Tod zurückgehalten hatte. Aber es war notwendig gewesen. Felicia hätte nie so offen mit ihnen gesprochen, wenn sie gewusst hätte, was passiert war.

Er wartete, bis Felicia Platz genommen hatte, dann sagte er:

»Ich muss Ihnen leider eine traurige Mitteilung machen.«

Ebba presste die Hände vor den Mund. Ahnte sie, was gleich kommen würde? Oder hatte sie Angst, dass es um ihren Exfreund ging, den rothaarigen Jungen?

Felicia schien völlig ahnungslos zu sein, dass ihr Freund tot war. Nichts in ihrem Gespräch hatte darauf hingedeutet, dass sie Bescheid wusste.

Margit war ebenfalls ins Esszimmer gekommen und hatte sich neben Thomas gestellt. Er versuchte, die richtigen Worte zu finden.

»Die Sache ist die, dass Victor Ekengreen heute Morgen tot aufgefunden wurde.« Thomas wandte sich direkt an die beiden Mädchen. »Deshalb mussten wir sofort mit euch reden und konnten das nicht verschieben.«

»Victor«, brachte Felicia noch heraus, dann sank sie in den Armen ihrer Mutter zusammen.

»Mein armes Kind«, sagte Jeanette Grimstad mit zitternder Stimme.

Jochen Grimstad legte sein Handy auf den Tisch.

»Was ist passiert?«, fragte er. »Wodurch ist er gestorben?«

»Wir müssen leider davon ausgehen, dass es sich um ein Verbrechen handelt«, sagte Margit. »Victor wurde in den frühen Morgenstunden am Strand von Skärkarlshamn gefunden, und wie es aussieht, hat jemand ihn vorsätzlich getötet.«

Sie machte eine kleine Pause und ließ die Information wirken. Dann fuhr sie fort:

»Unsere Ermittlungen haben gerade erst begonnen, wir wissen im Moment noch nicht viel mehr.«

Felicia rührte sich nicht. Sie starrte Thomas an, ohne ihn zu sehen. Es war, als sei sie in sich selbst verschwunden.

»Was soll das?«, sagte Jochen Grimstad und runzelte die Stirn. »Wieso haben Sie uns das nicht gleich gesagt?«

»Wir hielten es für besser, mit den Mädchen zu sprechen, bevor sie von dem Todesfall erfahren«, erwiderte Thomas. »Ich hoffe, Sie haben Verständnis dafür.«

Grimstad warf den beiden Polizisten einen verärgerten Blick zu. Er trommelte lautstark mit den Fingern auf der Tischplatte.

»Ich will wissen, ob meine Tochter unter irgendeinem Verdacht steht«, sagte er. »Ansonsten würden wir jetzt nämlich gern gehen.«

Thomas versuchte, ruhig zu bleiben. Wenn du dich beschweren willst, nur zu, dachte er. Wir haben im Moment Wichtigeres zu tun, als uns um deine gekränkten Gefühle zu kümmern. Aber er wusste, wenn er jetzt eine scharfe Antwort gab, würde er es wahrscheinlich bereuen.

Margit rettete ihn.

»Weder Ebba noch Felicia stehen derzeit unter Verdacht«, sagte sie. »Aber in den nächsten Tagen müssen wir die Mädchen jederzeit erreichen können. Es wäre daher gut, wenn Sie Stockholm vorläufig nicht verlassen würden.«

Jochen Grimstad ließ sich nicht besänftigen.

»Wir sind in unserem Landhaus auf Vindalsö. Die Nummer steht im Telefonbuch, wenn Sie etwas von uns wollen. Und Felicia kommt jetzt mit uns.« Er erhob sich.

Ebba war weiß im Gesicht.

»Was ist mit Tobbe?«, flüsterte sie.

»Er und sein Bruder sind noch auf dem Boot«, erwiderte Margit. »Ihnen ist nichts passiert, mach dir keine Sorgen.«

Thomas sah die Erleichterung in Ebbas Gesicht, ehe sie den Kopf senkte.

Nora hatte sich angeboten, die ganze Gruppe zur Fähre zu begleiten, aber Felicias Vater hatte darauf bestanden, dass es nicht nötig sei.

Sie fragte sich, warum er so abweisend war, fast schon ruppig. Selbst wenn er sich schämte, dass seine Tochter betrunken von der Polizei aufgegriffen worden war, gab es doch wirklich Schlimmeres. Vielleicht sollte er sich mal in die Lage der Familie Ekengreen versetzen. Vielleicht war es auch seine Art, den Schock zu verarbeiten.

Jochen Grimstad hatte kaum zwei Worte mit Nora gewechselt und auch keine Zeit mit Small Talk verschwendet, während sie auf das Ende von Felicias Befragung warteten. Jetzt trieb er seine Tochter und seine Frau zur Eile an, um so schnell wie möglich wegzukommen.

Ebbas Mutter, Lena Halvorsen, war wesentlich sympathischer.

»Ich weiß gar nicht, wie ich das wieder gutmachen soll«, sagte sie, als sie sich an der Haustür verabschiedete. »Ich bin Ihnen so dankbar, dass Sie sich um meine Tochter gekümmert haben, als sie Hilfe brauchte. Sie sind ein wunderbarer Mensch.«

Nora schenkte ihr ein blasses Lächeln. Sie konnte der Frau unmöglich sagen, wie belastend es gewesen war. Stattdessen schwindelte sie, was das Zeug hielt.

»Ach, nicht der Rede wert«, sagte sie. »Ich habe selbst Kinder in dem Alter. Ich bin froh, dass ich helfen konnte. Wollen wir hoffen, dass die Mädchen bald wieder zu Kräften kommen, das alles setzt einem doch ganz schön zu, wenn man so jung ist.«

Sie streckte die Hand zum Abschied aus, aber Lena Halvorsen beugte sich vor und umarmte sie stattdessen herzlich.

»Wir möchten uns irgendwie erkenntlich zeigen«, sagte sie. »Ich bestehe darauf. Aber dazu melde ich mich dann später noch mal.«

»Nur keine Umstände, das ist wirklich nicht nötig«, wiederholte Nora.

Sie wandte sich an Ebba.

»Mach's gut, Ebba«, sagte sie und umarmte das Mädchen. »Pass auf dich auf.«

Gerade als sie gehen wollten, packte Ebba ihre Mutter am Arm.

»Meine Sachen sind noch auf dem Boot«, sagte sie. »Wir müssen sie holen, bevor wir fahren.«

»Schaffen wir das?«, fragte Lena.

Nora sah auf die Uhr. Fast vier. Eine Fähre ging um fünf, die nächste um halb sechs.

»Kommt darauf an, welche Fähre ihr nehmen wollt, aber heute geht fast jede Stunde eine.«

»Ach bitte«, sagte Ebba und trat nervös von einem Bein aufs andere. »Können wir nicht wenigstens nachsehen, ob Tobbe und Christoffer noch im Hafen sind?«

Kapitel 40

Thomas und Margit hatten die Brand'sche Villa verlassen und waren zurück zum PKC gegangen. Das gelbe Haus war leer, als sie dort ankamen, und nach all den aufgeregten Stimmen in Noras Haus war die Stille eine Erholung.

Bevor sie losgingen, hatte Jochen Grimstad sie noch einmal kritisiert, dass sie, wie er sagte, bewusst Informationen über Victors Tod zurückgehalten hätten. Es gab keinen Zweifel, dass Grimstad jemanden suchte, an dem er seinen Frust auslassen konnte.

Trotzdem ärgerte Thomas sich darüber.

Er war ziemlich erledigt und deutete mit einem Kopfnicken auf die Kaffeemaschine in der Pantryküche.

»Willst du einen Kaffee?«, fragte er Margit, die ausnahmsweise ablehnte.

»Viel haben wir nicht«, sagte sie nachdenklich und zog ihren Notizblock und einen Kugelschreiber hervor, den sie kurz schüttelte, bevor sie die Mine hervordrückte. »Entweder hat Victor den Täter getroffen, als seine Freundin weggetreten war. In dem Fall war er vermutlich bereits tot und unter dem Baum versteckt, als Felicia aufwachte. Sie geriet in Panik, als sie ihn nirgends sah, und ging zum Hafen zurück, ohne zu ahnen, dass ihr Freund ganz in der Nähe war.«

Sie malte einen Baum, einen Kreis und einen Pfeil auf die leere Seite.

»Oder Victor ist zu einem späteren Zeitpunkt zurückgekommen und dann erst auf den Täter getroffen«, sagte Thomas. »Vielleicht ist er noch mal hingegangen, um nach seiner Freundin zu sehen. Möglicherweise haben sie sich verfehlt.«

»Ich frage mich, ob Felicia lügt«, sagte Margit. »Könnte es nicht sein, dass sie sich das alles ausgedacht hat, weil sie in die Sache verwickelt ist?«

Thomas runzelte die Stirn.

»Sie hätte es nie geschafft, ihn unter den Baum zu schleifen. Du hast sie ja gesehen, sie ist kaum in der Lage, eine schwere Tasche zu tragen. In dem Fall müsste ihr jemand geholfen haben.«

»Ebba?«, spekulierte Margit.

»Du meinst, dass beide daran beteiligt waren?«

Thomas konnte sich kaum vorstellen, dass die Mädchen so verschlagen sein sollten.

»Und wenn Felicias Geschichte teilweise stimmt?«, sagte Margit. »Sie ist mit Victor zum Strand gegangen, um sich wieder mit ihm zu vertragen. Aber stattdessen fingen sie an zu streiten, und alles wurde nur noch schlimmer.«

»Du meinst, dass Ebba gesehen hat, wie ihre beste Freundin und deren Freund sich geprügelt haben, und versuchte ihr zu helfen?«

»So in etwa. Victor war zu stark, und es endete damit, dass eines der Mädchen einen Stein nahm und ihm auf den Kopf schlug. Sicher nicht mit der Absicht, ihn zu töten, aber als sie sahen, was sie getan hatten, bekamen sie Angst und versteckten ihn so gut es ging.«

Margit stand auf, ging zum Fenster und öffnete es. Die frische Luft, die in den warmen Raum strömte, war eine Wohltat.

»Felicia verließ den Strand so, wie sie es geschildert hat«, sagte sie, »aber erst später, nach Victors Tod. Sie hat nur den zeitlichen Ablauf geändert.«

»Und Ebba?«

»Ja, was machte Ebba«, sagte Margit und setzte sich wieder. »Sie lief durch die Gegend, genauso schockiert wie Felicia. Sie verloren sich aus den Augen, und nach einer Weile packte sie die Verzweiflung. Sie ging zur Polizei und besorgte sich auf die Art gleichzeitig ein Alibi.«

»Ist man in dem Alter so abgebrüht?«

»Es gab schon schlimmere Fälle«, sagte Margit trocken.

Thomas wusste, dass sie recht hatte. Es kam nicht oft vor, aber es hatte Minderjährige gegeben, die schreckliche Morde begangen hatten.

»Wie passen die Jungs ins Bild?«, fragte er. »Lass uns mal darüber nachdenken.«

»Die Hökström-Brüder? Du hast sie kennengelernt, sag du es mir.«

»Sie geben sich gegenseitige Alibis«, sagte Thomas.

Er dachte daran, wie verzweifelt der jüngere Bruder gewirkt hatte. War das nur Show gewesen? Harry Anjou hatte ihm jedenfalls sofort misstraut.

Woher hatte der Junge den großen Bluterguss auf der Wange?

»Würde ein Junge in dem Alter seinen besten Kumpel umbringen?«, überlegte Thomas laut.

»Das kommt vor«, sagte Margit. »Zu viel Alkohol, Streit um ein Mädchen. Ebba hat ja erzählt, dass die beiden viel zu viel getrunken hatten. Übrigens genau wie Felicia.«

Sie legte den Kugelschreiber weg und kratzte sich im Nacken.

»Es könnte sogar eine ähnliche Situation gewesen sein«, fuhr sie fort. »Falls es Tobias war, der entdeckte, dass Victor und Felicia sich erbittert stritten. Vielleicht versuchte er, seinen Freund zu stoppen, und die Sache ging schief.«

Tobias Hökström war zutiefst erschüttert gewesen, als Thomas von dem Todesfall berichtet hatte. Aber lag das daran, dass er keine Ahnung gehabt hatte, oder daran, dass er plötzlich die Tragweite seiner Tat begriff?

Beides war möglich.

Thomas wusste, dass sich laut Statistik Täter und Opfer in den meisten Fällen kannten. Dass jemand Opfer eines Unbekannten wurde, war äußerst selten.

»Was haben wir sonst noch?«, fragte er.

»Tja, mein Lieber. Im Moment nicht viel.«

Margit zog eine Grimasse. Ihre leuchtend roten Haare betonten die scharfe Falte zwischen Nase und Mund eher, als sie zu mildern. Ihre tief liegenden Augen blickten bekümmert.

»Ein sechzehnjähriger Junge ist tot. Wir haben keine Ahnung, wie es dazu kam. Ich weiß wirklich nicht, was unwahrscheinlicher ist – ein unbekannter Täter, oder dass jemand aus der Clique es getan hat.«

Die Luft im Raum war plötzlich schwer, trotz des offenen Fensters.

Kapitel 41

Nora saß auf der Veranda. Eigentlich sollte sie nach oben gehen und mit Jonas reden, jetzt wo endlich keine fremden Leute mehr im Haus waren. Er war immer noch im Schlafzimmer.

Sie musste nur die Kraft finden, aufzustehen.

Lass mich noch fünf Minuten hier sitzen, dachte sie, dann gehe ich zu ihm. Fünf Minuten.

Sie lehnte den Kopf an die Wand und atmete ein paar Mal tief durch. Die zwei Tabletten, die sie vor einigen Stunden genommen hatte, hatten nicht viel geholfen, der Schmerz hämmerte immer noch dumpf hinter ihrer Stirn.

Wir müssen Wilma finden, dachte sie, im Moment gibt es nichts Wichtigeres.

Ihr Handy piepste, und sie zog es aus der hinteren Hosentasche.

Hoffe, es ist alles gut gelaufen mit den Grimstads. Schöne Grüße von Mama, sie ist auf Ingarö geblieben. / H

Henrik.

Sie hatte den ganzen Tag lang überhaupt nicht mehr an Monica gedacht. Offenbar war es ihm gelungen, ihr den Besuch auf Sandhamn auszureden.

Der gute Henrik.

Habe ich das gerade wirklich gedacht?, überlegte Nora verwundert. Das musste der erste freundliche Gedanke seit Monaten gewesen sein, den sie für ihren Exmann übrig hatte.

Sie sah sein vertrautes Gesicht vor sich, das dunkle Haar und das klassische Profil, das sie einmal so sehr geliebt hatte.

Es war ungewohnt, ihn als Verbündeten zu sehen.

Während sie zum KSSS-Hafen gingen, malte Ebba sich aus, wie Tobbe reagieren würde, wenn sie dort auftauchte. Zuerst würde er überrascht sein, aber dann würde sich Dankbarkeit auf seinem Gesicht ausbreiten.

Sie war zurückgekommen.

Er würde so erleichtert sein, wenn ihm aufging, dass sie bereit war, einen Strich unter die Sache zu ziehen. Victors Tod erforderte das. Es war alles so schrecklich, so furchtbar, aber nun würden sie sich gegenseitig trösten.

Victor war Tobbes bester Freund gewesen. Jetzt konnte er sich bei ihr ausweinen. Sie würden gemeinsam trauern. Sie war für ihn da.

Wer auch sonst? Sein Vater jedenfalls nicht, der hatte Tobbe und seinen Bruder im Stich gelassen.

Ebba würde sich in Tobbes Arme kuscheln. Sie war bereit, ihm alles zu verzeihen, sogar die Sache mit Tessan.

So vieles war jetzt anders.

»Da drüben liegt das Boot, Mama.«

Ebba hob den Arm und zeigte auf einen Sunseeker, der immer noch an einem der KSSS-Stege vertäut lag.

Inzwischen war der Hafen nur noch halb voll, an den Pontons klafften große Lücken, und auch am langen hölzernen Kai hatte sich die Reihe der Boote gelichtet.

Ein paar Hafenarbeiter in roten Jacken waren dabei, die Abfallbehälter zu leeren.

Ob Tobbe noch an Bord war?, fuhr es Ebba durch den Kopf. Wusste er überhaupt, dass Victor nicht mehr lebte?

Sie hatte nicht daran gedacht, die Polizisten danach zu fragen. Zu dumm, das hätte sie tun sollen. Aber er hatte inzwischen bestimmt erfahren, was passiert war.

»Warte hier, Mama«, sagte Ebba. »Ich bin gleich wieder da.«

Bevor Lena Halvorsen etwas sagen konnte, lief Ebba auf den Ponton hinaus und auf das Boot zu, das sie gestern um diese Zeit so verzweifelt verlassen hatte.

Ein Pullover lag achtlos hingeworfen auf der Sitzbank im Cockpit, aber von Christoffer oder Tobbe war nichts zu sehen. Plötzlich kam es ihr falsch vor, sich unangemeldet an Bord zu schleichen.

»Hallo«, rief sie vorsichtig. »Jemand zu Hause?«

Stille.

»Hallo«, rief sie noch einmal.

Immer noch keine Antwort.

Sie blickte sich um, dann stieg sie an Bord und ins Cockpit hinunter. Durch die halb offene Tür zur Kajüte sah sie Christoffer. Er saß mit einer weißen Tasse vor sich auf dem Sofa, ohne zu merken, dass sie da war.

Ebba steckte den Kopf durch die Tür.

»Hey«, sagte sie leise. »Hast du schon gehört?«

Sie verstummte, wusste nicht, wie sie weiterreden sollte, aber Christoffer nickte.

»Furchtbar. Ich kann nicht fassen, dass ...«

Er beendete den Satz nicht, und sie war sich nicht sicher, ob es daran lag, dass er versuchte, die Tränen zurückzuhalten.

Christoffer wirkte so verloren. Gestern war er total gut drauf gewesen, der coole große Bruder, der trotzdem nett zu Tobbe und seinen Freunden war. Jetzt schien er den Boden unter den Füßen verloren zu haben.

»Ich will nur meine Sachen holen«, sagte sie schnell und ging auf die Koje zu, wo ihre Tasche stand.

»Du.«

Christoffers Stimme klang gepresst, und Ebba blieb stehen.

»Ja?«

»Weiß Felicia, was passiert ist? Ich habe sie nicht mehr gesehen, seit sie gestern abgehauen ist.«

Er vermied es, sie anzusehen.

»Ihr seid ja beide weggelaufen. Weiß sie, dass ...«

Er schluckte.

» ... Victor tot ist?«

Ebba nickte. Sie wusste nicht, ob ihre Stimme tragen würde, wenn sie etwas sagte. Stumm griff sie nach Felicias und ihrer eigenen Tasche.

»Ihre Eltern haben sie abgeholt«, sagte sie schließlich. »Ich habe versprochen, dass ich ihre Sachen auch mitnehme.«

Sie hielt Felicias gelbe Reisetasche hoch, um zu zeigen, dass sie die Wahrheit sagte.

Unauffällig hielt sie Ausschau nach Tobbe. Die Tür zur Vorpiek war zu, ob er da drinnen war? Falls ja, wieso kam er dann nicht heraus?

»Wie lange bleibt ihr noch in Sandhamn?«, fragte sie, um Zeit zu gewinnen.

Christoffer lehnte sich zurück.

»Nicht mehr lange, aber die Polizei hat anscheinend noch Fragen an uns. Sie haben mich vorhin angerufen und gesagt, dass ich hinkommen soll. Wir hauen hier ab, sobald wir können.«

Jetzt oder nie. Ebba stellte die beiden Taschen auf dem hellen Teppich ab.

»Wo ist Tobbe?«

»Der ist mal kurz an Land.«

»Ach, echt?«

Christoffer fuhr sich mit einer Hand durch sein rotbraunes Haar, das Tobbes so ähnlich war, und doch wieder nicht.

»Ja«, fügte er hinzu, »er ist wahrscheinlich bei diesem Mädchen, Tessan. Sie war vor einer Weile hier und hat nach ihm gefragt. Soll ich ihm was ausrichten?«

Ebba senkte den Kopf, er sollte nicht sehen, wie sehr seine Worte sie getroffen hatten. Mühsam presste sie hervor:

»Nicht nötig, ich wollte weiter nichts.«

Sie griff nach den beiden Taschen und floh von Bord.

Kapitel 42

Simon drückte sein Gesicht gegen die untere Scheibe der Verandatür, sodass es platt und wie zerflossen aussah. Es erinnerte Nora an einen Zerrspiegel auf dem Jahrmarkt.

Er klopfte laut.

»Simon«, rief Nora. »Hör auf damit. Komm lieber rein.«

Erst grinste er durch die Scheibe, aber dann gehorchte er. Nora streckte die Arme nach ihm aus, und als er kam, drückte sie ihn fest an sich. Nicht auszudenken, wenn es Adam oder Simon gewesen wären, die tot am Strand von Skärkarlshamn gelegen hätten. Tränen stiegen ihr in die Augen, und sie drückte ihn noch fester.

»Bist du traurig?«, fragte Simon. »Hast du dich mit Papa gestritten?«

War das der Eindruck, den ihre Söhne von der Beziehung ihrer Eltern hatten? Wenn Mama weinte, hatten sie und Papa wieder gestritten?

Noch ein Grund mehr für Gewissensbisse. Sie hatte schon so viele.

Nora schüttelte den Kopf.

»Nein, mein Schatz. Überhaupt nicht. Papa war ganz lieb und hat mir heute Morgen bei einer Sache geholfen.«

Simon lächelte begeistert.

»Dann seid ihr jetzt Freunde?«, fragte er hoffnungsvoll.

Nora wusste, dass er sich nichts mehr wünschte, als dass sie wieder zusammenzogen.

»Ja, Liebling. Aber nicht auf die Art.«

Das Lächeln verschwand, aber er blieb auf ihrem Schoß sitzen und lehnte sich an ihre Schulter. Bald würde er zu groß dafür sein. Sein Nacken roch nach Sonne und Meer. Nora schnupperte an seiner Haut und wünschte, sie könnten noch Stunden so sitzen, dann brauchte sie nicht aufzustehen und den Dingen ins Auge zu sehen.

»Mama?«

»Mhmm.«

»Warum sitzt Wilma im Geräteschuppen?«

Seine Stimme war so leise, dass Nora zuerst dachte, sie hätte sich verhört. Sie hob den Kopf und starrte ihren Sohn an.

»Was hast du gesagt?«

»Warum Wilma im Geräteschuppen sitzt.«

Sein Gesichtsausdruck war unschuldig und gespannt zugleich, als ob er spürte, dass sie auf die Information reagieren würde.

»Um Himmels willen, Simon!«, rief Nora aus. »Warum hast du das nicht gleich gesagt? Wir suchen sie doch schon den ganzen Tag. Jonas macht sich solche Sorgen.«

Sie setzte ihren Sohn ab und sah ihn ernst an.

»Ist das wirklich wahr?«

»Ja!« Simon warf ihr einen beleidigten Blick zu. »Du brauchst nicht gleich so böse zu werden. Nächstes Mal sag ich überhaupt nichts mehr!«

Nora ging in die Hocke.

»Schatz, es war gut, dass du mir das gesagt hast. Das war sehr, sehr gut.«

»Aber jetzt bist du sauer.«

»Nein, ganz bestimmt nicht.«

Sie zog ihn an sich, um ihre Worte zu unterstreichen.

»Ich war nur so überrascht. Wann hast du sie dort gesehen?«

»Vorhin, als Fabian und ich unsere Angeln holen wollten. Sie sitzt auf dem Fußboden und ist ganz traurig.«

Thomas öffnete die Tür des PKC, um Christoffer Hökström hereinzulassen. Der junge Mann war überdurchschnittlich groß, aber dennoch kleiner als Thomas.

»Gut, dass Sie kommen konnten«, sagte er. »Treten Sie ein.«

Er zeigte auf Margit, die am Kopfende des Tisches saß und sich zur Begrüßung erhob.

»Das ist meine Kollegin, Kriminalkommissarin Margit Grankvist. Sie wird bei unserem Gespräch dabei sein.«

Christoffer sah Margit misstrauisch an.

»Ist das hier ein Verhör?«

»Kein Verhör. Die offizielle Bezeichnung ist Personenbefragung zur Informationsgewinnung.«

»Sollte ich einen Anwalt dabeihaben?«

»Sie haben natürlich das Recht, einen Anwalt hinzuzuziehen, aber

Sie stehen nicht unter Verdacht«, sagte Margit ohne Umschweife. »Wir möchten Sie nur zu ein par Dingen befragen. Finden Sie es nicht auch einfacher, dass wir das jetzt tun, solange Sie hier auf Sandhamn sind, anstatt dass sie später extra zur Polizeistation Nacka kommen müssen?«

Das schien Christoffer Hökström einzuleuchten. Er setzte sich.

»Möchten Sie etwas trinken, bevor wir anfangen?«, fragte Margit.

Er schüttelte den Kopf.

Thomas musterte den Zwanzigjährigen, der am Tisch Platz genommen hatte. Heute Morgen war er verkatert gewesen, vermutlich noch nicht ganz nüchtern und offensichtlich schockiert. Jetzt war er frisch geduscht und rasiert und hatte sich umgezogen, er trug einen anderen Pullover sowie hellbraune Chinos mit einem geflochtenen Ledergürtel. Er war immer noch bedrückt, wirkte aber gefasst.

Seine Augen blickten nachdenklich, es war offensichtlich, dass er nicht so ein sorgloses Gemüt besaß wie sein Bruder.

Wer hat sich um dich gekümmert, als du klein warst?

Der Gedanke kam ganz von allein. Thomas erinnerte sich an Ebbas Worte über den fehlenden Vater.

»Würden Sie uns bitte schildern, wie Sie den gestrigen Tag verbracht haben«, sagte Margit.

Christoffer verschränkte die Arme vor der Brust.

»Was wollen Sie wissen?«

»So viel wie möglich. Warum sind Sie mit Ihrem Bruder und seinen Freunden nach Sandhamn gefahren?«

»Ich habe mich immer um Tobbe gekümmert«, erwiderte Christoffer spontan. »Schon als wir noch Kinder waren.«

»Gibt es dafür einen besonderen Grund?«

»Das kann man wohl sagen.«

Christoffer wandte den Kopf ab, und sein Blick kehrte sich nach innen.

Christoffer

Das Polizeiauto, das vor dem Haus parkte, war eine von Christoffers ersten Kindheitserinnerungen. Da musste er ungefähr vier Jahre alt gewesen sein. Sie waren aufs Land gefahren, um Mittsommer zu feiern. Johanna war zweieinhalb. Ein Nachbarmädchen sollte auf sie aufpassen, während Mama und Papa unterwegs waren, um fürs Wochenende einzukaufen.

Aus irgendeinem Grund hatte Christoffer nicht zu Hause bleiben wollen, er hatte so lange gebettelt, bis er mitfahren durfte. Die Babysitterin und ihre Freundin waren mit Johanna zum Strand gegangen.

Aber sie kamen nicht zurück.

Er hatte die Polizisten durchs Küchenfenster kommen sehen. Bis heute spürte er die Aufregung, als sie an der Tür klingelten. Er war hingelaufen, um ihnen aufzumachen.

Christoffer erinnerte sich nicht mehr, wie seine kleine Schwester ausgesehen hatte. Es standen nirgends Fotos von ihr herum.

Ein knappes Jahr darauf wurde Tobbe geboren. Er wurde keine Sekunde aus den Augen gelassen, aber davon ließ er sich nicht aufhalten. Es war, als versuchte er, für Johanna mitzuleben. Er konnte schon mit neun Monaten laufen, war von der ersten Sekunde an verrückt nach Wasser und verletzte sich andauernd.

Mit sieben brach er sich den Arm, als er im Garten eines Nachbarn vom Baum fiel. Er hatte Äpfel klauen wollen, obwohl ihr eigener Garten voller Apfelbäume stand. Ein anderes Mal brach er sich einen Zeh und musste an Krücken humpeln. Im Seglercamp knallte ihm ein Segelbaum an die Stirn, und er musste mit dem Rettungshubschrauber ins Krankenhaus geflogen werden. Im Jahr darauf, wieder im Seglercamp, riss er sich beim Segeln eine Augenbraue auf.

Ihre Mutter war ständig in Sorge, dass Tobias etwas zustoßen könnte. Ihre Ermahnungen rissen nicht ab, und von Anfang an spürte Christoffer, dass er sich um seinen kleinen Bruder kümmern musste, damit Mama beruhigt sein konnte.

Als Christoffer neun war und Tobias fünf, wurde Arthur Teilhaber einer großen Anwaltskanzlei. Er verdiente gut, und sie zogen in ein größeres Haus. Die Brüder bekamen jeder ihr eigenes Zimmer und Arthur ein geräumiges Büro im Keller, das niemand betreten durfte.

Dort saß er abends oft.

Mama hörte auf, als Lehrerin zu arbeiten. Wenn sie aus der Schule kamen, war sie immer zu Hause, und Christoffer erinnerte sich, dass sie viel gebacken hatte, als er klein war. Aber immer öfter lag sie oben im Schlafzimmer.

»Mama braucht Ruhe«, sagte sie dann. »Kannst du Tobbe bitte vom Kindergarten abholen?«

Im Badezimmerschrank standen weiße Dosen mit kleingedrucktem Text und roten Dreiecken auf den Etiketten. Manchmal konnte man sehen, dass sie geweint hatte.

Arthur begann, beruflich viel zu reisen. Wenn er nicht verreist war, machte er Überstunden. Einmal, als Christoffer dreizehn war, ertappte er seinen Vater vor der Garage. Arthur war nach draußen gegangen, um zu telefonieren. Christoffer sollte den Mülleimer rausbringen, er hatte nicht vorgehabt zu lauschen, aber er konnte nicht verhindern, dass er die Stimme hinter der Hausecke hörte.

Es waren nur wenige Sätze, aber es war unverkennbar, dass Arthur mit jemandem sprach, den er mochte. Seine Stimme war anders, als wenn er mit Christoffers Mutter sprach. Weicher, liebevoller.

Christoffer hasste ihn für diesen Tonfall.

Die Geschäftsreisen wurden länger. Die Pillendosen im Badezimmerschrank wurden mehr.

Tobbe war meistens mit seinen Kumpels zusammen. Er hatte es immer leicht gehabt, Freunde zu finden, schon im Kindergarten waren sie eine Gruppe gewesen, die fest zusammenhielt. Oft übernachtete Tobbe bei seinem besten Freund Victor. Manchmal fuhr er mit Familie Ekengreen in den Urlaub oder zu ihrem Sommerhaus im Schärengarten.

Christoffer fand das gut. Wenn Tobbe bei den Ekengreens war, ließ der Druck nach, dann brauchte er sich keine Sorgen um seinen Bruder zu machen. Sonst lauerte die Unruhe immer dicht unter der Oberfläche.

Tobbe schien von der angespannten Stimmung zu Hause nichts zu merken. Es war, als könnte er nicht mal eine Sekunde ernst sein.

Oder er wagte es nicht.

Christoffer ging aufs Gymnasium und sehnte sich danach, endlich Abitur zu machen und zu Hause auszuziehen. Seinen Eltern wich er aus – den ungeschickten Versuchen seines Vater, sich ihm zu nähern, und dem bedrückten Gesicht seiner Mutter, wenn er ausging.

Im letzten Jahr lernte er jede freie Minute. Um es auf die Handelshochschule zu schaffen, musste er erstklassige Zensuren haben. Es war eine Erleichterung, sich ganz auf den Stoff zu konzentrieren, er konnte sich den Kopf mit Mathe und Physik vollstopfen und alles andere ausblenden.

Sobald er aus der Schule war, würde er ausziehen.

Eine Woche nach dem Abitur wachte Christoffer davon auf, dass seine Mutter laut weinte. Sie saß im Nachthemd in der Küche, mit dem Telefon in der Hand und gläsernem Blick.

Arthur hatte gerade angerufen. Er wollte die Scheidung, so schnell wie möglich.

Von nun an blieb seine Mutter im Bett. Sie wusch sich nicht mehr, und ihre Haare wurden fettig und eklig. Im Schlafzimmer begann es zu stinken.

Christoffer kochte vor Wut, wenn er nach ihr sah. Reiß dich zusammen!, hätte er am liebsten geschrien. Ich bin nicht deine Mutter, ich bin dein Kind! Ich kann damit nicht umgehen!

Er verachtete sie ebenso sehr, wie er sich für seine Reaktion schämte.

Irgendwie wurde eine Wohnung besorgt, sie lag in einem Mietshaus in der Nähe, und im August kam der Umzugswagen. Christoffer packte zusammen, so gut er konnte, und trug die Kartons zum Transporter.

»Scheidungsgraben« hieß die Gegend, in die sie zogen. Dort lebten all die geschiedenen Frauen, die es sich nicht leisten konnten, in ihren schicken Villen zu bleiben. Nun wohnten sie selbst auch hier.

Als Christoffer fragte, warum sie ausziehen mussten, rastete Arthur aus.

»Glaubst du im Ernst, deine Mutter könnte es sich leisten, hier wohnen zu bleiben?«, brüllte er. »Sie arbeitet doch nicht. Ich muss für ihren Unterhalt sorgen. Das ist mein Haus, für das ich bezahle, da werde ich ja wohl auch darin wohnen dürfen!«

Danach hasste Christoffer ihn noch mehr.

Jetzt konnte er zu Hause nicht ausziehen, obwohl er es auf die Handelshochschule geschafft hatte. Das hätte seine Mutter nicht verkraftet.

Um nicht nach Hause in die Dreizimmerwohnung zurückkehren zu müssen, blieb er nach dem Unterricht lange an der Uni. Manchmal jobbte er als Barkeeper in einem Club am Stureplan, und gelegentlich durfte Tobbe mitkommen, wenn er versprach, sich im Hintergrund zu halten. Sein kleiner Bruder fand das cool, und Christoffer machte ihm gern die kleine Freude.

Als Tobbe und Ebba ein Paar wurden, entspannte sich alles ein wenig. Sie tat Tobbe gut, Christoffer gefiel es, dass sie ein vernünftiges Mädchen war. Ebbas Eltern waren auch geschieden, verstanden sich aber immer noch gut.

Ab und zu steckte Arthur ihnen Geld zu oder erlaubte Christoffer, sich das Auto auszuleihen. Christoffer hatte ihn im Verdacht, dass ihn sein schlechtes Gewissen plagte. Eva, seine neue Frau, war mit Babybauch in die Villa eingezogen. Er würde ein Halbgeschwisterchen bekommen, das zwanzig Jahre jünger war als er, und er hasste den Gedanken.

Meistens ging er nicht ans Telefon, wenn er sah, dass Arthur anrief.

Sie trafen sich nicht sehr oft, Christoffer und Tobbe waren zu alt, um mal bei Mama und mal bei Papa zu wohnen, außerdem weigerte Christoffer sich, Gast in seinem alten Zuhause zu sein. Er machte sogar Umwege, um nicht an dem Haus vorbeigehen zu müssen.

Ein einziges Mal waren Tobbe und er von Eva und Arthur zum Essen eingeladen worden. Sie waren in ein teures Restaurant gegangen, aber der Abend war anstrengend gewesen. Eva war nur zehn Jahre älter als Christoffer, es war ein merkwürdiges Gefühl, mit ihr an einem Tisch zu sitzen. Ab und zu hatte sie die Hand auf ihren schwellenden Bauch gelegt.

Tobbe hatte wie üblich den Kasper gegeben, aber ausnahmsweise war Christoffer dankbar dafür, sonst wäre der Abend eine Katastrophe geworden. Er wandte den Blick ab, wenn Eva und Arthur sich berührten, er wollte nicht sehen, wie diese Frau mit seinem Vater turtelte.

Mittsommer war immer schwierig, Mama versank in Trübsinn und Arthur wollte am liebsten verreisen, um alten Erinnerungen aus dem Weg zu gehen. Er hatte gesagt, sie könnten das große Boot nehmen, falls sie Lust hatten, in den Schärengarten rauszufahren. Christoffer hielt das für eine gute Idee. Ein paar Kommilitonen von der Handelshochschule hatten angekündigt, dass sie nach Sandhamn wollten.

Tobbe und seine Freunde könnten gerne mitkommen, hatte Christoffer angeboten. Er hatte nichts dagegen, im Gegenteil, dann brauchte er sich keine Sorgen um seinen Bruder zu machen.

Im Laufe des Winters hatte Christoffer gemerkt, dass Tobbe eine Menge trank, und manchmal fragte er sich, ob er es nicht übertrieb. Seine Klamotten stanken nach Rauch, und an den Wochenenden war er oft verkatert. Und dann war auf einmal Schluss mit Ebba. Tobbe machte dicht, als Christoffer herauszufinden versuchte, was passiert war.

Außerdem herrschte dicke Luft zwischen Tobbe und Victor, obwohl sie schon so lange Freunde waren. Eines Abends stritten sie sich heftig und hätten sich beinahe geprügelt. Hinterher wollte Tobbe nicht sagen, aus welchem Anlass.

Victor hatte sich auch verändert, fand Christoffer, er wirkte rastlos und unbeherrscht. Christoffer entging nicht, wie er mit Felicia umsprang. Einmal, als sie bei ihnen zu Hause war, begann sie zu weinen und schloss sich im Bad ein.

Eines Morgens, nachdem Tobbe erst spät in der Nacht nach Hause gekommen war, fragte Christoffer ihn ohne Umschweife, was eigentlich mit ihm los war. Tobbe tat es mit einem breiten Grinsen ab. Genau wie immer.

»Ich hab nur ein bisschen Gras geraucht, was ist schon dabei?«

Christoffer bohrte nicht weiter nach. Das Frühjahrssemester an der Uni war hart, und er hatte keine Zeit für andere Dinge. Aber es war gut, dass er Tobbe am Mittsommerwochenende im Auge behalten konnte.

Kapitel 43

Es war ein trauriges Bild, was da vor ihnen entstand, dachte Thomas. Aus eigener Erfahrung wusste er, wie sehr die Trauer um ein verlorenes Kind eine Beziehung prägen konnte. Aber das Ehepaar Hökström hatte noch mehr Kinder gehabt, um die es sich hätte kümmern müssen.

Thomas fragte sich unwillkürlich, ob Christoffer seinen Eltern jemals gezeigt hatte, wie wütend er auf sie war: auf den Vater, der seine Kinder lange vor der Scheidung im Stich gelassen hatte, und auf die Mutter, die noch früher kapituliert hatte.

Du musst deinen Vater in deiner Jugend vermisst haben, dachte Thomas. Besonders an den Abenden, wenn deine Mutter sich zu nichts aufraffen konnte und dein kleiner Bruder traurig war. Es war nicht deine Aufgabe, dich um alles zu kümmern.

»Wissen Ihre Eltern, was passiert ist?«, fragte Margit und suchte Augenkontakt mit Christoffer.

»Nein.«

»Sollten Sie sie nicht anrufen und es ihnen erzählen?«

Ein Achselzucken. Mehr war nicht nötig. Die resignierte Geste gefiel Thomas nicht.

»Es wäre gut, wenn Sie wenigstens Ihren Vater informieren könnten«, sagte er. »Das macht es auch für uns einfacher, da Ihr Bruder noch minderjährig ist.«

»Okay.«

»Was ist später am Abend passiert?«, fragte Margit nach einer Weile. »Nachdem Victor und Felicia das Boot verlassen hatten?«

»Wir haben auf dem anderen Boot gefeiert, auf dem meine Kumpels waren.«

»Könnten Sie etwas genauer werden?«, sagte Margit und lehnte sich auf dem Stuhl zurück. »Wem gehört das Boot, wer hat Sie eingeladen, welche Leute waren da?«

Christoffer Hökström fuhr sich mit der Hand durch das wellige

Haar; er erinnerte sich an einen Studenten, der im Begriff war, sich im Seminar zu Wort zu melden. Höflich und korrekt.

»Das Boot ist ein Fairline 46 und gehört Carl Bianchi.«

Thomas kannte den Namen aus der Zeitung. Carl Bianchi hatte viel Geld in der Finanzbranche verdient und scheute sich nicht, seinen Reichtum zur Schau zu stellen. Er hatte eine viel beachtete Auseinandersetzung mit den Finanzbehörden geführt, es ging um eine Transaktion, bei der Bianchi mehrere Millionen Kronen ins Ausland geschafft hatte, um sie nicht versteuern zu müssen. Vor Gericht hatten die Finanzbehörden verloren, es war viel über die Sache berichtet worden und Bianchi hatte mit einigen kontroversen Äußerungen über das schwedische Steuerklima noch zusätzlich Öl ins Feuer gegossen.

Es war eine merkwürdige Welt, in der ein Zwanzigjähriger und seine Freunde mit einem Boot herumfahren durften, das weit mehr als ein durchschnittliches schwedisches Einfamilienhaus kostete, aber Thomas war trotzdem nicht überrascht. Er hatte im Laufe der Jahre die merkwürdigsten Dinge auf Sandhamn erlebt.

»Ein tolles Boot, mit einer großen Flybridge und starken Motoren«, fügte Christoffer hinzu, sichtlich lebhafter jetzt, als hätte die Erinnerung an die große Jacht seine Angst in die Flucht geschlagen.

»Flybridge?«, echote Margit.

»Das ist eine Art Cockpit auf dem Dach«, erklärte Thomas. »Man kann draußen sitzen und das Boot steuern. Es verschafft einem eine bessere Übersicht, wenn man anlegen will.«

»Aha.«

Margit schien nicht ganz folgen zu können, aber sie ging nicht weiter darauf ein.

»Wie spät war es, als Sie dorthin gegangen sind?«, fragte sie.

»Ich weiß nicht mehr genau. Vielleicht acht, halb neun. Ich hatte um halb acht Hamburger besorgt, und als wir die aufgegessen hatten, sind wir losgegangen.«

»Wer war dabei?«

»Tobbe und ich, Tessan und ihre Freundinnen. Die anderen waren ja verschwunden. Wir wussten nicht, wo sie waren.«

»Haben Sie nach Ihnen gesucht?«, fragte Margit.

Christoffer schüttelte den Kopf.

»Nein, das hätte nichts gebracht.«

»Warum nicht?«

»Ehrlich gesagt hatten wir den Eindruck, dass Victor und Felicia ein bisschen Zeit für sich brauchten. Es konnte nicht schaden, wenn Victor wieder etwas nüchterner wurde. Er war schon den Abend davor hackevoll gewesen und hatte Streit gesucht.«

»Und Ebba?«, fragte Margit.

Christoffer wich ihrem Blick aus.

»Das war ein bisschen kompliziert. Sie und Tobbe waren ja mal eine Weile zusammen ...«

Er unterbrach sich.

»Ich hatte nicht das Gefühl, dass es meine Aufgabe war, auf sie aufzupassen.«

»Das Mädchen ist erst sechzehn, und Sie sind zwanzig«, entgegnete Margit. »Als Ebba das Boot verließ, war sie sehr aufgeregt, das haben Sie selbst gesagt. Meinen Sie nicht, dass es angebracht gewesen wäre, ein bisschen Verantwortung zu zeigen, ihr vielleicht hinterherzugehen und nachzusehen, ob sie okay ist?«

Christoffer errötete leicht.

»Doch, natürlich. Ich habe nur nicht daran gedacht, jedenfalls nicht in dem Moment.«

Du trittst offene Türen ein, dachte Thomas und warf Margit einen Blick zu. Harry Anjou hatte schon in die gleiche Kerbe gehauen. Anscheinend hatte Margit sein stummes Signal verstanden, denn sie bohrte nicht weiter nach. Stattdessen sagte sie:

»Sie haben vorhin gesagt, dass Tobbe und Victor vor Kurzem eine Auseinandersetzung hatten.«

Christoffer wand sich unbehaglich auf dem Stuhl.

»Das war nur ein Mal.«

Die Antwort kam schnell. Thomas versuchte, seinen Gesichtsausdruck zu deuten. Er hatte das starke Gefühl, dass Christoffer bereute, die Sache überhaupt erwähnt zu haben.

»Worum ging es?«

»Das weiß ich wirklich nicht. Ich kam von einer Party und traf sie vor der Haustür.«

»Haben sie sich geprügelt?«

Christoffer hob die Schultern.

»Nicht direkt. Sie haben sich angeschrien und gegenseitig geschubst. Es war spät in der Nacht, und beide waren angetrunken.«

»Und dann?«

»Ich habe gesagt, dass sie gefälligst damit aufhören sollen. Victor hat sich aus dem Staub gemacht, und Tobbe ist mit mir ins Haus gegangen. Ein paar Tage später haben sie sich wieder vertragen.«

Christoffer Hökström klang plötzlich erschöpft.

»Könnte ich ein Glas Wasser haben?«

»Natürlich«, sagte Margit.

Sie stand auf und holte ihm einen Becher. Thomas wartete, bis er ein paar Schlucke getrunken hatte.

»Was passierte, als Sie zu Bianchis Boot kamen?«

»Da war Party. Musik, Drinks, gute Stimmung.« Christoffer schien erleichtert, das Thema wechseln zu können. »Überall saßen Leute, auf dem Sonnendeck und oben auf der Flybridge.«

»Sie haben die Clique auf Sandhamn getroffen, ist das richtig?«, fragte Margit.

»Ja, das sind Kommilitonen von mir, von der Hochschule. Aber wir hatten uns schon früher verabredet.«

»Wir brauchen ihre Namen und Kontaktdaten«, sagte Thomas, und Christoffer nickte. »Sie sind also gegen acht Uhr am Samstagabend dorthin gegangen. Wie lange waren Sie dort?«

»Ich weiß nicht genau. Bis zwei oder drei Uhr morgens vielleicht.«

»War es dunkel draußen, als Sie die Party verlassen haben?«

»Ja.«

»War die Disco noch geöffnet? Wurde noch Musik gespielt, als Sie gegangen sind?«

»Ich glaube nicht.«

»Dann war es nach zwei«, sagte Thomas.

»Kann jemand bezeugen, dass Sie die ganze Zeit dort waren?«, fragte Margit.

»Ja. Ich war fast den ganzen Abend mit einer guten Freundin zusammen. Sie ist anschließend mit mir zu unserem Boot gegangen und hat dort übernachtet.«

Christoffer lächelte leicht, fast ein bisschen einfältig. Das Mädchen war wohl mehr für ihn als nur eine »gute Freundin«, dachte Thomas.

»Wie heißt sie?«, fragte er.

»Sara, Sara Lövstedt. Sie geht auf die Handelshochschule, genau wie ich. Wir sind in derselben Studiengruppe.«

Thomas überflog seine Notizen.

»Sie war das Mädchen, das heute Morgen bei Ihnen war, als unser Kollege auf Ihr Boot kam?«

»Ja, genau.«

»Und sie kann bezeugen, dass Sie beide die ganze Zeit zusammen waren?«

»Auf jeden Fall.«

Er klang eifrig, sogar ein bisschen stolz.

Es wurde immer wärmer im Raum. Thomas merkte, wie er schwitzte. Er stand auf und öffnete noch ein Fenster, um für Durchzug zu sorgen.

»Können Sie uns sagen, was Ihr Bruder während des Abends gemacht hat?«, wollte Margit wissen.

»Tobbe?«

»Ja.«

»Er war bei mir.«

»Die ganze Zeit?«

»Wir sind zusammen hingegangen. Er klebte an Tessan, das ist die, über die Ebba sich so aufgeregt hat.«

»Tessan?«, wiederholte Margit.

»Ja, ihren Nachnamen weiß ich nicht. Ich glaube, sie geht auf seine alte Schule.«

»Ich verstehe nicht ganz«, sagte Margit gedehnt. »Sie waren ungefähr sechs Stunden dort, und Sie sagen, Sie waren mit einem süßen Mädchen zusammen. Wollen Sie behaupten, Sie hätten Tobbe die ganze Zeit nicht aus den Augen gelassen?«

Christoffer Hökström wurde plötzlich sehr wach.

»Ich meine ...«

Er unterbrach sich und begann noch einmal.

»Ich habe ihn natürlich nicht jede Sekunde im Auge gehabt, aber ich weiß, dass er dort war.«

»Wo haben Sie gesessen?«, fragte Margit.

»Achtern, jedenfalls am Anfang. Später haben wir auf dem Sonnendeck gelegen und gechillt.«

»Sie und Sara?«

»Ja.«

»Woher wissen Sie dann, wo Tobbe sich aufgehalten hat?«, fragte Margit. »Wenn die Jacht so groß ist, wie Sie sagen, dürfte es kaum möglich gewesen sein, alle Leute an Bord zu überblicken. Es muss ziemlich viel los gewesen sein.«

»Er war den ganzen Abend dort, zusammen mit mir«, wiederholte Christoffer. »Da bin ich mir sicher. Ich hätte gemerkt, wenn er nicht da gewesen wäre.«

»Können Sie das beschwören?«, warf Thomas ein. »Würden Sie das vor Gericht unter Eid aussagen?«

»Nein«, antwortete der junge Mann leise.

»Also wissen Sie in Wirklichkeit nicht, wo Ihr Bruder sich zwischen halb neun abends und zwei Uhr nachts aufgehalten hat?«

»Nein, das weiß ich nicht«, räumte Christoffer Hökström ein.

Kapitel 44

Der rote Geräteschuppen stand auf einer Felsplatte, nur wenige Meter vom Steg entfernt, der zur Brand'schen Villa gehörte. Zwei kleine, weiß gestrichene Fenster ließen das Tageslicht herein, das Häuschen war nicht mehr als ein par Quadratmeter groß.

Jonas eilte im Laufschritt den Gartenweg hinunter, dicht gefolgt von Nora. Seine Erleichterung mischte sich mit einem mulmigen Gefühl. Wilma war zurück, aber warum hatte sie sich im Schuppen versteckt, anstatt ins Haus zu kommen?

Irgendwas musste passiert sein.

Nora blieb vor dem Schuppen stehen.

»Ich warte hier«, sagte sie. »Es ist besser, wenn du erst mal mit ihr allein bist.«

»Gut.«

Jonas merkte, dass Nora über seine knappe Antwort stutzte. Aber er hatte keine Zeit, sich zu entschuldigen, seine Tochter ging jetzt vor.

Anscheinend wollte Nora ihn umarmen, doch bevor sie dazu kam, hatte er die Klinke heruntergedrückt und die Tür geöffnet. Mit den Augen suchte er das Halbdunkel ab.

Da saß sie, mit dem Rücken an der Längswand, unter ein paar alten Barschnetzen, die an Haken aufgehängt waren. Sie hatte die Knie bis ans Kinn gezogen und hielt die Beine fest umschlungen. Trotz des schwachen Dämmerlichts sah Jonas, dass ihr Gesicht vom Weinen ganz verquollen war.

»Kleines!«, rief er aus. »Was machst du hier?«

»Papa.«

Mit wenigen großen Schritten war Jonas bei ihr und ging in die Hocke.

»Papa«, weinte Wilma. »Es tut mir so leid, ich wollte das nicht. Entschuldige.«

Sie warf sich in seine Arme, vom Schluchzen geschüttelt.

Jonas drückte sie fest an sich.

»Schhh, Liebes, ganz ruhig, alles wird gut. Alles wird gut.«

Wilma verbarg ihr Gesicht an seiner Brust. Ihr zerzaustes Haar war voller Sand, sie war barfuß und ihre Füßen waren schmutzig. Sie roch nicht gut, ihre Kleidung stank nach altem Erbrochenem.

»Komm, lass dich mal ansehen«, sagte Jonas sanft.

Er hob ihr Kinn an, um sie zu betrachten, aber Wilma wandte den Kopf ab. Sie sah so mitgenommen und fertig aus, ihr Gesicht hob sich weiß gegen die rohe Bretterwand ab.

Jonas setzte sich auf den staubigen Boden und strich Wilma vorsichtig über die Wange. Auf einem ihrer Ellbogen leuchtete eine Schürfwunde, Sand hatte sich darin festgesetzt.

»Was ist passiert?«

Ein furchtbarer Verdacht, den er sich kaum eingestehen, geschweige denn bestätigt haben wollte, ließ ihm keine Ruhe. Er musste die Frage stellen.

Er umschloss Wilmas Hände und drückte sie fest.

»Liebling, hat dir jemand etwas angetan? Du weißt, dass du mir alles erzählen kannst. Ganz egal, was es ist. Bist du vielleicht irgendwie überfallen worden ... ich meine, körperlich?«

Wie mache ich ihr klar, dass es nicht ihre Schuld ist?, dachte er grimmig und zwang sich, in ruhigem Tonfall zu sprechen.

Wilma schluchzte auf. Jonas machte sich auf alles gefasst.

»Nein«, flüsterte sie. »Ich schwöre, Papa, es ist nicht, wie du denkst.«

»Ist das ganz sicher?«, hakte Jonas nach und traute sich kaum, zu atmen. »Du brauchst keine Angst zu haben, es mir zu sagen.«

»Ich schwöre«, flüsterte sie wieder, ohne ihn anzusehen.

Mit feuchten Augen zog er Wilma an sich und drückte sie fest.

Du bist immer noch so klein, dachte er, du kannst dich nicht wehren, wenn jemand da draußen dir Böses will.

Die Minuten verstrichen.

Jonas wiegte Wilma in seinen Armen. Seine Beine waren eingeschlafen, aber er bewegte sich nicht von der Stelle.

»Wo bist du gewesen?«, fragte er schließlich.

»Im Wald ...«

»Im Wald?«, wiederholte Jonas, aber Wilma antwortete nicht. »Warum bist du nicht ans Handy gegangen? Oder hast zurückgerufen? Ich habe unzählige Male versucht, dich zu erreichen, hast du das nicht gemerkt?«

»Es hätte nichts genützt«, brach es schließlich aus ihr hervor.

»Wieso das denn nicht?«
»Du warst ja bei Nora ...«
»Was hat das damit zu tun?«
Jonas strich ihr eine blonde Strähne aus der Stirn. Ihre Haut war kalt, sie musste ins Bett und sich ordentlich aufwärmen. Und vorher duschen, dachte er.
Eine dünne Ader pulsierte an ihrem schmalen Hals.
»Du kümmerst dich ja nur noch um sie«, flüsterte Wilma.
»Das stimmt nicht, mein Schatz.«
Jonas drückte sie noch fester.
»Ich hasse es hier«, murmelte Wilma dumpf an seiner Brust.
»Schh, Schluss jetzt.«
Ihre Rückenmuskeln waren ganz verspannt, vorsichtig massierte er sie mit der rechten Hand.
Konnte sie Nora so wenig leiden? Wieso hatte er bisher nichts davon gemerkt?
»Wir machen jetzt Folgendes«, sagte er nach einer Weile. »Wir gehen nach Hause, und du duschst erst mal ordentlich. Wir reden weiter, wenn du dich ausgeruht und etwas gegessen hast. Du hast doch bestimmt Hunger?«
Wilma nickte matt.
»Dann komm.«
Jonas stand auf und half Wilma auf die Beine, aber sie blieb stehen, als er zur Tür ging.
»Hast du Mama was gesagt?«
»Ja, natürlich habe ich das.«
»Ist sie böse?«
Als Jonas vor ein paar Stunden endlich Margot erreicht hatte, war sie ausgerastet und hatte ihm vorgeworfen, sich nicht ordentlich um das Kind zu kümmern. Sie hatte kein Blatt vor den Mund genommen. Allein die Tatsache, dass sie in Dalarna war, hatte sie davon abgehalten, selbst auf die Insel zu kommen und nach ihrer Tochter zu suchen.
»Sie hat sich große Sorgen um dich gemacht«, sagte er. »Ich rufe sie gleich an und sage ihr, dass du wohlbehalten zurück bist.«
Wilma wischte sich mit dem Handrücken die Nase ab.
»Ich will nicht wieder zu Nora«, sagte sie leise. »Können wir nicht lieber zu uns nach Hause gehen?«

»Ich weiß nicht, ob wir schon wieder Strom haben«, erwiderte Jonas.

»Das macht nichts, Hauptsache, ich muss sie nicht mehr sehen.«

Das tat weh. Aber jetzt war nicht die richtige Zeit für eine Diskussion.

»Gut, dann machen wir das.«

Wilma ging mit gesenktem Kopf nach draußen, ohne Nora, die in der Sonne stand und wartete, eines Blickes zu würdigen.

»Sie muss duschen und sich eine Weile hinlegen«, sagte Jonas.

Ein Blick auf Wilmas desolate Erscheinung genügte, damit Nora verstand, wie die Dinge lagen.

»Okay«, sagte sie. »Ich muss nur noch was holen, dann komme ich nach.«

»Wir gehen zu uns nach Hause«, sagte Jonas. »Es ist besser so. Wir müssen mal eine Weile für uns sein.«

Ohne ein weiteres Wort drehte er sich um und ging.

Kapitel 45

Nora blickte Jonas hinterher. Wie abweisend er gewirkt hatte. Ihr war, als hätte sie etwas verloren, ohne zu wissen, was.

Es war ein merkwürdiges Gefühl, ihn zu ihrem alten Haus gehen zu sehen und nicht mitkommen zu dürfen.

Vierundzwanzig Stunden zuvor hatten sie glücklich zusammen am Steg gesessen, und alles war ganz einfach und selbstverständlich gewesen.

Warum schien das jetzt so anders zu sein?

Nora setzte sich auf die alte Klönbank aus Treibholz und Steinen, die vor dem Schuppen stand. Dort hatte sie oft gesessen und den Sonnenuntergang genossen.

Die schmalen Bootsstege vor ihr waren zu einem sanften Hellgrau verblichen, das mit dem Felsen verschmolz, und am Wassersaum lagen alte Tangbüschel, die sich in hellgrünem Seegras verfangen hatten. An den inneren Stegen war das Wasser so flach, dass nicht einmal ein Kahn dort anlegen konnte, ohne den Grund zu berühren. Durch die Landhebung steckten die Eisenringe zum Festmachen der Boote jetzt hoch im Felsen und waren nutzlos geworden.

Es war ein friedliches Fleckchen Erde, aber heute wollte der Friede sich nicht einfinden.

Thomas' Boot lag immer noch an ihrem Steg vertäut, also musste er noch auf der Insel sein.

War die Nachricht schon draußen? Würden sich die Fernsehbildschirme nun mit neugierig gefilmten Bildern aus Skärkarlshamn füllen, mit Aufnahmen der Absperrung um den Platz, wo der tote Junge gefunden worden war?

Sie hatte Bauchkneifen und fühlte sich zittrig, was darauf hindeutete, dass ihr Blutzucker niedrig war und sie etwas Süßes essen musste. Sie durfte nicht nachlässig sein, als Diabetikerin musste sie auf sich achten.

Nora erhob sich und versuchte, das ungute Gefühl zu verdrängen, während sie zurück zum Haus ging.

Bald würde sie sich endlich schlafen legen können, aber vorher mussten Adam und Simon noch zu Abend essen. In ihrer Tasche fand sie zwei verknitterte Hunderter. Vielleicht konnten die Jungs sich Hamburger holen, dann brauchte sie nicht zu kochen.

In der Gesäßtasche ihrer Shorts vibrierte ihr Handy, sie zog es heraus und warf einen Blick aufs Display. Monica.

Sie drückte den Anruf weg.

Thomas gähnte und warf einen Blick zur Uhr, fünf nach sechs. Das PKC lag im Schatten, die Sonne wurde vom Nachbarhaus verdeckt.

Margit und er waren immer noch allein im Haus. Am nächsten Tag würden die Zivilangestellten eintreffen und Anzeigen über Verbrechen im ganzen Land entgegennehmen. An den Arbeitsplätzen waren die Monitore bereits aufgebaut, aber bisher war noch alles still und ruhig.

»Was denkst du über Christoffer Hökströms Bruder?«, fragte Margit. »Interessant, dass er sich kürzlich mit Victor gestritten hat.«

Sie zeigte mit dem Stift auf eine Notiz in ihrem Block.

»Außerdem hat er kein Alibi, zumindest kann sein Bruder ihm keins geben.«

»Wir müssen mit diesem Mädchen reden, Tessan, bevor wir irgendwas mit Sicherheit sagen können«, wandte Thomas ein.

Margit überlegte.

»Vielleicht hat er sich so sehr über seinen Freund geärgert, dass ihm die Sicherung durchgebrannt ist«, sagte sie.

»Das ist möglich, aber ist es auch wahrscheinlich?«

Thomas griff nach der Tafel Schokolade, die sie vorhin beim Kiosk am Dampfschiffkai gekauft hatten, und brach sich ein großes Stück ab. Er brauchte neue Energie.

»Wir haben drei Jugendliche, die kein Alibi vorweisen können«, sagte er. »Weder Ebba, Felicia noch Tobbe haben jemanden, der ihre Angaben bestätigen kann. Alle drei könnten in die Sache verwickelt sein.«

Er dehnte den Hals, bis es knackte.

»Die technische Analyse dürfte jedenfalls interessant werden«, sagte Margit. »Morgen wissen wir mehr. Ich hoffe, sie finden etwas, das uns weiterbringt. Wann geht die nächste Fähre, sagtest du?«

»Gegen sieben.«

»Wollen wir versuchen, sie zu erreichen und zum Festland fahren?«

»Ich nicht.« Thomas schüttelte den Kopf. »Ich muss zurück nach Harö. Ich nehme morgen früh die erste Fähre.«

Thomas sehnte sich nach Pernilla und Elin. Es hatte ihm zugesetzt, Johan Ekengreen zuzusehen, wie er von seinem toten Sohn Abschied nahm. Thomas wollte seine kleine Tochter im Arm halten.

»Sollen wir uns nicht Tobias vorknöpfen, bevor wir Feierabend machen?«, fragte Margit. »Mich würde interessieren, was er zu dem Streit mit Victor Ekengreen zu sagen hat. Außerdem brauchen wir auch noch Tessans Nachnamen.«

Thomas zögerte. Sie hatten ihn schon einmal ohne die Anwesenheit eines Erziehungsberechtigten befragt. Sie durften es nicht übertreiben, zumal der Vater Rechtsanwalt war.

Andererseits bot es sich an, die Gelegenheit zu nutzen, solange der Junge auf der Insel war.

Er nickte, und Margit griff zum Telefon.

»Komisch«, sagte sie nach einer Weile. »Er meldet sich nicht.«

»Versuch es mal bei seinem Bruder.«

Sie blätterte in ihrem Notizblock und fand die Nummer.

»Der geht auch nicht ran«, sagte sie verwundert.

»Dann müssen wir wohl zum Boot gehen und ihn abholen«, sagte Thomas und erhob sich.

Sie brauchten nur ein paar Minuten vom PKC zum KSSS-Hafen. Inzwischen waren noch mehr Liegeplätze an den Stegen frei geworden.

Die Lücke, die das Boot der Brüder Hökström hinterlassen hatte, war schon von Weitem zu sehen.

Kapitel 46

Johan Ekengreen saß am Esstisch der Villa auf Lidingö. In der großen Küche sah es aus wie immer. Auf den Fensterbänken standen Grünpflanzen, im Erker reihten sich Töpfe voller Kräuter aneinander. In der Obstschale lagen Nektarinen und Pfirsiche, und Madeleine hatte eine Vase mit schönen Schnittblumen hingestellt.

Alles war genau wie immer.

Nur dass Victor tot war.

Johan schlang sich die Arme um den Leib und wiegte den Oberkörper vor und zurück, während ein klagender Laut aus seiner Kehle kam.

Er wurde das Bild von der lang gestreckten Gestalt auf der Pritsche nicht los. Vom leblosen Gesicht seines Sohnes, dem geronnenen Blut, das seine Haare verklebte.

Der Kühlschrank summte leise im Hintergrund. Das war das einzige Geräusch, das an sein Ohr drang.

Madeleine schlief im Obergeschoss. Ein guter Freund, der Arzt war, hatte ihr starke Schlaftabletten verschrieben.

Johan war dankbar dafür.

Madeleine war so verzweifelt gewesen, als sie von Sandhamn abfuhren, dass er Angst hatte, sie würde sich über Bord stürzen. Als sie endlich zu Hause ankamen, war Johan am Ende seiner Kräfte. Gott sei Dank hatte der befreundete Arzt schon vor der Tür gewartet. Es war eine Erleichterung, als Madeleine im Doppelbett einschlief und er sie nicht länger bewachen musste.

Er hatte an ihrem Bett gesessen, bis er sicher war, dass sie tief und fest schlief. Trotz der Tabletten wurde ihr Körper, noch lange nachdem sie eingeschlafen war, immer wieder von Schluchzern geschüttelt.

Johan fiel es schwer, mit Madeleines grenzenlosem Kummer umzugehen. Er verzerrte ihre Gesichtszüge und verwandelte seine schöne Frau in ein ältliches Klageweib. Eine Fremde mit zitterndem Mund und gebrochener Stimme.

Johan hasste die Art, wie seine Frau sich gehen ließ. Das war würdelos. Seine eigene Trauer wurde nicht dadurch geringer, dass er sie zügelte. Aber er konnte den Schrei, der ihn innerlich zu zerreißen drohte, nicht herauslassen.

Das wagte er nicht.

Erschöpft stand Johan auf und zapfte sich ein Glas Eiswasser aus dem Spender in der Kühlschranktür. Er trank einige Schlucke, dann kehrte er zu seinem Stuhl zurück und legte den Kopf in die Hände.

Die Küche lag im Dunkeln, lange Schatten krochen die Wände hinauf, aber er konnte sich nicht überwinden, das Licht einzuschalten. Er musste Ellinor erreichen, bevor es zu spät wurde. Sie hatte das Mittsommerwochenende bei guten Freunden in Skåne verbracht und würde erst morgen nach Hause kommen.

Nicole anzurufen war irgendwie leichter gewesen. Fünfzehn Jahre lagen zwischen seiner ältesten Tochter und ihrem toten Halbbruder. Sie war erwachsen, und genauso konnte er mit ihr reden.

Nicole hatte angeboten, das nächste Flugzeug nach Hause zu nehmen. Johan hatte abgewehrt, das war nicht nötig, es reichte, wenn sie zur Beerdigung kam.

Wann immer die nun stattfinden konnte. Es stand noch nicht einmal fest, wann die Leiche freigegeben werden würde. Wenn Madeleine das erfuhr, würde sie endgültig zusammenbrechen. Sie war katholisch, ihre Tradition verlangte, dass die Beerdigung fünf bis sechs Tage nach dem Tod erfolgen musste.

Darüber konnte er jetzt nicht nachdenken. Ihm graute vor dem Gespräch mit Ellinor.

Bei der Vorstellung, seiner achtzehnjährigen Tochter mitteilen zu müssen, was passiert war, wurde ihm schlecht.

Seine hübsche Ellinor hatte sich immer um ihren kleinen Bruder gekümmert. Die beiden hatte eine ganz besondere Beziehung verbunden. Obwohl sie im Laufe der Jahre viele Kindermädchen gehabt hatten, war es immer Ellinor gewesen, die Victor eine Gutenachtgeschichte vorgelesen hatte, wenn er und Madeleine verreist waren.

Und das waren sie oft gewesen.

Seit Ellinor auf Lundbergs Internat gekommen war, hatte Victor seine Abende allein verbringen müssen.

Johan blickte sich in der großen Küche um. Der weiße Raum wirkte unpersönlich; er war schön, elegant, aber sicherlich nicht gemütlich.

Wie oft hatte Victor hier ganz allein gesessen, über einer Mahlzeit, die er sich in der Mikrowelle aufgewärmt hatte, weil seine Eltern mal wieder nicht zu Hause waren?

Die Schuldgefühle übermannten Johan, und er verzog das Gesicht. Er schlug so heftig mit der Faust auf den stabilen Eichentisch, dass sie taub wurde.

Aber der physische Schmerz war immer noch besser als der Schmerz in seiner Brust.

Es gab so vieles, was sie anders hätten machen können, so viele Entscheidungen, die er jetzt bereute.

Johan spürte salzige Tränen auf der Oberlippe, aber er machte sich nicht die Mühe, sie abzuwischen. Es spielte keine Rolle.

Nichts konnte irgendwas wiedergutmachen.

Nach einer ganzen Weile zog er das Handy aus der Tasche. Er konnte den Anruf nicht länger aufschieben.

Seine Finger zitterten, als er Ellinors Nummer wählte. Tief im Innern hoffte er, dass sie nicht abnahm, dass ihm noch eine Gnadenfrist blieb.

Aber nach nur zwei Klingelsignalen hörte er die Stimme seiner Tochter.

»Hallo, Papa.«

Sie klang so unbeschwert. Für einen Moment schnürte es ihm die Luft ab.

»Ich kann nicht«, flüsterte er vor sich hin, und seine Schultern zuckten vor unterdrücktem Weinen.

Dann ließ der Krampf in seiner Brust nach.

»Ellinor«, sagte er dumpf. »Ich muss dir etwas Schreckliches mitteilen.«

Ebba lag im Bett. Es gab nichts, was sie lieber wollte als schlafen, einfach wegdämmern und nicht mehr an all das denken, was in den letzten vierundzwanzig Stunden passiert war. Aber ihre Hände ballten sich unter der Bettdecke, und ihre Nackenmuskeln waren so angespannt, dass es wehtat.

Sie kam einfach nicht zur Ruhe.

Ebba wälzte sich herum, fand aber keine bequeme Lage. Das Kopfkissen kam ihr zerknüllt vor und die Bettdecke zu dünn, sie fror trotz des warmen Flanellnachthemds und obwohl der Juniabend mild war. Nach einer Weile holte sie die Tagesdecke und breitete sie über dem Bett aus, aber wärmer wurde ihr dadurch auch nicht.

Ein Bild nach dem anderen tauchte vor ihren Augen auf.

Tobbe, der mit Tessan knutschte, Victor, der sein Glas wutentbrannt auf den Tisch knallte, Felicias Weinen.

Sie erinnerte sich an den sonnenüberfluteten Strand, an das Gefühl, der einsamste Mensch auf der Welt zu sein.

Wie konnte das alles nur so schiefgehen?

Sie sehnte sich nach Tobbe, aber es war zwecklos, das wusste sie. War er wieder zu Hause, oder noch auf Sandhamn? Egal, er machte sich sowieso nichts mehr aus ihr.

Das Handy lag auf dem Nachttisch, sollte sie es wagen, ihm eine SMS zu schicken?

Sie streckte die Hand aus, zog sie aber wieder zurück. Er wollte ja doch nichts mehr von ihr wissen.

Ebba schloss die Augen, aber da sah sie Victor vor sich. Er lag im Sand, mit Blut im Gesicht und leerem, leblosem Blick.

Victor war tot, nichts konnte daran etwas ändern. Er war tot, und alles war zu spät.

Kapitel 47

Christoffer erkannte die Gestalt schon von Weitem, als er das Boot aus der Fahrrinne steuerte und die Pontons in Sicht kamen. Ihr Vater wartete auf dem Steg.

Mit der rechten Hand nahm Christoffer Gas weg. Bis zum Heimathafen, wo der Sunseeker für gewöhnlich zwischen zwei festen Y-Auslegern vertäut lag, waren es nur noch ein paar Hundert Meter, und von dort nur noch fünf Minuten Fußweg bis nach Hause.

Die Fahrt von Sandhamn hatte fast anderthalb Stunden gedauert. Tobbe hatte unterwegs nicht viel gesagt, sondern nur dagesessen und aufs Wasser gestarrt.

Sie waren in den Lemmingzug aus Freizeitbooten geraten, die auf dem Rückweg vom Mittsommerwochenende waren. Es hatte Christoffers ganze Konzentration erfordert, das Boot zu steuern und gleichzeitig genügend Abstand zu den anderen Heimkehrern zu halten. Dass die kräftige Abendsonne ihm direkt in die Augen schien, hatte die Sache nicht gerade erleichtert.

Nach der Vernehmung bei der Polizei hatte er zu seinem Handy gegriffen und lustlos die Nummer seines Vaters gewählt, genau wie die Polizisten es ihm geraten hatten.

Als er ihm berichtete, was vorgefallen war, hatte Arthur Hökström ihnen befohlen, die Insel sofort zu verlassen.

Christoffer hatte versucht zu protestieren.

»Die Polizei hat gesagt, dass wir bleiben sollen. Anscheinend wollen sie noch mal mit Tobbe reden.«

»Hörst du nicht, was ich sage«, war Arthur ihm ins Wort gefallen. »Ihr verlasst Sandhamn auf der Stelle. Da gibt es gar keine Diskussion.«

Christoffer schluckte. Was hatte er erwartet? Sein Vater hatte genauso stur und kalt geklungen wie bei Gericht. Ihm blieb nichts anderes übrig, als zu gehorchen.

Jetzt stand Arthur da, um sie in Empfang zu nehmen.

Man konnte nicht sehen, was er dachte. Dunkle Gläser verbargen seine Augen. Seine Miene war versteinert.

Sie waren nur noch fünfzig Meter vom Liegeplatz entfernt, und Christoffer rief Tobbe durch den Motorenlärm zu:

»Kannst du zum Bug gehen und die Leine nehmen, wenn wir anlegen?«

Sein Bruder reagierte nicht. Christoffer streckte den linken Arm aus und stieß ihn an. Wie ein Schlafwandler verließ Tobbe seinen Sitz und kletterte über die Windschutzscheibe aufs Vorderdeck. Seine Augen waren rot gerändert.

Christoffer verlangsamte die Fahrt bis zum Leerlauf. Der Abstand zum Liegeplatz wurde immer geringer. Langsam glitt der Rumpf zwischen die Ausleger, und als sie ihre Position fast erreicht hatten, legte er den Rückwärtsgang ein, sodass das Boot schließlich einen halben Meter vor der Stegkante zum Stehen kam.

Tobbe hockte an der Reling und griff nach der Leine, die sein Vater ihm hinhielt. Als er sie festgemacht hatte, sprang er von Bord und landete vor seinem Vater.

»Was hast du der Polizei gesagt?«, fragte Arthur sofort.

Seine Stimme war aufgebracht und laut genug, dass Christoffer, der das Boot achtern vertäute, jedes Wort verstand.

Er musste an den Tag denken, als Tobbe im Nachbarhaus ein Fenster eingeschlagen hatte. Der Vater hatte den Neunjährigen so hart geohrfeigt, dass es den Jungen umwarf. Tobbe war verzweifelt gewesen und hatte sich den ganzen restlichen Tag in der Garage versteckt. Christoffer war damals dreizehn gewesen, fast vierzehn, und schon ziemlich kräftig, aber er hatte sich nicht getraut, einzugreifen.

»Papa«, erwiderte Tobbe.

Christoffer hörte, dass seinem Bruder das Weinen im Hals saß.

»Antworte! Was hast du der Polizei gesagt, als sie dich vernommen haben?«

Arthur packte ihn an den Schultern und schüttelte ihn. Es sah aus, als sei er kurz davor, Tobbe zu schlagen.

Christoffer ließ die Leine los und ging zum Bug. Das Gesicht seines Vaters war nur Millimeter von dem seines Bruders entfernt.

»Wie zur Hölle konntest du so dumm sein, mit der Polizei zu reden, ohne dass ich dabei bin?«, brüllte er.

Kapitel 48

Jonas hatte neben Wilma am Fußende des Bettes gesessen, bis sie eingeschlafen war. Ehe er wusste, wie ihm geschah, war er selbst eingenickt, den Kopf an die Wand gelehnt.

Als er aufwachte, war es fast zehn Uhr abends. Draußen dämmerte es bereits, in einer halben Stunde würde die Sonne untergehen.

Benommen schüttelte er sich. Wilma schlief fest, die Bettdecke bis unters Kinn gezogen. Er strich ihr über die Wange, ohne dass sie reagierte, und stand vorsichtig vom Bett auf.

Nachdem er die Tür zu Wilmas Zimmer leise hinter sich zugemacht hatte, ging er hinunter in die Küche und öffnete den Kühlschrank. Der war fast leer, aber im Getränkefach standen noch ein paar Flaschen Bier. Das musste genügen, er hatte sowieso keinen großen Hunger.

Mit der Bierflasche in der Hand ging er ins Wohnzimmer und setzte sich aufs Ecksofa. Der Strom war wieder da, aber er machte trotzdem kein Licht, sondern blieb im Halbdunkel sitzen.

Tat er das, damit Nora nicht sehen sollte, dass er auf war? Jonas wusste es selbst nicht. Aber er sah, dass Licht aus ihrem Küchenfenster fiel, in der Brand'schen Villa war noch jemand wach.

Er trank einen Schluck Bier und drehte die Flasche zwischen den Händen.

Die Frage, die er sich vor ein paar Stunden schon gestellt hatte, ließ ihm keine Ruhe. Warum hatte er nicht gemerkt, wie Wilma zu Nora stand?

Er versuchte sich zu erinnern, wie es im Frühjahr gewesen war. Hatte Nora sie schlecht behandelt? Er schüttelte den Kopf. Nora hatte versucht, sich mit seiner Tochter anzufreunden, genauso wie er sich bemüht hatte, Adam und Simon kennenzulernen.

Von dem Moment an, als sie ihren Kindern gesagt hatten, dass sie zusammen waren, hatten sie ihr Bestes getan, damit alles funktionierte. Am Anfang waren sie ein bisschen unsicher gewesen, aber nach einer Weile lief es ganz gut. Nora und er waren sich einig darin, nichts zu überstürzen.

Das Osterwochenende hatte er mit Nora und den Kindern auf Sandhamn verbracht. Sie hatten jeder in ihrem Haus gewohnt, aber gegessen hatten sie zusammen. Wilma war gereizt und missmutig gewesen, aber nicht mehr als andere Teenager auch.

Jetzt fragte er sich, ob das damals nicht schon die ersten Anzeichen waren.

Die Vorstellung, dass sie sich im Wald verkrochen hatte, weil er mit Nora zusammen war, machte ihm zu schaffen. Er hätte merken müssen, was los war. Er war erwachsen, sie war immer noch ein Kind.

Margots Wutausbruch gellte ihm noch in den Ohren.

»Wie konntest du sie einfach so gehen lassen? Sie ist erst vierzehn! Das hätte ich nicht von dir gedacht, Jonas, ich bin wirklich enttäuscht. Du musst dich um deine Tochter kümmern!«

Er sah Wilma vor sich, allein und frierend durch die Sommernacht irrend, so verzweifelt, dass sie sich nicht einmal meldete.

Das machte ihm Angst.

Noras Gesicht tauchte wieder auf. Hatte er in den letzten Monaten in einer Seifenblase gelebt?

Zum ersten Mal seit vielen Jahren hatte er sich ernsthaft verliebt. Vielleicht war das der Grund, dass er sich hatte mitreißen lassen. Wilma wurde größer, und es war so absehbar, dass er sie nur noch ein paar Jahre haben würde. Bald würde sie zu Hause ausziehen und ihr eigenes Leben leben.

Was würde er dann machen? Als Mann von fast vierzig, dessen einziges Kind aus dem Haus war?

Als sie geboren wurde, war er noch keine zwanzig gewesen, er war viel früher als alle anderen Vater geworden. Damals passte er nicht ins Schema, und heute passte er nicht ins Schema. Erst viel später hatten seine Freunde eine Familie gegründet und Kinder bekommen. Jetzt klagten sie über durchwachte Nächte und nächtliche Koliken, während er sich mit Teenagerproblemen und der Pubertät herumschlug.

Gut vierzehn Jahre lang hatte er sein Leben nach Wilma ausgerichtet. Aber nun sehnte er sich nach etwas Dauerhaftem. Nach etwas anderem als den kurzen Affären mit wechselnden Frauen, die er in den letzten zehn Jahren gehabt hatte.

Nora gegenüber hatte er sich auf eine Weise geöffnet, wie er es sehr lange nicht mehr getan hatte. Es war fantastisch gewesen, nachzugeben und sich richtig zu verlieben.

Nora.

Er brauchte nur an sie zu denken, und schon sehnte er sich nach ihr. Aber er konnte seine neue Liebe nicht über seine Tochter stellen.

Thomas fuhr im Bett hoch. Er war schweißgebadet, und die dünne Sommerdecke war ganz nass an den Stellen, wo sie auf seiner Haut gelegen hatte.

Lebte Elin?

Er drehte den Kopf und hörte schnaufende Atemzüge.

Sein Traum war in einen Albtraum umgeschlagen. Erst hatte er geträumt, dass Elin in seinem Arm lag, rosig und zufrieden. Im nächsten Moment hatte sie sich in Emily verwandelt, die im Begriff war zu ersticken. Sie strampelte und war blau angelaufen. Als er helfen wollte, passierte gar nichts, sie rang nach Luft, obwohl er versuchte, seinen Atem in ihren kleinen Mund zu blasen. Er war verzweifelt, als seine Tochter ihm im Traum aus dem Arm glitt und verschwand.

Das Bild des Kindes, das in seinen Armen erstickte, war immer noch da.

Thomas zwang sich, ruhiger zu atmen. Es war nur ein Traum gewesen, nichts Reales. Seiner Familie ging es gut. Obwohl es dunkel war, konnte er sie erkennen. Elin lag in ihrem Gitterbettchen und Pernilla schlief tief und fest neben ihm. Alles war wie immer.

Die Ziffern des Weckers leuchteten ihm entgegen, nur noch drei Stunden, bis er aufstehen musste, um die erste Fähre nach Stavsnäs zu nehmen.

Er musste wirklich schlafen, aber die Angst wollte nicht weichen. Sein Herz klopfte wild. Er drehte das Kopfkissen um, sodass die feuchte Seite unten lag.

Er legte sich auf den Rücken, verschränkte den Arm unter dem Kopf und versuchte, sich zu entspannen. Es war nichts zu hören außer den tiefen Atemzügen neben ihm. Ein Insekt, das durch das offene Fenster hereingekommen war, flog leise surrend über ihn hinweg.

Pernilla kuschelte sich im Schlaf an ihn, und Thomas strich ihr mit den Lippen über die nackte Schulter, von der das Nachthemd ein

Stück herabgeglitten war. Ein Duft von frisch gewaschenem Haar und Apfelblüten stieg ihm in die Nase.

Er war so dankbar, dass er nicht mehr allein war.

»Ich liebe dich«, flüsterte er.

Montag

Kapitel 49

Das Geräusch lauter Hammerschläge vom Nachbargrundstück weckte Nora. Nach Mittsommer sollten alle Bauarbeiten im Dorf ruhen, aber so mancher Sünder, der nicht rechtzeitig fertig geworden war, kümmerte sich nicht darum.

Sie lag mit dem Kopf direkt auf dem Laken, das Kopfkissen hatte sie im Schlaf auf den Fußboden befördert.

Achtundvierzig Stunden zuvor hatte Jonas neben ihr gelegen, jetzt war sein Platz leer.

Nora schlug die Bettdecke zurück und ging zum großen Fenster. Was für ein schöner Morgen. Ein kleines Boot tuckerte vorbei, im Bug ein Haufen Netze, aber man konnte nicht erkennen, ob der Fang gut war.

Wehmut überkam sie, und sie legte die Stirn an die Fensterscheibe. Die war kühl auf der Haut und ein wenig uneben, so wie altes Glas oft war.

Jonas hatte gestern Abend nichts von sich hören lassen. Sie hatte versucht, durchs Küchenfenster zu sehen, ob bei ihm Licht war, hatte aber kein Lebenszeichen entdecken können. Da er sich nicht gemeldet hatte, wollte sie ihn nicht stören.

Jetzt war sie hellwach und wusste, dass sie nicht wieder würde einschlafen können, obwohl es erst sieben Uhr war.

In den vergangenen sechs Monaten war sie so glücklich gewesen wie seit vielen Jahren nicht mehr. Ich verdiene so ein Glück gar nicht, hatte sie manchmal gedacht.

Jonas' Rücksichtnahme und seine unkomplizierte Art waren Balsam nach den Jahren mit Henrik. Das hatte geholfen, ihre Wunden nach der Scheidung zu heilen, sie fühlte sich nicht mehr ausgenutzt und weggeworfen. In ihrer neuen Gemütsverfassung hatte sie aufgehört, ständig über ihre missglückte Ehe nachzugrübeln. Und sie war nicht mehr verzweifelt, wenn jemand Henrik und Marie in einem Atemzug erwähnte.

Mit Jonas begann sie daran zu glauben, dass eine andere Art Leben möglich war. Ein Leben, in dem sie und Henrik glücklich sein konnten, wenn auch jeder für sich.

Jonas hatte ihr Kraft gegeben, von vorn anzufangen, und so langsam betrachtete sie sich und die Jungs als eigene kleine Familie.

Sie stand endlich auf eigenen Beinen, mit oder ohne Jonas. Er hatte ihr dazu verholfen.

Aber sie wollte ihn jetzt nicht verlieren.

Carl-Henrik Sachsen zog sich ohne Eile die Gummihandschuhe an. Er hatte in aller Ruhe gefrühstückt, es gab keinen Grund, die wichtigste Mahlzeit des Tages zu verkürzen, nur weil die Arbeit rief.

Zwei Scheiben Brot mit Käse und Schinken, ein Fruchtjoghurt und dazu starker Kaffee. Das war die erste von vielen Tassen am Tag; auf weniger als acht Tassen Kaffee kam er selten, oft wurden es mehr.

Seine schnittlauchglatten, etwas zu langen Haare hingen bis auf den Kragen seines weißen Kittels. Eine kahle Stelle zeugte davon, dass er nicht mehr der Jüngste war, er wurde demnächst neunundfünfzig. Noch sechs Jahre bis zur Rente. Er wusste nicht, ob er sich davor fürchten oder sich darauf freuen sollte.

»Bist du so weit?«, rief er seinem Assistenten Axel Ohlin zu, der seit fast einem halben Jahr in der Rechtsmedizin arbeitete. Ohlin war ein hagerer, stiller Typ, der nicht viel Aufhebens von sich machte.

»Holst du den Neuzugang?«, rief Sachsen wieder.

Es war Viertel nach sieben Uhr morgens, Sachsen war ein Frühaufsteher.

Nach wenigen Minuten erschien Ohlin mit einer Rollbahre, die er in die Mitte des hellgrauen Raums schob, in dem Sachsen wartete.

Auf dem Arbeitstisch an der Längswand stand ein eingeschalteter Computer.

»Also dann«, sagte Sachsen. »Werfen wir einen Blick darauf.«

Er zog das Tuch ab, das den nackten Körper bedeckte.

»Sind alle Fotos im Kasten? Können wir anfangen?«

Axel Ohlin nickte.

Der Rechtsmediziner umrundete die Leiche mit dem Diktafon in der Hand. Er legte großen Wert darauf, den ersten Eindruck festzuhalten, das, was sich nie wieder herstellen ließ, wenn das Skalpell erst Muskeln und Sehnen durchtrennt hatte.

»Wir schauen dich jetzt mal ein bisschen genauer an«, sagte er und kniff leicht in die Haut.

Gleich würde er Gewebe freilegen, Körperflüssigkeiten auffangen und Proben entnehmen, um sie an das kriminaltechnische Labor nach Linköping zu schicken. Organ für Organ musste herausgenommen, gewogen und vermessen werden.

»Aber wir flicken dich wieder zusammen«, murmelte er vor sich hin. »Du wirst richtig gut aussehen. Wie neu.«

Wenn Sachsen mit der Obduktion fertig war, würde die Haut sorgfältig wieder zusammengenäht werden. Für den Laien würde der Tote fast wie normal aussehen.

Aber noch war Victor Ekengreen unangetastet.

Von der Seite aus betrachtet war die blutige Wunde nicht zu sehen, und da die Augen des Jungen geschlossen waren, konnte man fast meinen, er schliefe. Er ist noch so jung, dachte Sachsen und nahm für einen Moment die Untersuchungsbrille ab. Die armen Eltern.

Dann schob er den Gedanken beiseite, fast so, als sei ihm die Realität zu nahe gekommen, und sagte in forschem Tonfall zu seinem Assistenten: »Gut, fangen wir an. Beschreibe mir, was wir hier vor uns haben.«

Sein junger Helfer kam einen Schritt näher, sodass er direkt vor Victor Ekengreen stand.

Das blonde Haar war teilweise nach hinten gefallen, und unter der bleichen Haut schimmerte ein feines Muster aus bläulichen Adern. Der Körper lag auf der Seite, der Hals war entblößt und der Hinterkopf sichtbar.

Sachsen warf Ohlin einen auffordernden Blick zu.

»Was siehst du?«

»Er hat eine Fraktur, die über einen größeren Bereich der Sutura coronalis bis hinunter zum Sinus frontalis verläuft.«

»Völlig richtig, er hat eine große Schädelfraktur. Weiter.«

Der Assistent tat sein Bestes, die Verletzungen zu beschreiben.

Als Ohlin den Kopf des toten Jungen anhob, um ihn besser untersuchen zu können, entdeckte Sachsen etwas, das ihm bisher entgangen war.

Er ging näher heran und beugte sich über die Leiche.

»Was haben wir denn da?«, murmelte er.

Kapitel 50

»Morgen, Thomas«, grüßte Karin Ek, als Thomas den Besprechungsraum im dritten Stock betrat. »Kommst du direkt von Harö?«

»Mit der ersten Fähre«, sagte er mit einem Augenzwinkern.

Um Viertel vor sieben war er in Stavsnäs angekommen, von dort hatte er nur eine gute halbe Stunde bis zur Polizeistation in Nacka gebraucht.

»Wie geht es Pernilla und Elin?«

Für ihre Assistentin Karin war es ganz selbstverständlich, über die Familie zu sprechen. Sie selbst hatte drei sportvernarrte Teenager-Söhne, die andauernd zu irgendwelchen Trainings gefahren werden mussten. Als Elin geboren wurde, hatte sie einen hübsch eingewickelten Strampler geschenkt.

»Bestens«, erwiderte Thomas. »Beide haben noch geschlafen, als ich losgefahren bin.«

Ein Fluch unterbrach ihre Unterhaltung.

»Scheiße!«

Das war Margit. Schwarzer Kaffee ergoss sich aus ihrer umgefallenen Tasse über den Tisch.

»Hier.« Karin reichte ihr eine Rolle Küchenpapier.

Thomas ging um den Tisch herum und setzte sich neben seine Kollegin.

»Sonst alles klar bei dir?«

Margit antwortete nicht, sie war damit beschäftigt, den Kaffee aufzuwischen, bevor er alle Unterlagen durchweichte.

Die Tür ging auf und die beiden jungen Kriminalkommissare Erik Blom und Kalle Lidwall kamen herein. Wie üblich hatte Erik Blom seine dunklen Haare mit Gel nach hinten gekämmt. Er war schon richtig braun gebrannt.

»Morgen«, sagte er gut gelaunt und steckte seine Sonnenbrille in die Brusttasche.

Kalle Lidwall, der Jüngste im Team, hob grüßend die Hand, sagte aber nichts. Es kam selten vor, dass er etwas Persönliches von sich erzählte. Thomas wusste erstaunlich wenig über den Kollegen, obwohl sie seit mehreren Jahren zusammenarbeiteten. Aber seine Ordnungsliebe war auffallend, auf seinem Schreibtisch lag nicht ein unnötiges Blatt Papier, wie Thomas des Öfteren mit einem gewissen Neid festgestellt hatte.

»Hast du den neuen Kollegen gesehen? Anjou?«, fragte Thomas Karin.

»Er ist drinnen beim Alten.«

Niemand sprach von Göran Persson, dem Chef des Dezernats, anders als vom »Alten«.

Wieder ging die Tür auf, und der Alte kam herein. Hinter ihm tauchte Anjou auf. Er sah immer noch erledigt aus.

Thomas warf ihm einen aufmunternden Blick zu.

»Guten Morgen zusammen«, sagte der Alte und zog einen Stuhl hervor. Er nahm an der Längsseite des Tisches Platz, gegenüber von Thomas und Margit.

»Das ist Harry Anjou«, fuhr er fort und machte eine Handbewegung in Anjous Richtung. »Er kommt von der Ordnungspolizei und fängt heute bei uns an. Er hat über das Mittsommerwochenende Dienst auf Sandhamn gemacht, von daher passt es gut, dass er in die aktuelle Ermittlung eingebunden wird.«

Der Alte streckte sich nach dem Teller mit Milchsemmeln, den Karin hingestellt hatte. Bei seinem Körperumfang war das wahrscheinlich das Letzte, was er essen sollte, dachte Thomas. Sein hochrotes Gesicht verriet, dass er in der Risikozone lag, in der er jederzeit einen Herzinfarkt erleiden konnte. Seine Cholesterinwerte mussten gigantisch sein.

Aber auch Thomas war dankbar für die Brötchen, er hatte kein Frühstück gehabt. Nachdem er wieder eingeschlafen war, hatte er den Wecker nicht gehört und um ein Haar die Fähre verpasst. Auf dem Schiff hatte er dann die halbe Strecke nach Stavsnäs gedöst.

»Harry, du kannst dich dem Rest der Gruppe wohl ein bisschen näher vorstellen«, sagte der Alte.

Der Neue nickte den Kollegen zu. Er strich sich über die Wange, auf der ein dunkler Schatten von kräftigem Bartwuchs zeugte. Thomas musste unwillkürlich an die Wallonen denken, die im siebzehnten Jahrhundert nach Schweden eingewandert waren. Sowohl der Name als auch Anjous untersetzte Gestalt deuteten auf etwas in der Richtung hin.

»Ja, also ich heiße Harry Anjou«, begann er. »Ich bin zweiunddreißig und wohne seit letztem Herbst in Stockholm.«

Der Norrland-Dialekt war unverkennbar. Seine wallonischen Vorfahren musste es weit in den Norden verschlagen haben.

»Ich war gerade sechs Monate bei der Ordnungspolizei. Da ich Kombinationsdienst mache, ist es jetzt Zeit, zu euch zu wechseln. Ich freue mich darauf.«

»Woher kommst du?«, fragte Margit.

»Aus Ånge. Nach der Polizeihochschule war ich ein paar Jahre als Polizist im Distrikt tätig, aber die meisten zieht es ja bekanntermaßen weg.«

Er zuckte die Schultern, als ginge er davon aus, dass alle Anwesenden über die Abwanderungsproblematik in Norrland Bescheid wussten.

»Ich wollte mal eine Weile in die Großstadt. Die Elchjagd kann warten.«

Er lächelte schief.

»Hast du Familie?«, fragte Karin.

Harry Anjou schüttelte den Kopf. Er hatte einen markanten Unterkiefer und dunkle Augenbrauen, die sich von der blassen Haut abhoben.

»Nein. Noch nicht.«

»Willkommen im Team«, sagte Thomas. »Harry und ich haben uns auf Sandhamn kennengelernt«, erklärte er den anderen in der Gruppe.

Er wandte sich wieder an Harry Anjou.

»Ihr habt da draußen einen guten Job gemacht. Muss eine Menge los gewesen sein am Wochenende.«

»Ja, das ist wohl wahr«, sagte Anjou und rieb sich müde die Nase.

»Okay«, sagte der Alte. »Dann hätten wir das auch geklärt. Können wir mal zusammenfassen, was wir im Moment haben? Es ist doch wirklich zum Mäuse melken, dass so was immer genau dann anfällt, wenn die Urlaubszeit bevorsteht.«

Thomas gab einen übersichtlichen Bericht über die vergangenen vierundzwanzig Stunden. Karin hatte die Fotos vom Leichenfundort bereits an die Wand gepinnt. Thomas zeigte auf eine Nahaufnahme von Victor Ekengreen unter den Zweigen.

»Die meisten Spuren deuten darauf hin, dass Victor ermordet wurde«, sagte er. »Aber es wird nicht einfach sein, das nachzuweisen. An diesem Wochenende wimmelte die Insel von Menschen, und zwar überwiegend von Kurzbesuchern. Es wird eine richtige Puzzlearbeit sein, Zeugen aufzutreiben.«

Er wandte sich an Margit.

»Willst du noch was hinzufügen?«

»Wir haben nicht viel in der Hand, was das Motiv und die Person des Täters betrifft«, sagte sie. »Bisher wissen wir nur, dass Victor sich vor einiger Zeit mit seinem besten Freund gestritten hat, Tobias Hökström, der auch mit der Gruppe auf der Insel war.«

»Wann ist die Obduktion?«, fragte Kalle.

»Hoffentlich heute schon.«

»Ich habe alle Papiere an die Rechtsmedizin gefaxt«, sagte Karin.

»Und ich rufe Sachsen an, wenn wir hier fertig sind«, sagte Thomas.

»Wir sehen uns jetzt die Clique genauer an, die auf Sandhamn Mittsommer gefeiert hat«, sagte Margit. »Nach der alten Theorie über Täter-Opfer-Beziehungen sind Tobias Hökström, den ich eben erwähnt habe, und Victors Freundin Felicia Grimstad im Moment am interessantesten.«

Thomas dachte an den schnellen Blickwechsel zwischen den Brüdern. An den ängstlichen Ausdruck in Tobias' Augen, und wie er Unterstützung bei seinem Bruder gesucht hatte. Da mussten sie ansetzen und bohren.

Laut sagte er:

»Jemand muss nach Sandhamn fahren und mit den Leuten auf der Insel reden. Irgendjemand da draußen muss etwas gesehen oder gehört haben. Ich weiß, dass gestern schon einige Leute angesprochen wurden, aber wir sind noch längst nicht fertig.«

»Das kann ich übernehmen«, sagte Erik Blom.

Er wandte sich an den neuen Kollegen.

»Willst du mitkommen?«

Harry Anjou schien nicht gerade begeistert. Thomas vermutete den Grund darin, dass Anjou, ebenso wie er selbst, gerade erst nach einigen intensiven Tagen im Schärengarten aufs Festland zurückgekommen war.

»Nimm Kalle mit«, sagte der Alte. »Harry kann heute erst mal hierbleiben. Was wir jetzt brauchen, sind Informationen über Victor Ekengreen. Wir müssen sein gesamtes Leben durchleuchten. Fang so schnell wie möglich damit an, Harry.«

»Geht klar«, erwiderte Harry Anjou.

Thomas hätte schwören können, dass Dankbarkeit in seinen Augen aufblitzte.

»Charlotte Ståhlgren übernimmt die Anklage«, sagte der Alte. »Margit und Thomas, sorgt ihr dafür, dass sie alles Nötige erfährt?«

Margit nickte.

»Also dann«, sagte der Alte und erhob sich. »An die Arbeit.«

Kapitel 51

Erik Blom zwinkerte einer hübschen jungen Frau zu, die mit einem etwa fünfjährigen Kind an der Hand darauf wartete, dass das Schiff anlegte.

Auf dem Vorderdeck der Waxholmfähre drängten sich die Leute, die in Sandhamn aussteigen wollten. Die Schlange vor der Gangway war lang. Der Mann vor ihnen war schwer mit Einkaufstüten bepackt, zwei in jeder Hand.

»Wie viele Kinderwagen gibt es denn noch auf dieser Fähre?«, brummte Kalle und drückte sich an die Wand, um einen Wagen mit einem Säugling darin vorbeizulassen.

Er war die ganze Fahrt über schon gereizt gewesen, aber Erik hatte nicht gefragt, warum. Die Chance, dass sein schweigsamer Kollege ihm den Grund verriet, war gering.

»Wir sind gleich dran«, sagte Erik ausweichend.

Er beobachtete immer noch die Mutter mit dem Kind. Sie trug ein enges, gemustertes Top und weiße Shorts. Und sie hatte einen tollen Busen.

Kalle hatte die Tickets gekauft und gab ihm jetzt eins. Endlich waren sie an der Reihe. Erik zeigte dem Kontrolleur sein Ticket und ging hinunter auf den grauen Betonkai. Links sah er den Kiosk, und geradeaus war eine Boutique mit bunten Kleidern und Blumenkübeln davor. »Sommarboden«, Sommerlädchen, stand mit geschwungenen Buchstaben auf einem Schild über dem Eingang. Vor dem Kiosk standen ein paar Kinder mit Eis in der Hand.

»Was meinst du, wo sollen wir anfangen?«, fragte Erik und öffnete den Reißverschluss seiner dünnen blauen Windjacke.

Kalle hatte gerade eine Sonnenbrille mit schwarzen Gläsern aufgesetzt. Mit seinem Bürstenhaarschnitt sah er aus wie ein abgebrühter Cop aus einer amerikanischen Krimiserie.

»Wie war's mit dem Tatort?«

Er ist wirklich genauso maulfaul wie die Cops im Fernsehen, dachte Erik und setzte ebenfalls eine Sonnenbrille auf.

»Dann los«, sagte er.

Es war nicht das erste Mal, dass sie den Auftrag hatten, in Sandhamn eine Anwohnerbefragung durchzuführen, und Erik wusste aus Erfahrung, dass die fehlenden Straßennamen die Arbeit nicht gerade erleichterten.

Auf der Insel gab es weder Straßenschilder noch -namen, nur die lokalen Bezeichnungen, und die waren in keiner Karte vermerkt. Die Leute wohnten »nach Westen raus« oder »im Norden« oder »auf der Ochsen-Odde«. Für einen fremden Besucher war es unmöglich, sich da zurechtzufinden, das schaffte nur jemand, der die Insel von Kindesbeinen an kannte. Als er das erste Mal an einer Ermittlung auf Sandhamn beteiligt war, hatte ihn das fast wahnsinnig gemacht. Außerdem waren als Transportmittel nur Fahrräder oder Schusters Rappen erlaubt. Jeglicher unnötige Verkehr mit Motorfahrzeugen war verboten, im Dorf gab es nur ein paar Quads und den ein oder anderen Trecker oder Jeep.

»Gehen wir?«, sagte er. »Es hat wohl wenig Sinn, auf den Bus zu warten.«

Sie gingen in zügigem Tempo Richtung Skärkarlshamn, und nach knapp zehn Minuten erreichten sie das abgesperrte Gelände. Es wurde nicht mehr bewacht, aber es hing ein Hauch von Abgeschiedenheit in der Luft.

Am anderen Ende des Strandes tummelten sich ein paar Windsurfer; man merkte schon von Weitem, dass sie es vermieden, allzu nahe zu kommen.

Die beiden Kollegen duckten sich unter dem blau-weißen Polizeiband durch und gingen zum Fundort. Sie blieben vor der Erle stehen, und Erik sah sich um. Bei der Morgenbesprechung hatte er die Fotos studiert, aber das war etwas ganz anderes, als den Platz in Wirklichkeit vor sich zu sehen.

Da die Techniker schon alles gesichert hatten, brauchten sie nicht zu befürchten, dass sie durch ihre Anwesenheit eventuell Spuren verfälschen könnten, aber Erik bewegte sich trotzdem vorsichtig. Man wusste nie, ob nicht noch einmal etwas nachkontrolliert werden musste.

Langsam ließ er die sonnenüberflutete Umgebung auf sich einwirken.

Thomas hatte bereits gesagt, dass die Stelle gut vor Einblicken geschützt war, aber erst jetzt erkannte Erik, dass sie völlig abseits lag.

Die Bucht von Skärkarlshamn war halbkreisförmig, aber genau an dieser Stelle knickte die Strandlinie ab und bildete eine Nische, die vom übrigen Strand aus nicht einsehbar war. Wenn man unter dem Baum stand, dessen tief hängende Zweige fast den Boden berührten, war man praktisch unsichtbar.

Erik bog die Zweige zur Seite, um sich die Stelle, wo Victor gelegen hatte, genau anzusehen.

Die Pflanzen waren immer noch flach gedrückt. Erik kniete sich auf den Boden und studierte die Vegetation. Er konnte sich ohne Weiteres die Konturen des Körpers vorstellen, der hier gelegen hatte.

Als er wieder aufstand, bemerkte er in der anderen Richtung etwas zwischen den Baumstämmen.

Thomas hatte gesagt, dass die Häuser auf dem angrenzenden Grundstück leer gestanden hatten, als er den Fundort besichtigte. Niemand war zu sehen gewesen. Aber jetzt bewegte sich dort drüben etwas, und die weißen Fensterläden waren weit geöffnet. Hatte Thomas nicht berichtet, dass sie geschlossen waren?

»Kalle«, sagte Erik halblaut.

Sein Kollege war auf die andere Seite des großen Baums gegangen, jetzt stand er gebückt da und studierte einen spitzen Felsen, der nur wenige Handbreit aus der Strandvegetation herausragte. Bei dem schnellen Fußmarsch war ihm wohl warm geworden, er hatte die Jacke ausgezogen, und sein gestreiftes Tennisshirt war am Rücken dunkel von Schweiß.

Erik machte eine vielsagende Handbewegung in Richtung der Häuser.

»Ich glaube, die Bewohner sind zurück. Wir gehen mal hin und reden mit ihnen.«

Kapitel 52

Erik und Kalle gingen am Zaun entlang und suchten erfolglos nach einer Pforte. Schließlich umrundeten sie das Ende das Zauns unten am Wasser, wo sich Haufen von angespültem braunem Tang am letzten Zaunpfahl angesammelt hatten.

Als sie näher kamen, sah Erik, dass sich auf dem Grundstück mehrere Ferienhütten befanden. Das Haupthaus hatte ein großes Panoramafenster zum Meer hin. Auf der Holzterrasse davor stand eine große, kräftig gebaute Frau in den Sechzigern. Sie war dabei, Geranien in Blumentöpfe zu pflanzen. Ihre weißen Shorts waren fleckig von Erde, und sie trug große Gartenhandschuhe.

»Guten Tag«, rief Erik und nahm die Sonnenbrille ab.

Die Frau zuckte zusammen und ließ erschrocken die Pflanze fallen.

»Keine Angst«, fügte Erik eilig hinzu. »Wir sind Polizisten. Wir würden uns gern kurz mit Ihnen unterhalten, wenn es recht ist.«

Die Frau stellte den Blumentopf auf dem Gartentisch ab und kam die breite Terrassentreppe hinunter. Sie wischte sich den Schweiß von der Stirn, wobei Sand auf ihre Haare krümelte.

Erik und Kalle stellten sich vor, und Erik zeigte seinen Dienstausweis.

»Ann-Sofie Carlén«, erwiderte sie und zog den Handschuh ab, ehe sie die Hand ausstreckte. »Aber ich verstehe nicht ganz, wieso Sie hier sind. Ich habe in diesem Jahr keine Anzeige erstattet.«

Sie verschränkte die Arme vor der Brust und fügte hinzu:

»Obwohl man das natürlich tun müsste. Der Radau wird immer schlimmer, und wenn man nicht selbst etwas unternimmt, tut es ja keiner. Es ist wirklich eine Schande, wie wenig die Polizei sich darum kümmert.«

Sie hatten noch nicht einmal gesagt, was sie wollten, dachte Erik, aber die Frau beschwerte sich bereits.

Kalle zog ein Gesicht, aber Erik beschloss, seinen Charme spielen zu lassen.

»Gehört Ihnen das alles hier?«, fragte er mit einem breiten Lächeln. »Es ist wirklich toll. Herrliche Aussicht.«

Ann-Sofie Carlén strahlte.

»Wunderschön, nicht wahr?«, sagte sie. »Ja, wir haben das jetzt seit ein paar Jahren, mein Mann und ich. Aber wir mussten eine Menge renovieren.«

»Ist Ihr Mann zu Hause?«, fragte Erik und lächelte noch breiter.

»Nein, er ist ins Dorf gegangen, zum Einkaufen. Wir bekommen Besuch von unseren Enkelkindern.«

Es gab keinen Zweifel, Ann-Sofie Carlén war stolz auf ihre Nachkommen.

»Wir haben zwei Töchter«, fuhr sie eifrig fort. »Beide haben Kinder, und unsere Älteste kommt heute Nachmittag mit ihren beiden kleinen Mädchen.«

Sie zeigte zum Strand vor ihnen, der als schmaler weißer Sandstreifen bis zum Steg verlief und von allem Tang freigeharkt war.

»Sie lieben es, hier zu spielen.«

Kalle räusperte sich so kräftig, dass sein Adamsapfel auf und ab hüpfte.

»Wir haben ein paar Fragen zu einem Vorfall, der sich am Mittsommerwochenende ereignet hat«, sagte er.

»Das wundert mich nicht«, platzte Ann-Sofie Carlén heraus. »Nun sehen Sie sich das bloß mal an. Alles ist zugemüllt, und die Gemeinde unternimmt nichts, es ist wirklich zum Haareraufen.«

Sie unterbrach sich, um Luft zu holen.

»Und dann die Absperrungen. Was ist denn eigentlich los?«

Ihr Gesichtsausdruck wechselte von Empörung zu Misstrauen.

»Können Sie mir das vielleicht sagen?«

Ann-Sofie Carlén hatte anscheinend noch nichts von dem Todesfall in Skärkarlshamn gehört. Erik hatte den Bericht über Victor Ekengreens Tod in den Morgenzeitungen gelesen, aber der Artikel war nicht ein so großer Aufmacher gewesen wie befürchtet. Eine Massenkarambolage in Dalarna mit mehreren Toten und vielen Verletzten hatte die Titelseiten beherrscht. Die Zeitungen waren voll von Artikeln über den lebensgefährlichen Mittsommer-Verkehr und von Nahaufnahmen der »Todesstrecke«, wie die Straße von den Journalisten getauft worden war.

»Auf der Insel hat es einen Toten gegeben«, sagte er.

»Wie bitte?«

Ann-Sofie Carlén hatte den Faden verloren.

»Am Mittsommerwochenende ist ein junger Mann am Strand zu Tode gekommen«, erklärte Kalle. »Genauer gesagt, am Mittsommertag. Deshalb ist das Gelände abgesperrt. Wir versuchen jetzt herauszufinden, ob jemand in der Nachbarschaft etwas gesehen oder gehört hat.«

»Wie furchtbar«, sagte Ann-Sofie Carlén mit ebenso viel Schauder wie Neugier in der Stimme. »Jemand aus Sandhamn?«

Kalle winkte ab.

»Nein, niemand von den Bewohnern hier. Der junge Mann war mit einem Boot gekommen.«

Ann-Sofie Carlén hob das Kinn ein wenig.

»Ich kann nicht behaupten, dass mich das überrascht. So wild, wie es hier über Mittsommer zugeht. Es war nur eine Frage der Zeit, bis etwas Schreckliches passiert. Er war natürlich vollkommen betrunken?«

Erik beschloss, nicht darauf zu antworten.

»Wir würden gern wissen, ob jemand von Ihnen am Mittsommertag zu Hause war und vielleicht etwas gemerkt hat«, sagte er.

»Tut mir leid.« Ann-Sofie Carlén schüttelte nachdrücklich den Kopf. »Wir waren das ganze Wochenende verreist und sind erst vor ein paar Stunden zurückgekommen, heute Morgen.«

»Wir sind auf der Suche nach Zeugen, die nach neunzehn Uhr am Samstagabend, also am Mittsommertag, etwas gesehen haben könnten«, fuhr Kalle geduldig fort. »Sie hatten nicht zufällig Gäste, die hier übernachtet haben?«

Er nickte in Richtung der anderen Häusern, die groß genug schienen, um ein oder zwei Familien zu beherbergen.

»Tut mir leid«, sagte Ann-Sofie Carlén wieder. »Wie gesagt, wir waren nicht hier. Wir verreisen immer über Mittsommer, hier ist viel zu viel Lärm und Radau. Man traut sich ja kaum, das Grundstück zu verlassen, bei all diesen Rowdies, die überall zelten und im Wald Feuer machen.«

Das einzige Haus mit freier Aussicht auf den Tatort war das der Carléns. Erik wollte ganz sichergehen.

»Übers Wochenende war also niemand hier? Alle Häuser waren unbewohnt?«, fragte er.

Ann-Sofie Carlén hatte die Sonnenbrille in die Stirn hochgeschoben. Jetzt ließ sie sich viel Zeit, sie wieder auf die Nase zu setzen, ehe sie antwortete. Ihre Augen waren von den dunklen Gläsern vollkommen verdeckt.

»Das habe ich doch bereits gesagt.«

Sie zog sich die Gartenhandschuhe wieder an, als hätte sie es auf einmal eilig.

»Wenn Sie mich jetzt entschuldigen würden, aber ich habe noch viel zu tun, unsere Enkelkinder kommen zu Besuch.«

Erik und Kalle wechselten einen Blick. Verheimlichte sie etwas?

Kalle machte einen Schritt auf Ann-Sofie Carlén zu, er stand jetzt keinen halben Meter von ihr entfernt. Er war mindestens zwei Köpfe größer als die ältere Dame.

»Dies ist eine polizeiliche Befragung«, sagte er kühl. »Ein junger Mann ist gestorben. Falls sich jemand während des Mittsommerwochenendes hier aufgehalten hat, müssen wir das wissen.«

Ann-Sofie Carlén wirkte verlegen. Sie öffnete den Mund, als wollte sie etwas sagen, schloss ihn dann aber wieder.

Erik hatte das starke Gefühl, dass ihr etwas auf der Zunge lag.

»Ich kann Ihnen leider nicht helfen«, sagte sie, drehte sich um und ging zurück Richtung Haus.

Erik holte sie mit schnellen Schritten ein.

»Wenn Sie Informationen haben, die für unsere Ermittlungen von Bedeutung sind, müssen Sie uns das sagen.«

Ann-Sofie Carlén blieb stehen. Sie drehte sich langsam um.

»Ich weiß nicht, ob es wirklich so wichtig ist«, sagte sie, »aber anscheinend war jemand in einem der Gästehäuser.«

»Wie kommen Sie darauf?«, fragte Erik und bemühte sich, so freundlich wie möglich zu bleiben. Kalle war schon barsch genug gewesen. »Wurde das Haus aufgebrochen?«

»Nein, aber es hat da drinnen komisch gerochen.« Sie verzog angewidert das Gesicht. »Richtig eklig. Ich habe es bemerkt, als ich es für meine Tochter vorbereiten wollte. Das Bettzeug war auch in Unordnung, es sah nicht so aus wie sonst.«

Sie presste die Lippen zusammen, als bereute sie auf einmal, etwas gesagt zu haben.

»Es ist vermutlich nichts«, sagte sie. »Außerdem möchte ich in nichts hineingezogen werden.«

»Können wir uns das Gästehaus ansehen?«, fragte Erik.

Die Frau steuerte auf die Treppe zu.

»Wenn Sie wollen, bitte«, sagte sie. »Aber ich habe es bereits geputzt. Da ist jetzt alles wieder sauber und ordentlich. Der Gestank ist zum Glück weg.«

Kapitel 53

Thomas wählte die Nummer von Carl-Henrik Sachsen. Während es klingelte, wippte er den Bürostuhl zurück, sodass sein Rücken ans Bücherregal stieß. Wenn die Nachmittagssonne hereinschien, wurde es unerträglich heiß in dem kleinen Raum, aber noch war es schattig.

»Ja bitte?«, meldete sich eine Stimme nach dem fünften Klingelsignal.

War das Carl-Henrik Sachsen? Es hörte sich an, als hätte er den Mund voller Brei.

»Sachsen? Was machst du?«, fragte Thomas.

»Ich kaue. Bin im Pausenraum. Wir haben einen Apfelkuchen geschlachtet, nachdem wir fertig waren. Ist das verboten?«

»Nein, nein«, erwiderte Thomas hastig. »Wie kommt ihr voran, habt ihr euch Victor Ekengreen schon angesehen?«

»Ja«, sagte Sachsen mit vollem Mund. »Keine Sorge. Wir haben deinen Knaben schon heute Morgen untersucht. Den Papierkram machen wir später.«

»Ich bitte darum«, sagte Thomas. »Also, was kannst du mir dazu sagen?«

»Der Junge ist durch massive stumpfe Gewalt gegen den Kopf gestorben. Er hat ausgedehnte Kontusionsblutungen, eine Fraktur des Schädeldachs, Hirnschäden als Folge des Traumas sowie Blutungen in den Hirnhautfortsätzen. Der Tod muss fast unmittelbar eingetreten sein. Vereinfacht gesagt war nicht mehr viel übrig, nachdem der Täter sein Werk vollbracht hatte.«

»Kannst du etwas mehr über den Verlauf sagen?«

»Jemand hat dem jungen Mann mehrfach mit einem runden, harten Gegenstand gegen den Kopf geschlagen.«

»Könnte es ein Granitstein gewesen sein?«, hakte Thomas sofort nach; er hatte wieder den Strand vor Augen, wo unzählige dieser Steine am und im Wasser lagen.

»In Anbetracht des Abdrucks durchaus möglich.«

Wie er vermutet hatte. Wahrscheinlich hatte der Täter spontan gehandelt.

»Er hatte mehrere verschiedene Wunden am Kopf«, sagte Thomas.

»Das ist richtig, aber tödlich waren nur die zuletzt zugefügten. Die Wunde an der Schläfe ist weder besonders tief noch gefährlich. Sie sieht nur schlimm aus, das ist bei dieser Sorte oft der Fall.«

»Hat die erste Verletzung ausgereicht, ihm das Bewusstsein zu rauben?«, fragte Thomas.

»Möglich, aber wenn, dann nur für einen kurzen Moment. Vielleicht war er nicht einmal bewusstlos, sondern nur benommen. Wenn keine weitere Gewalt ausgeübt worden wäre, hätte er sich ohne Probleme erholt.«

Thomas versuchte, die Puzzleteilchen zusammenzufügen.

»Also Victor Ekengreen fällt um oder wird gestoßen und schlägt mit dem Kopf auf einen Stein. Der Aufprall verursacht eine blutende Wunde an der Schläfe, und er verliert das Bewusstsein oder ist wenigstens benommen.«

»Genau.«

Es hörte sich an, als stellte Sachsen eine Tasse in den Geschirrspüler, im Hintergrund klirrte Porzellan gegen etwas Metallisches.

»Ich habe mir die Fotos vom Tatort angesehen, und die Platzwunde kann durchaus durch die Klippe verursacht worden sein, auf der sich Blutspuren befanden. Oberfläche und Form passen zum Wundbild.«

»Aber du sagst, dass da noch mehr passiert ist, andere Verletzungen, die zum Tod geführt haben«, sagte Thomas.

»Exakt.«

»War es eine Schlägerei? Hat er sich vielleicht mit jemandem in die Haare gekriegt?«

»Würde ich annehmen. Er hat einige Schürfwunden im Gesicht. Sie sind nicht tief, aber frisch. Außerdem hat er Hämatome an den Oberarmen, als hätte ihn jemand kräftig gepackt, sowie ein Hämatom mitten auf dem Brustkorb.«

»Was meinst du, was passiert ist?«

»Das herauszufinden ist wohl eher deine Aufgabe.«

Sachsen schwieg für einen Moment.

»Sagen wir mal so: Die erste Verletzung kann er sich durch einen Unfall selbst zugefügt haben, die anschließenden Schläge nicht. Um die tödlichen Traumata herbeizuführen, hat ein einziger Schlag nicht ausgereicht. Ich würde auf zwei, vielleicht sogar drei tippen.«

Also Mord. Ob er geplant war?

»Kannst du etwas über die Person sagen, die die Schläge ausgeführt hat?«

»Vermutlich jemand, der über einige Kraft verfügt. Der Schädel ist tief eingedrückt.«

Thomas sah Ebba und Felicia vor sich. Keines der Mädchen war größer als einsfünfundsechzig, beide waren zierlich mit schmalen Handgelenken. Statistisch gesehen sprach alles für einen Mann, aber in einer verzweifelten Situation brachten Frauen mehr Kraft auf, als man ihnen zutraute.

»Lässt sich feststellen, aus welchem Winkel die Schläge erfolgten?«

»Das ist nicht so einfach«, erwiderte Sachsen. »Aber ich glaube, Opfer und Täter standen sich frontal gegenüber. Der Stein, wenn es denn ein Stein war, ist schräg hinter dem rechten Ohr aufgetroffen. Wie es aussieht, kam er von der Seite, Opfer und Täter könnten sich in einer liegenden Position befunden haben.«

»Rechtes Ohr«, wiederholte Thomas. »Dann müsste der Täter den Stein in der linken Hand gehabt haben, wenn sie sich in einer Frontalposition befanden?«

»Das stimmt.«

Linkshänder?, notierte Thomas rasch auf seinem Block.

Er versuchte, sich Victor nach dem ersten Schlag vorzustellen. War er zu benommen gewesen, um sich zu verteidigen? Wie lange hatte der Täter gebraucht, um einen Stein zu finden, der groß genug war, einen Menschen zu töten?

Ein fester Griff, ein Arm, der erhoben wurde. Ein tödlicher Schlag, gefolgt von weiteren Schlägen. Mehr war nicht nötig gewesen.

»Das war alles?«, fragte Thomas und sah auf die Uhr.

In fünf Minuten war er mit Margit verabredet, aber wenn er etwas später kam, war es auch nicht schlimm.

»Nicht ganz.«

Sachsen räusperte sich.

»Die chemische Analyse ist noch nicht abgeschlossen. Es dauert noch eine Weile, bis die Ergebnisse vorliegen. Aber ich habe etwas anderes gefunden, von dem ich glaube, dass es dich interessieren wird.«

»Was denn?«

»Wie es aussieht, hat dein Opfer seit längerer Zeit Drogen genommen. Kokain, genauer gesagt. Ich habe in der Nase Spuren eines weißen Pulvers gefunden, und die Schleimhaut ist stellenweise angegriffen. Nicht viel, es ist mit bloßem Auge kaum zu erkennen, aber man kann sehen, dass die Nasenscheidewand gelitten hat. Außerdem ist in den Lungen Wasser sowie ein kräftiger Blutstau, also hat er möglicherweise auch noch etwas anderes genommen. Was genau, können wir erst sagen, wenn die Ergebnisse aus dem Labor da sind.«

»Kokain«, wiederholte Thomas.

Er ließ sich die Information auf der Zunge zergehen.

Victor Ekengreen hatte Drogen genommen. Davon hatte in den Befragungen niemand etwas erwähnt.

Kapitel 54

Als Thomas in Margits Zimmer kam, saß sie vorgebeugt am Tisch und schälte eine überreife Banane.

»Ich habe mit Sachsen gesprochen«, sagte er. »Sie haben den Jungen heute Vormittag obduziert.«

»Sehr gut«, erwiderte Margit. »Was ist dabei herausgekommen?«

Thomas nahm ihr gegenüber Platz und fasste das Gespräch zusammen.

»Alles deutet also darauf hin, dass Victors Tod vorsätzlich herbeigeführt wurde«, schloss er seinen Bericht. »Anders kann man die Ergebnisse nicht interpretieren.«

»Wie wir uns schon gedacht haben, mit anderen Worten.«

»Da ist noch etwas«, sagte Thomas. »Laut Sachsen hatte Victor Ekengreen Kokain geschnupft, bevor er starb.«

Margit legte die Banane hin.

»Er war doch erst sechzehn. Ziemlich früh für Kokain, vor allem in den feinen Kreisen.«

»Vor allem in den feinen Kreisen ist das wohl nichts Besonderes.«

Thomas konnte sich die Bemerkung nicht verkneifen, lächelte aber, um die Ironie zu mildern.

»Kokain, aha«, sagte Margit, ohne auf Thomas' Kommentar einzugehen. »Das ist eine Partydroge.«

»Aber sie kann Menschen auch aggressiv machen, vor allem wenn sie häufig und zusammen mit Alkohol eingenommen wird«, erwiderte Thomas. »Victor hatte den ganzen Tag Wodka in sich hineingeschüttet, das haben alle Befragten übereinstimmend angegeben. Tobbe meinte sogar, Victor sei regelrecht volltrunken gewesen.«

»Er hat nur vergessen zu erwähnen, dass da mehr im Spiel war als Alkohol.« Margit trommelte mit den Fingern auf der Tischplatte. »Alkohol und Drogen, eine tolle Kombination.«

»Außerdem glaubt Sachsen, dass Victor noch etwas anderes genommen hat. Es gibt Anzeichen dafür.«

»Was könnte das gewesen sein?«

»Um das zu sagen, ist es noch zu früh. Aber es muss keine illegale Droge sein, es könnte sich auch um ein Medikament handeln.«

Thomas dachte nach.

»Kokain ist teuer«, sagte er. »Vielleicht war sein Vorrat aufgebraucht, und er ist auf eine billigere Alternative ausgewichen.«

»Was die Sache nicht besser macht«, sagte Margit.

»Nein, nicht wirklich.«

Thomas erinnerte sich an einen Fall, der einige Jahre zurücklag. Damals hatte jemand billigen Fusel mit Schmerztabletten gemischt und anschließend seine Familie und sein Haus kurz und klein geschlagen. Als Thomas und seine Kollegen eintrafen, war der Kerl komplett durchgeknallt, drei Männer waren nötig gewesen, um ihn zu überwältigen. Am nächsten Tag erinnerte er sich an nichts mehr. Er konnte nicht fassen, dass er selbst es gewesen war, der wie ein Berserker gewütet hatte.

»Ach, übrigens«, sagte Margit, »ich habe mit diesem Mädchen gesprochen, dieser Tessan, die an dem Tag mit Tobias Hökström zusammen war. Ihr vollständiger Name ist Therese Almblad, sie ist vierzehn und hat gerade die achte Klasse hinter sich, genau wie sein Bruder gesagt hat. Ich hatte gerade aufgelegt, als du reinkamst.«

Man konnte Margit ansehen, dass sie interessante Neuigkeiten hatte.

»Lass hören«, sagte Thomas.

»Sie sagt, dass sie und Tobias sich getrennt haben, kurz nachdem sie auf dem Partyboot angekommen waren.«

»Ist das sicher?«

»Japp. Laut Therese haben sie das Boot kurz vor zwanzig Uhr erreicht und sich zusammen in das Gedränge auf dem Achterdeck gestürzt. Anscheinend war es sehr voll. Sie hatten Wodka dabei und fingen an, kräftig zu trinken. Nach einer Weile wollte Tobbe an Land. Er sagte, er müsse mal. Aber laut Therese ist er nicht zurückgekommen. Schließlich war sie es leid, auf ihn zu warten, und hat sich anderweitig amüsiert.«

»Wie spät war es, als sie ihn zuletzt gesehen hat?«

»Viertel nach acht, halb neun etwa.«

»Der Junge war also für mehrere Stunden vom Radarschirm verschwunden«, stellte Thomas fest.

»Genau. Er hat kein Alibi, und außerdem hat er uns angelogen.«

»Das ist interessant, nicht zuletzt im Hinblick auf das, was Sachsen gesagt hat. Victor war in eine Schlägerei verwickelt, bevor er starb.«

Margit runzelte die Stirn.

»Tobias Hökström hatte einen großen Bluterguss auf der Wange.«

Sie beugte sich mit spitzen Fingern über den Papierkorb und ließ die Bananenschale hineinfallen.

»Eine Sache gibt mir zu denken«, sagte sie.

»Was denn?«

»Angenommen, Hökström war am Tatort, um einen Streit zwischen Victor und Felicia zu schlichten, dann hätte es doch gereicht, wenn er dazwischengegangen wäre. Wieso hätte er Victor auf die Art töten sollen, die Sachsen beschreibt? Dazu noch mit mehreren Schlägen. Das passt nicht zusammen.«

Thomas versuchte, sich die Szene am Strand vorzustellen.

Felicia, die verzweifelt um Hilfe ruft; Tobbe, der am Strand auftaucht. Vielleicht war es ihr gelungen, eine SMS zu schicken, dass Victor ausgerastet sei. Tobbe kommt an, hört ihre Schreie und rennt hin. Verzweifelt zerrt er am Arm seines Freundes, in dem Tumult stürzt Victor und schlägt mit dem Kopf auf.

»Ich überlege, ob der Schlag gegen den Kopf etwas mit Victor gemacht hat«, sagte Thomas langsam. »Zusammen mit dem Alkohol und dem Rauschgift. Vielleicht war Victor durch die Drogen so von Sinnen, dass er seinen besten Freund als Feind betrachtete. Was, wenn Tobbe ganz einfach versucht hat, sich zu schützen, und in Notwehr nach einem Stein griff ...«

»Wir müssen Tobias so schnell wie möglich vernehmen«, sagte Margit. »Felicia auch. Die beiden haben uns bestimmt noch mehr zu erzählen.«

Thomas warf einen Blick auf die Uhr. Gleich sollte die Teambesprechung stattfinden.

»Das muss bis morgen früh warten«, sagte er.

Kapitel 55

Die Luft stand. Thomas versuchte, sich mit seinem Notizblock Kühlung zuzufächeln. Im Raum waren mindestens achtundzwanzig Grad. Unter den Achseln des Alten, der am Kopfende des Konferenztisches saß, hatten sich dunkle Flecken ausgebreitet. Seine Stirn glänzte vor Schweiß.

Das gesamte Team, mit Ausnahme von Erik und Kalle, die auf Sandhamn geblieben waren, hatte sich zur Lagebesprechung versammelt, bevor der Feierabend eingeläutet wurde.

»Was hast du über das Opfer herausgefunden?«, fragte der Alte Harry Anjou, der einen Haufen Papier vor sich liegen hatte.

»Victor Ekengreen war sechzehn Jahre alt und hat die Oberstufe im Juni mit guten Noten beendet«, sagte Anjou und blätterte in seinen Unterlagen. »Die Familie bewohnt eine große Villa auf Lindingö. Der Vater heißt Johan Ekengreen, die Mutter, Madeleine Ekengreen, ist Hausfrau. Sie sind seit neunzehn Jahren verheiratet, für den Vater ist es die zweite Ehe. Das Paar hat noch eine achtzehnjährige gemeinsame Tochter. Zwei wesentlich ältere Halbgeschwister aus der ersten Ehe des Vaters leben beide im Ausland.«

»An Geld mangelt es in dieser Familie bestimmt nicht«, sagte Margit halblaut.

Genau das ist vielleicht das Problem, dachte Thomas, wenn ein Sechzehnjähriger es sich leisten kann, regelmäßig Kokain zu kaufen.

»Victor Ekengreen liebte Wassersport und Ski-Abfahrtslauf«, fuhr Harry Anjou fort. »Ich habe mit mehreren seiner Klassenkameraden gesprochen. Sie beschreiben ihn unterschiedlich; für einige war er ein sportlicher Typ, vielleicht etwas schüchtern. Andere sagen, er sei überheblich gewesen und nicht immer ein guter Kamerad.«

»Inwiefern?«, fragte Margit.

Harry Anjou blickte auf seine Notizen.

»Einer betonte besonders, dass Ekengreen ein selbstgefälliger, eingebildeter Typ gewesen sei. Er habe mit dem Namen seines Vaters angegeben, um ein Beispiel zu nennen.«

Er blickte in die Runde.

»Ich brauche wohl kaum zu erklären, wer Johan Ekengreen ist?«

Der Alte schüttelte den Kopf, und Anjou las weiter aus seinen Notizen vor.

»Nach Angaben desselben Klassenkameraden ist es vorgekommen, dass Victor Mitschüler, die er nicht leiden konnte, regelrecht fertiggemacht hat.«

»Meinst du, er hat sich Feinde geschaffen?«, warf Thomas ein. »Vielleicht sollten wir da mal nachhaken?«

Harry Anjou zuckte die Achseln.

»So direkt wurde das nicht gesagt. Aber es gab wohl schon einige, die ihn nicht mochten. Launisch und streitsüchtig, diese Worte sind öfter gefallen.«

»Klingt ja nicht gerade, als wäre er ein netter Kerl gewesen«, sagte Karin Ek von ihrem Platz am Tischende.

»Wie sieht's mit der Freundin aus?«, fragte der Alte und wandte sich Margit zu. »Du wolltest doch mit ihr sprechen?«

»Sie heißt Felicia Grimstad«, sagte Margit. »Sie sind in dieselbe Oberstufenklasse gegangen und wohnten nicht weit voneinander entfernt. Sie hat zwei Geschwister und wird als gut erzogen, vielleicht etwas unselbstständig beschrieben. Sie kam letzten Herbst mit Victor zusammen, seitdem waren sie unzertrennlich. Ihr Vater arbeitet in der Personalvermittlungsbranche, ihre Mutter ist Bibliothekarin in einer der kommunalen Schulen.«

»Felicia kommt morgen früh hierher«, warf Thomas ein. »Genau wie Tobias Hökström.«

Der Alte trocknete sich die Stirn mit einem Taschentuch. Die Flecken unter seinen Achseln hatten sich vergrößert, sein Gesicht war hochrot.

»Wie weit sind wir mit den Telefonlisten?«, fragte er. »Was wissen wir über seine Kontakte?«

»Habe ich beantragt«, sagte Thomas. »Sie kommen im Laufe der Woche. Derzeit überprüfen wir seine SMS, haben bisher aber noch nichts gefunden.«

»Hat jemand was aus der Rechtsmedizin gehört?«, fragte der Alte und stopfte das Taschentuch in seine Hosentasche. »Wie kommt Sachsen voran?«

»Die Obduktion war heute Morgen«, erwiderte Thomas.

Er berichtete kurz, was Sachsen ihm an Ergebnissen und Beobachtungen mitgeteilt hatte. Als er fast damit fertig war, schnitt ihm eine gellende Sirene vor dem offenen Fenster das Wort ab. Er wartete, bis sich das Einsatzfahrzeug entfernt hatte.

»Mal sehen, was die Laboranalyse ergibt«, sagte er abschließend.

Der Alte dachte nach.

»Victor hat also Drogen genommen. Es wäre interessant, mehr darüber herauszufinden.«

»Ja«, stimmte Thomas zu. »Wir werden das morgen in der Vernehmung ansprechen.«

»Der Junge muss einen Dealer gehabt haben«, fuhr der Alte fort. »Seht zu, dass ihr den findet. Vielleicht bringt uns das weiter.«

Harry Anjou beugte sich vor, als wollte er etwas sagen.

»Ja?«, sagte der Alte und blickte Anjou an.

»Dieses Jahr waren auf Sandhamn deutlich mehr Drogen im Umlauf als sonst«, sagte er. »Wir sollten mit den Kollegen von der Drogenfahndung reden, sie hatten am Wochenende sechs Zivilfahnder auf der Insel. Ich glaube, es war das erste Mal, dass sie da draußen einen so großen Einsatz hatten. Fakt ist, dass mehrere Typen aus der Drogenszene im Hafen aufgegabelt wurden.«

Anjou räusperte sich.

»Sagt euch der Name Goran Minosevitch was?«, fragte er. »Der war am Samstag auch da.«

Minosevitch, ein Mann in den Fünfzigern, war Mitglied einer Rauschgiftbande, ein Dealer, der wegen zahlreicher Drogendelikte gesessen hatte, soweit Thomas wusste.

»Ein unangenehmer Typ«, fuhr Harry Anjou fort. »Großer Kerl, kräftig und am ganzen Körper tätowiert. Er war mit einer ganzen Bande gekommen, sie lagen mit ihrem Boot mitten im Hafen. Die sahen alle so aus wie er.«

Der Alte wandte sich Thomas und Margit zu.

»Nehmt Kontakt mit den Fahndern auf und lasst euch informieren. Das könnte was sein. Aber vergesst darüber nicht die Spur mit den Freunden.«

Thomas machte sich eine Notiz auf seinem Block. Es gibt immer noch alle möglichen Theorien, dachte er. Wir müssen uns alle Richtungen offenhalten. Könnte sein, dass es sich um etwas so Banales handelt wie einen Streit um Drogen.

Er verdrängte die früheren Bilder vom Strand aus seinem Kopf. Alles musste vorbehaltlos untersucht werden.

Nora stand am Küchenfenster der Brand'schen Villa. Sie konnte nicht anders, sie musste immer wieder zu ihrem alten Haus hinübersehen, wo Jonas und Wilma waren. Die Haustür lag im Schatten. Normalerweise war sie weit geöffnet, jetzt jedoch geschlossen.

Jonas hatte den ganzen Tag nichts von sich hören lassen, und der Kloß in ihrem Hals wurde immer größer. Sie wünschte, er würde auf der Treppe erscheinen, dann hätte sie einen Anlass, hinzugehen und mit ihm zu reden.

Nur ein paar Minuten miteinander sprechen, mehr war nicht nötig, vielleicht noch ein Streicheln über die Wange oder eine schnelle Umarmung.

Sie wollte ihn berühren, wollte spüren, dass der körperliche Kontakt vertraut und unbefangen war, dass sich nichts verändert hatte. Das würde die bösen Ahnungen verscheuchen.

Aber dort drüben schien sich nichts zu regen, und sie scheute sich, ohne einen Anlass hinüberzugehen.

Ein paar tote Fliegen lagen auf der Fensterbank. Nora holte ein Blatt Küchenpapier und sammelte die schwarzen Tierchen auf. Als sie sie wegwerfen wollte, sah sie, dass der Mülleimer übervoll war. Wie üblich hatten die Jungs den Abfall übereinandergestapelt, bis nichts mehr ging. Gebrauchte Teebeutel und ein Apfelgriebsch waren danebengefallen. Die letzten Tropfen aus einem zusammengedrückten Milchkarton hatten eine Pfütze auf dem Schrankboden gebildet.

Seufzend bückte sie sich, um die Mülltüte zuzuknoten und eine frische einzusetzen. Nach dem Mittagessen würde sie wohl einen Spaziergang zur Müllstation im Hafen machen müssen.

Vielleicht würde sie Jonas dann begegnen? Bei dem Gedanken wurde ihr leichter zumute.

Sie stellte den Müllbeutel in den Flur, damit sie ihn nicht vergaß, und schloss die Finger um das Handy in ihrer Tasche. Ob sie eine kurze SMS schicken sollte? Nachfragen, wie es Wilma ging?

Es war ja nichts Ungewöhnliches, dass sie sich erkundigte, wie es seiner Tochter ging. Das konnte er kaum so empfinden. Wilma lag ihr schließlich auch am Herzen.

Ehe sie es sich anders überlegen konnte, tippte sie Jonas' Nummer an und schrieb einen kurzen Text.

Wie geht es Wilma? Fühlt sie sich ein bisschen besser? Liebe Grüße, Nora.

Es machte pling, als sie die Nachricht abschickte.

Kapitel 56

Nach der Besprechung ging Margit mit in Thomas' Büro und setzte sich auf den Besucherstuhl, während er zum Telefon griff und den Lautsprecher einschaltete.

Thomas suchte die Nummer von Torbjörn Landin heraus, Gruppenleiter bei der Drogenfahndung, der für den Einsatz auf Sandhamn verantwortlich gewesen war. Hoffentlich war er noch im Haus, es war schon nach Feierabend.

Eine dunkle Stimme meldete sich kurz angebunden am Telefon.

»Landin.«

Nur der Nachname, mehr war nicht nötig.

»Es geht um den toten Teenager auf Sandhamn«, sagte Thomas nach ein paar einführenden Worten.

»Wir haben gehört, dass Goran Minosevitch am Mittsommerwochenende auf der Insel war«, fügte Margit hinzu.

»Mit dem ist nicht zu spaßen«, sagte Landin sofort.

»Was habt ihr über ihn?«

»Was willst du wissen?«

Obwohl Thomas wusste, dass Landin in den letzten Tagen rund um die Uhr im Dienst gewesen war, hatte er den Verdacht, dass hinter dem müden Tonfall mehr steckte als nur Schlafmangel. Bei den Fahndern herrschte verbreitet Frustration, das war kein Geheimnis. Das Drogendezernat war überlastet und die Personaldecke viel zu dünn.

»Über Minosevitch gibt es jede Menge«, fuhr Landin fort. »Er zahlt keine Steuern, wie die meisten in der Szene. Ich glaube, er war mindestens ein Mal für längere Zeit arbeitsunfähig gemeldet. Er hat des Öfteren eingesessen, meist wegen Drogendelikten. Aber er hat seine Finger auch im illegalen Waffenhandel, außerdem ist er rechtskräftig wegen Steuerhinterziehung verurteilt worden.«

»Ist er gewalttätig?«

»Er wurde wegen Widerstands gegen Vollstreckungsbeamte verurteilt. Wie fast alle diese Typen.«

»Woher kommt er?«, erkundigte sich Margit.

»Aus dem ehemaligen Jugoslawien.«

Landin brauchte das nicht näher zu erklären. In den letzten drei Jahrzehnten hatten Kriminelle vom Balkan in Verbrecherkreisen festen Fuß gefasst. Sie hatten sowohl Polizeirazzien als auch Bandenkriege überlebt.

»Dieser Goran Minosevitch, weißt du, ob er Drogen an Jugendliche verkauft?«, fragte Thomas.

»Kommt darauf an, was du unter verkaufen verstehst. Wenn du fragst, ob er es persönlich tut, ist die Antwort nein. Aber seine Handlanger ... auf jeden Fall.«

»Und was?«, fragte Margit.

»Das gängige Zeug. Marihuana, Cannabis, Benzos, Kokain natürlich, vor allem in Stockholm, und Speed. Ecstasy ist auch verbreitet. Alles ist im Überfluss vorhanden. Für jede Substanz, die als Droge klassifiziert wird, kommt eine neue, ohne dass wir viel dagegen ausrichten können.«

Thomas erkannte sich in Landins Hoffnungslosigkeit wieder, nicht jedoch in seinem Zynismus.

»Cannabis ist wohl das, was die Jugendlichen am meisten konsumieren?«, fragte er.

»Ja. Gefolgt von Speed und Kokain.«

»Wie sieht es mit Drogenmixturen aus, zum Beispiel Tabletten und Alkohol?«, fragte Margit.

Landin gab einen undefinierbaren Laut von sich.

»Das ist weitverbreitet und richtig gefährlich. Die Leute werden entweder sehr träge oder unnatürlich aufgeputscht; Vergiftungen kommen vor, genau wie tiefe Bewusstlosigkeit. Manchmal werden die Leute unkontrollierbar aggressiv und gewalttätig. Es ist ein Höllencocktail.«

»Aber die meisten Tabletten sind doch rezeptpflichtig?«, wandte Margit ein.

»Das ist kein Hindernis. Schmerzmittel wie Tradolan und Citodon oder Beruhigungsmittel wie Sobril kriegt man an jeder Ecke. Ansonsten beschaffen sie sich Rohypnol oder Ephedrin im Internet. Medikamentenmissbrauch nimmt leider extrem zu, besonders unter Teenagern.«

Thomas konnte sich denken, wieso. Missbrauch oder Besitz wurden nicht bestraft, wenn die betreffende Person unter achtzehn war. Es war so gut wie unmöglich, dagegen etwas zu unternehmen.

»Das klingt alarmierend«, sagte Margit.

»Das kannst du laut sagen.«

»Wie ist das mit dem Verticken an Oberstufenschüler?«, fragte Thomas.

»Straßenhandel?«

»Ja.«

Landin schnaubte verächtlich.

»Wir könnten eine ganze Armee von Polizisten darauf ansetzen, allein schon im Großraum Stockholm. Unaufhörlich tauchen neue Dealer auf, mit immer wieder neuen Telefonnummern, die unter den Jugendlichen weitergereicht werden. Manche verkaufen Alkohol, andere haben härteren Stoff im Angebot. Das hat in den letzten Jahren extrem zugenommen, vor allem in den Stockholmer Vorstadtsiedlungen.«

»Ihr hattet Minosevitch und seine Bande am Mittsommertag unter Beobachtung, ist das richtig?«, fragte Margit.

»Ja«, erwiderte Landin.

»Wir haben den Verdacht, dass das spätere Opfer mit seinem Dealer in Streit geraten und die Sache eskaliert ist«, sagte Thomas. »Wir brauchen eure Hilfe, um nachzuvollziehen, wo Minosevitch und seine Kumpane sich zu einer bestimmten Zeit aufgehalten haben.«

»Dann schlage ich vor, dass wir uns morgen früh treffen. Kommt doch gegen acht Uhr vorbei, dann rufe ich meine Leute zusammen, die auf Sandhamn waren.«

Margit hatte während des Gesprächs mitgeschrieben. Thomas sah, dass sie die Worte »Drogenmixturen« und »aggressiv« dick unterstrich.

Victors Mitschüler hatten von seinen heftigen Launen gesprochen. Das Bild von zwei Jugendlichen, die sich prügelten, tauchte wieder vor Thomas' geistigem Auge auf.

Kapitel 57

Tobbe lag auf dem Sofa im Wohnzimmer. Der Fernseher lief, aber er hatte keine Ahnung, welchen Sender oder welches Programm er sich anschaute.

Am nächsten Morgen sollte er auf der Polizeistation in Nacka erscheinen.

Die Frau am Telefon hatte vielleicht einen Ton draufgehabt. Sie hatte sich angehört wie seine alte Deutschlehrerin.

Vielleicht waren sie sauer, weil Christoffer und er aus Sandhamn abgehauen waren. Seine Schuld war das nicht, sein Vater hatte das entschieden. Aber wenn die Bullen anriefen, war Arthur natürlich nicht da, und Tobbe hatte sich nicht getraut, zu widersprechen. Er hatte zugesagt, um zehn Uhr dort zu sein.

Außer ihm war niemand in der Wohnung. Christoffer war bei irgendwelchen Kumpels, und seine Mutter war einkaufen gefahren. Als sie gestern zurückkamen, hatte sie mit erschrockenen Augen in der Tür gestanden, aber Tobbe war wortlos an ihr vorbei auf sein Zimmer gegangen.

Sie begriff ja sowieso nichts.

Arthur war kurz angebunden gewesen, als er sie nach Hause brachte.

»Ab sofort sagt ihr keinen Ton mehr zur Polizei, ohne vorher mit mir zu reden.«

Das war das Letzte, was er sagte, bevor er davonfuhr. Kein Wort darüber, dass Victor tot war. Er hatte nicht einmal gefragt, wie es Tobbe ging.

»Du Sack«, murmelte Tobbe. »Dich kümmert doch nur, was andere denken. Du scheißt doch auf mich und Christoffer, das hast du schon immer getan. Du kannst nur zahlen, sonst nichts.«

Geld war für seinen Vater nie ein Thema gewesen. Nach der Scheidung hatte er Tobbe für jede gute Note Geld zugesteckt. Fünfhundert für eine Zwei und einen Tausender für eine Eins. Bei solchen Sachen ließ der Alte sich nicht lumpen.

Das war eine Menge Schotter, wesentlich mehr, als die meisten in seiner Klasse an Taschengeld bekamen. Victor war beeindruckt gewesen, als er das mitkriegte. Sie hatten auf einer Bank auf dem Schulhof gesessen, nachdem sie kurz vorher die Ergebnisse der ersten Matheklausur nach den Sommerferien erfahren hatten. Tobbe hatte eine Zwei geschrieben.

»Macht fünfhundert Flocken für den lieben Tobbe«, hatte er zufrieden gesagt.

»Dein Alter muss ein mächtig schlechtes Gewissen haben«, hatte Victor gesagt und sich eine Zigarette angesteckt. »Schuldgefühle, oder wie?«

Er hielt Tobbe die Schachtel Marlboro hin, und Tobbe fischte sich eine Kippe heraus und riss ein Streichholz an.

»Eher Schulden abstottern«, grinste er.

Das war vor acht Monaten gewesen. Es hätten ebenso gut hundert Jahre sein können.

Lustlos streckte Tobbe die Hand nach einer großen Cola auf dem Couchtisch aus und setzte die Flasche an die Lippen. Das Getränk war lauwarm, aber das kümmerte ihn nicht. Er hatte den ganzen Tag noch nichts gegessen, aber trotzdem keinen Hunger.

Victor war tot. Unfassbar.

Tobbe schluckte, und der Geschmack der Cola mischte sich mit Tränen.

Kapitel 58

Es ging aufs Abendessen zu, aber Jonas war nicht besonders hungrig. Er hatte den ganzen Tag kaum ein Wort mit Wilma gesprochen, obwohl er wegen ihr im Haus geblieben war. Sie hatte lange geschlafen, dann war sie aufgestanden, hatte die belegten Brote geholt, die er für sie bereitgestellt hatte, und war wieder in ihr Zimmer gegangen.

Als er anklopfte, tat sie, als würde sie schlafen. Er vermutete, dass sie den Moment hinauszögern wollte, an dem sie reden mussten.

Auch gut, er fühlte sich ebenfalls erledigt. Die Angst der letzten vierundzwanzig Stunden hatte ihn ausgelaugt. Es war schön, seine Ruhe zu haben, er musste sich erst erholen.

Den Handytönen nach zu urteilen, die durch Wilmas Tür drangen, simste sie mit ihren Freundinnen. So völlig erschöpft konnte sie also nicht sein.

Jonas nahm die Zeitung und seinen Becher Kaffee und ging hinaus in den Garten. Er setzte sich in den weißen Gartensessel, der noch im Sonnenlicht stand, aber bald im Schatten liegen würde, wenn die Sonne hinter der Hausecke verschwand.

Als er die Zeitung durchblätterte, stieß er auf einen ganzseitigen Artikel unter der Überschrift »Mord auf Sandhamn«. Sein Blick fiel auf ein großes Foto, das Skärkarlshamn und das abgesperrte Gebiet zeigte.

»Polizei sucht Zeugen«, stand im Anlesetext.

Sein Handy klingelte, und Jonas warf einen Blick aufs Display. Es war Margot.

Stand ihm eine weitere Gardinenpredigt bevor?

Jonas stellte den Becher ab und meldete sich ohne größere Begeisterung.

»Hallo Margot.«

»Wie geht's euch?«, fragte sie.

»Ganz gut. Ich sitze im Garten, Wilma ist in ihrem Zimmer. Ehrlich gesagt glaube ich, dass sie mir ausweicht.«

»Ich habe gerade mit ihr gesprochen.«

Ihre dunkle Stimme klang ernst, leiser als sonst.

Jonas hörte etwas knistern und sah vor sich, wie sie ihr schimmerndes braunes Haar zu einem Pferdeschwanz zusammenfasste, eine Bewegung, die er seit der Schulzeit kannte. Sie waren im letzten Jahr auf dem Gymnasium zusammengekommen, und etwa gleichzeitig mit dem Abitur war Margot schwanger geworden. Als sie sich zusammen eine kleine Wohnung nahmen, hatten sie keine Ahnung gehabt, was sie erwartete. Kurz nach Wilmas zweitem Geburtstag trat Jonas seine Pilotenausbildung in Ljungbyhed an, und wenig später ging ihre Beziehung auseinander.

Aber es war keine dramatische Trennung gewesen, und bis auf sein Jahr in Skåne hatten sie sich immer gemeinsam um Wilma gekümmert.

Es war lange her, dass sie so mit ihm geschimpft hatte wie gestern. Jonas konnte sich nicht erinnern, wann es das letzte Mal vorgekommen war. Im Laufe der Jahre hatte sich zwischen ihnen eine enge Freundschaft entwickelt, und es kam vor, dass er Weihnachten zusammen mit Margot und ihrer neuen Familie verbrachte.

»Wo ist sie gewesen?«, fragte er. »Was ist eigentlich passiert?«

Margot zögerte mit der Antwort.

»Ich musste ihr versprechen, dass ich nichts sage. Es tut mir leid, aber wenn du mit ihr redest, wirst du verstehen, warum.«

Es entstand eine kleine Pause. Margots Worte beunruhigten ihn, aber er hörte an ihrem Tonfall, dass es keinen Zweck hatte, sie unter Druck zu setzen.

Sie wollte etwas sagen, unterbrach sich aber. Dann setzte sie noch mal an.

»Du, es tut mir leid, dass ich dich gestern zusammengestaucht habe«, sagte sie langsam. »Ich hatte nur so schreckliche Angst, dass Wilma etwas zugestoßen sein könnte.«

Jonas nahm es ihr nicht wirklich übel, denn ihm war es ja genauso gegangen.

»Schon gut«, sagte er. »Wir vergessen das einfach.«

Margot wollte das Thema noch nicht fallen lassen.

»Du bist ein guter Vater, und du hast auch das Recht auf eine neue Beziehung. Ich bin wirklich froh, dass du und Nora euch gefunden habt. Sie scheint sehr nett zu sein.«

Nora war eines Abends bei Jonas gewesen, als Margot ein paar

Sachen für Wilma vorbeigebracht hatte. Sie hatten einen Moment in der Diele gestanden und geplaudert, ohne dass es irgendwie verkrampft gewesen wäre.

Margot lachte, es klang ein klein wenig forciert.

»Glaub mir«, sagte sie. »Ich finde es gut, wenn du dir eine neue Partnerin suchst. Vielleicht mehr Kinder bekommst, so wie ich. Du bist ja noch nicht steinalt.«

Ihre Worte wärmten. Aber im Moment schien eine neue Familie in weiter Ferne zu liegen.

Eine Hummel summte entzückt um den üppigen Johannisbeerstrauch herum, der direkt am Zaun wuchs. Die blassgelben Blütenrispen, die unter den Zweigen hingen, deuteten auf eine gute Ernte hin.

Hatte Nora die Roten Johannisbeeren gepflanzt? Es versetzte Jonas einen Stich, als er daran dachte.

»Ich wollte das schon lange mal sagen«, schloss Margot. »Damit du es weißt.«

»Okay. Danke.«

Für einen Moment trat Stille ein.

»Wenn ich du wäre«, sagte Margot, »würde ich Wilma heute Abend in Ruhe lassen und morgen mit ihr sprechen. Ihr braucht ein bisschen Abstand zu alldem. Es muss eine Menge Kraft gekostet haben.«

Die summende Hummel drehte eine letzte Runde um den Johannisbeerstrauch, dann drehte sie ab und flog zum Nachbargarten.

»Klingt nach einer guten Idee«, stimmte Jonas zu. »Du hast sicher recht.«

Ohne jede Ironie fügte er hinzu: »Wie immer.«

Margot lachte ihr warmes Lachen.

»Pass auf dich auf«, sagte sie und legte auf.

Jonas steckte das Handy zurück in die Hosentasche. Er würde morgen mit Wilma reden, wenn sie beide ausgeruht waren.

Kapitel 59

Pernilla meldete sich erst nach dem vierten Klingeln, gerade als Thomas sich anschickte, eine Nachricht auf die Mailbox zu sprechen. Er war immer noch im Büro. Die letzten Stunden hatte er am Telefon verbracht, um so viel wie möglich über Tobbe Hökström herauszufinden.

Langsam fügte sich ein Bild zusammen.

»Hallo?«

Sie klang atemlos, als wäre sie zum Telefon gerannt. Es war ein schöner Abend, vielleicht hatte sie in der Abendsonne am Steg gesessen.

Thomas sah die stille Bucht vor sich, den Bootssteg, auf dessen Pfählen sich die Möwen gern niederließen, die Badeplattform weiter draußen.

»Hallo, ich bin's.«

»Guten Abend, der Herr.«

Die altmodische Anrede brachte ihn zum Lachen. Das war so typisch Pernilla.

»Wo bist du?«, fuhr sie fort. »Lass mich raten, du sitzt im Büro, und jetzt ist es zu spät, um die letzte Fähre zu erreichen. Du kommst heute Abend nicht.«

Pernilla kannte ihn gut.

Thomas wollte gerade antworten, als plötzlich ein sehr zorniges Gebrüll durch den Hörer drang. Dafür, dass Elin erst wenige Wochen alt war, hatte sie eine verblüffend kräftige Stimme.

»Deine Tochter ist heute ziemlich ungnädig«, sagte Pernilla und versuchte, den Lärm zu übertönen. »Wir reden später weiter. Ich rufe dich an, wenn sie eingeschlafen ist.«

Thomas hatte kaum aufgelegt, als es an der Tür klopfte. Harry Anjou steckte den Kopf ins Zimmer.

»Hast du ein paar Minuten Zeit, oder machst du gerade Feierabend?«

»Komm rein«, sagte Thomas und nickte zum Besucherstuhl. »Setz dich.«

Er schob den Verpackungsmüll eines Hamburger-Menüs beiseite, das sein Abendessen gewesen war. Harry Anjou setzte sich und rieb sich das Kinn, auf dem man nun deutlich die Bartstoppeln sehen konnte.

»Ich habe über die Sache mit den Drogen nachgedacht«, sagte er und lehnte sich zurück. »Wenn Victor Ekengreen über Mittsommer richtig abfeiern wollte, hatte er vermutlich einen größeren Vorrat dabei. Aber dann ist vielleicht etwas passiert. Er wurde bestohlen, oder der Stoff ist ins Wasser gefallen, was weiß ich. Jedenfalls ist er verdammt wütend geworden. Außerdem war er betrunken, wie wir wissen.«

»Seine Kameraden hatten den Eindruck, dass er nicht viel verträgt«, sagte Thomas.

»Genau.« Anjou nickte. »Ich könnte mir vorstellen, dass er auf der Insel nach einem Dealer gesucht hat, der ihn mit Nachschub versorgt. Und dass er schließlich auf einen von Minosevitchs Jungs gestoßen ist.«

»Das hatten wir uns ja auch schon überlegt«, sagte Thomas. Er fragte sich, worauf der Kollege hinauswollte.

»Richtig«, sagte Anjou. »Erinnerst du dich, dass seine Freundin gesagt hat, Ekengreen sei gerannt, als sie ihn hinter dem Seglerrestaurant einholen wollte? Vielleicht war das kein Zufall, vielleicht war er mit einem Dealer verabredet.«

»Felicia hat gesagt, dass Victor sie nicht bei sich haben wollte«, räumte Thomas ein. »Sie musste regelrecht darum betteln, ihn begleiten zu dürfen.«

»Genau darüber habe ich nachgedacht«, sagte Anjou eifrig. »Seine Freundin dachte vielleicht, dass sie nach Skärkarlshamn gingen, sei reiner Zufall gewesen, aber die Stelle, wo Ekengreen später gefunden wurde, liegt sehr versteckt. Sie wäre der perfekte Treffpunkt, um Stoff zu übergeben, ohne dass es jemand mitkriegt.«

Er lächelte schief.

»Glaub mir«, fuhr er fort. »Im Hafen wimmelte es von Polizei, aber in der Ecke sind wir fast nie gewesen. Da hat nur selten mal eine Streife vorbeigeschaut, um zu kontrollieren, ob auch keiner Feuer im Wald macht.«

»Das heißt, wenn wir herausfinden könnten, mit wem Ekengreen sich verabredet hatte ...«, sagte Thomas gedehnt.

»Vielleicht treiben wir einen Zeugen auf, oder vielleicht sogar einen möglichen Täter. Ich wette, es bringt uns ein ganzes Stück weiter, wenn wir den Dealer finden. Vielleicht konnte oder wollte Ekengreen den geforderten Preis nicht bezahlen und hat versucht, den Händler auszutricksen. Diese Jungs sind ja ganz schön harte Brocken.«

»Das hat Landin auch gesagt.«

Anjou beugte sich eifrig zu Thomas vor.

»Mal angenommen, Ekengreen muckt auf, als es ans Bezahlen geht. Es endet damit, dass sie sich prügeln und Ekengreen das Bewusstsein verliert. Der Dealer kriegt Schiss, er will nicht riskieren, dass Ekengreen wieder aufwacht und ihn anzeigt, also schlägt er ihn tot.«

»Du meinst, er hat ihn sicherheitshalber umgebracht?« Thomas war skeptisch. »Das klingt ziemlich weit hergeholt.«

Anjou schüttelte den Kopf.

»Nicht unbedingt. Viele von diesen Dealern haben keine Aufenthaltserlaubnis. Wenn die wegen Drogengeschichten in den Bau wandern, werden sie anschließend fast immer abgeschoben. Das ist ein hoher Preis, und viele von denen würden wer weiß was tun, um nicht ausgewiesen zu werden.«

Anjou schlug die Beine übereinander.

»Wäre doch möglich, oder nicht?«

»Warten wir mal ab, was Landin morgen sagt«, entgegnete Thomas, verschränkte die Arme hinter dem Kopf und überlegte.

Sie hatten die Beteiligten der Messerstecherei im Hafen überprüft, ohne einen Zusammenhang zu dem Toten zu finden. Aber es würde interessant sein, zu hören, ob Victor den Kollegen von der Drogenfahndung aufgefallen war, bevor er starb.

Auf jeden Fall schien Anjou sich bei ihnen einzuleben.

»Wie geht's sonst?«, fragte Thomas. »Du springst hier ja wirklich mitten rein ins Vergnügen.«

»Könnte man so sagen. Aber lieber so, als Akten von einer Seite auf die andere zu stapeln. Ich hatte auch gedacht, ich würde am Anfang erst mal kleinere Vergehen und so was bearbeiten.«

Bei der Vorstellung, wie Anjou in Aktenbergen versank, musste Thomas unwillkürlich schmunzeln.

»Wie gefällt es dir in Stockholm?«

»Ganz gut. Ist alles ein bisschen hektischer als in Norrland. Aber ich mag die Großstadt, mir gefällt, dass die Leute ihre Nase nicht dauernd in Sachen stecken, die sie nichts angehen.«

Anjou verzog das Gesicht.

»Du weißt, wie das auf dem Land ist, über alles und jeden wird getratscht, und es gibt eine Menge Idioten, die immer zu allem ihren Senf dazugeben müssen. Dieses Milieu hier sagt mir wesentlich mehr zu.«

Thomas warf einen Blick zur Uhr, fast halb zehn. Er gähnte.

»Machen wir Schluss für heute«, sagte er und erhob sich.

Kapitel 60

Thomas stieg in den Volvo und schnallte sich an. Pernilla hatte nicht wieder angerufen, aber inzwischen sollte Elin wohl eingeschlafen sein. Er holte sein Handy hervor.

»Ich bin's«, sagte er, als Pernilla sich meldete. »Schläft sie?«

»Ja. Gott sei Dank.« Pernilla lachte leise. Dann wurde ihre Stimme ernst. »Ich frage mich, ob sie vielleicht Koliken hat, so wie sie schreit. Vielleicht sollten wir mal diese Tropfen ausprobieren, die es in der Apotheke gibt. Ich glaube nicht, dass ich noch lange durchhalte, wenn das so weitergeht.«

Sofort meldete sich Thomas' schlechtes Gewissen. Eigentlich müsste er jetzt auf Harö sein und sich um seine Tochter kümmern. Stattdessen schob er Zwölfstundenschichten im Büro.

»Wie läuft's bei euch?«, fragte Pernilla.

»Geht so«, erwiderte Thomas. »Aber wir stehen erst ganz am Anfang der Ermittlung. Wir haben noch jede Menge vor uns, wie immer.«

»Ich habe in der Zeitung über den Fall gelesen. Das geht einem richtig nahe, man kann gar nichts dagegen tun. Dabei kenne ich Johan Ekengreen und seine Frau gar nicht persönlich.«

Im Hintergrund wurde eine Tür geschlossen, und Thomas hörte ein Boot, das in einiger Entfernung vorbeituckerte. Vermutlich hatte Pernilla sich an den Steg gesetzt, mit Aussicht übers Wasser.

»Ist es sehr anstrengend?«

In Pernillas Stimme lag nichts als Anteilnahme, da war keine Spur eines Vorwurfs, dass er immer noch in der Stadt war. Thomas liebte sie dafür.

»Du weißt, wie das ist«, sagte er. »Tausend Sachen, die erledigt werden müssen, und zu wenig Leute, die das übernehmen können. Wir haben jemanden von der Ordnungspolizei bekommen, der sich um telefonische Hinweise und Hintergrundinformationen und so was kümmert. Aber es dauert eben seine Zeit.«

Thomas passierte Danvikstull und näherte sich der Folkungagatan, wo er links abbiegen musste, um zu ihrer Wohnung in Söder zu gelangen. Vor einer Ampel musste er warten. Rechterhand am Fährschiffkai lag eine große, hell erleuchtete Finnlandfähre.

»Die Obduktion ist abgeschlossen«, sagte er. »Wir hatten heute mehrere Lagebesprechungen. Nach außen hin sieht alles bestens aus, die Jugendlichen sind wohlerzogen und leben in guten Verhältnissen. Aber wenn man am Lack kratzt ...«

Die Ampel sprang auf Grün, und Thomas bog nach links ab.

»Geld ist wirklich nicht alles«, sagte er. »Das ist richtig deprimierend.«

»Und womit hast du dich konkret beschäftigt?«

»In den letzten paar Stunden habe ich Informationen über den besten Freund des toten Jungen gesammelt, der mit ihm auf Sandhamn war. Wir versuchen zu verstehen, was da draußen passiert ist.«

Stück für Stück hatte er sich ein Bild von Tobbe gemacht, während er mit Lehrern und anderen Personen gesprochen hatte, die ihn kannten. Die meisten beschrieben Tobbe als einen unbekümmerten Spaßvogel, der immer einen schlagfertigen Kommentar parat hatte. Ein Typ, der Aufmerksamkeit und Bestätigung suchte. Viele meinten, dass er wohl zu viel trank, aber trotzdem beliebt war.

»Bist du noch da?«, fragte Pernilla.

Thomas begriff, dass er ganz in Gedanken gewesen war.

»Ich dachte gerade an die Jugendlichen.«

»Hast du irgendwas rausgekriegt?«

»Es ist noch zu früh, um das sagen zu können. Wir müssen alle unter die Lupe nehmen, die an dem Tag mit Victor zusammen waren. Das dauert eine Weile.«

Er hörte, wie Pernilla einen kleinen traurigen Seufzer ausstieß.

»Er war erst sechzehn«, sagte sie langsam. »Das ist noch so jung.«

»Ja.«

Stille trat ein, Thomas wusste, dass sie beide an Elin dachten.

»Ich will versuchen, ob ich morgen zu euch rauskommen kann«, sagte Thomas und beendete das Gespräch.

Seine Gedanken kehrten zu Tobbe zurück.

Er wirkte wie ein verirrter Junge, dessen innerer Kompass zu schwach war, jedenfalls nach allem, was Thomas über ihn gehört hatte. Seine Noten waren ausgezeichnet, aber mehrere Lehrer hatten gesagt, dass Tobbe schwatzhaft war und Mühe hatte, still zu sitzen und sich zu konzentrieren. Die Scheidung seiner Eltern hatte ihn negativ beeinflusst, darüber waren sich fast alle einig. Im letzten Jahr auf der Oberstufe war er noch rastloser geworden.

Victor hatte Drogen genommen, da lag die Vermutung nahe, dass auch Tobbe welche nahm.

Hatte der Stoff ihn auch aggressiv gemacht?

Waren sie zwei zugedröhnte Jugendliche, die sich an jenem Abend am Strand an die Kehle gegangen waren?

Kapitel 61

Nora und die Jungs saßen vor dem Fernseher in Signes altem Nähzimmer, das zum Fernsehzimmer umgewandelt worden war. Sie hatten sich auf dem prächtigen Samtsofa mit bunten Dala-Stickereien zusammengekuschelt, das dort schon so lange stand, wie Nora zurückdenken konnte. Es war dasselbe Möbelstück, in dem Signes jüngerer Bruder einmal beinahe zu Tode gekommen wäre, als das Bettsofa umschlug und den Jungen unter der Matratze einklemmte.

Die Geschichte war bei vielen Anlässen erzählt worden, und jedes Mal, wenn Nora sich auf das Sofa setzte, musste sie an Signe und ihren Bruder denken, ob sie wollte oder nicht. Sicherheitshalber hatte sie einen Hammer genommen und die Sitzfläche festgenagelt, sodass sie nicht mehr umschlagen konnte. Sie wollte nicht riskieren, dass ihre Söhne unter einer Matratze erstickten.

An der Wand über dem Sofa hing eines von Signes Lieblingsbildern, ein schönes Ölgemälde des Schären-Malers Axel Sjöberg. Er hatte längere Zeit seines Lebens auf Sandhamn gewohnt und stand nun als Statue im Hafen vor dem Skärgårdsmuseum.

Es ging auf elf Uhr abends zu, und der Frühsommerhimmel hatte sich dunkelblau gefärbt. Das ganze Haus roch nach frischem Popcorn, Adam liebte Popcorn und hatte zwei große Schüsseln gefüllt.

Mit Simons Kopf auf dem Schoß und Adam neben sich auf dem Sofa versuchte Nora, den Augenblick zu genießen. Die letzten vierundzwanzig Stunden waren turbulent gewesen, jetzt wollte sie die Welt ausblenden und nur mit ihren Söhnen zusammen sein.

Ich liebe euch so sehr, dachte sie und streichelte Simons Wange. Er merkte es kaum, beide Jungs waren vollkommen auf die Handlung des Films konzentriert. Adam stopfte Popcorn in sich hinein, ohne den Bildschirm aus den Augen zu lassen. Ein paar weiße Kügelchen waren auf dem Teppich vor dem Sofa gelandet.

Noras Hand ruhte auf Simons Nacken. Er schwitzte ein wenig, und ihr wurde auch warm, aber sie genoss die Nähe. Es erinnerte sie an die Säuglingszeit, als die Jungs wie zusammengekauerte Frösche auf ihrer Brust lagen, wenn sie einschlafen sollten. Als sie nirgendwo lieber sein wollten als bei Mama.

Langsam entspannten sich Noras Muskeln.

Die Petroleumlampe auf der grauen Anrichte brannte mit warmer gelber Flamme, und ein paar Insekten, die sich ins Zimmer verirrt hatten, umschwirrten das Licht. Das Fenster stand einen Spalt offen, und die dünnen Spitzengardinen bewegten sich in der leichten Abendbrise.

Obwohl sie versuchte, sich auf den Film zu konzentrieren, wanderten ihre Gedanken immer wieder zu Jonas. Er hatte nicht auf ihre SMS geantwortet und sich den ganzen Tag nicht gemeldet.

War es naiv gewesen zu glauben, alles würde funktionieren, nur weil sie so sehr ineinander verliebt waren? Vielleicht waren sie im Frühjahr zu hastig vorgegangen.

Nora konnte sich gut vorstellen, dass die Veränderungen für Wilma zu groß gewesen waren.

Ebba schaltete die Nachttischlampe aus und zog die Decke bis unters Kinn. Sie musste jetzt schlafen, aber sie konnte nicht aufhören, an Tobbe zu denken, die ganze Zeit fragte sie sich, wie es ihm wohl ging und was er gerade tat. Gestern hatte sie bis zum Morgengrauen wach gelegen, ohne einschlafen zu können.

Sie dachte an Tobbes neckische Grimassen, wenn er versucht hatte, sie während eines langweiligen Vortrags in der Aula zum Lachen zu bringen. An die Wärme, wenn sie in den Pausen Händchen gehalten hatten, an das Gefühl, dass die Welt nur aus ihnen beiden bestand.

Sie erinnerte sich, wie er zum ersten Mal bei ihr übernachtet hatte. Ihre Mutter war verreist gewesen, und Ebba hatte gesagt, sie würde in der Zeit bei Felicia wohnen. In Wirklichkeit hatte sie Tobbe mit nach Hause genommen, und sie hatten in ihrem Bett zusammen geschlafen.

Sie war nie zuvor so glücklich gewesen wie an jenem Morgen, als sie die Augen aufschlug und Tobbe neben ihr lag, mit den roten Strubbellocken auf ihrem Kissen.

Süßester Tobbe, dachte sie.

Das Handy auf ihrem Nachttisch piepste. Ebba griff danach, ohne die Lampe einzuschalten. Wenn Mama merkte, dass sie so spät noch simste, regte sie sich nur wieder auf.

Obwohl alles dagegen sprach, hoffte sie, dass Tobbe ihr eine Nachricht geschickt hatte. Aber als sie aufs Display sah, war es eine SMS von Felicia, die gerade auf Vindalsö war.

Ebba würde noch die ganze Woche auf Lindingö bleiben, weil ihre Mutter erst nächste Woche Urlaub bekam. Aber dann würden sie für zwei Wochen nach Gotland fahren.

Ebba las die kurze Mitteilung.

Tobbe muss morgen bei der Polizei aussagen, ich auch.

In Ebbas Hals bildete sich ein Kloß. Sie schluckte krampfhaft.

Wieso? tippte sie schnell und drückte auf Senden.

Die Antwort kam sofort.

Keine Ahnung.

Ein paar Sekunden vergingen, dann piepste es wieder.

Die Buchstaben leuchteten im Halbdunkel.

Ich hab Tobbe am Strand gesehen, als Victor starb. Was soll ich der Polizei sagen?

Kapitel 62

Eine einsame Lampe brannte in der Bibliothek, wo Johan Ekengreen in einem braunen Ledersessel saß. Das Licht reichte nicht weit, die Bücherregale an den Wänden lagen im Schatten. Die CD mit Johnny Cash war schon lange zu Ende, aber Johan konnte sich nicht überwinden, aufzustehen und eine neue einzulegen. In der Hand hielt er einen halb gefüllten Kognakschwenker, die Flasche auf dem Tisch war fast leer.

Ellinor war am frühen Nachmittag gelandet, bleich und verzweifelt. Als sie ihn in der Ankunftshalle auf sich zukommen sah, begannen ihre Tränen zu fließen. Johan biss die Zähne zusammen, er konnte nicht auch noch anfangen zu heulen, nicht hier vor allen Menschen. Er hatte bereits germerkt, dass er von mehreren Leuten erkannt worden war. Also spannte er die Kiefermuskeln so fest an, dass seine Stimme barsch klang.

»Gib mir deine Tasche. Das Auto steht vor der Tür.«

Mit schnellen Schritten ging er zum Ausgang. Nur weg hier, bevor er die Beherrschung verlor. Ellinor folgte ihm im Laufschritt.

Pontus, sein ältester Sohn, war noch auf Ibiza. Er war der Einzige, der bei der Nachricht nicht zusammengebrochen war. So lange er Golf spielen und Ski fahren konnte, war die Welt für ihn in Ordnung, dachte Johan bitter.

Pontus lebte, und Victor war tot.

Es war sinnlos, so zu denken. Ungerecht. Aber er konnte nicht anders. Pontus war es nicht, auf den Johan seine Hoffnungen gesetzt hatte. Sein ältester Sohn war unkompliziert und charmant, aber viel mehr auch nicht. Er war ein intellektuelles Leichtgewicht, das nach seiner Mutter kam, das war die bittere Wahrheit.

Im Halbdunkel gestand Johan sich selbst ein, wie die Dinge lagen. Es war sein jüngster Sohn, in dem er sich wiedererkannt hatte, es war Victor, der sein Werk hatte fortsetzen sollen.

Dennoch waren Victors Voraussetzungen so ganz anders gewesen als seine eigenen. Er, Johan, hatte nichts geschenkt bekommen. Seine

Eltern hatten hart auf dem Hof arbeiten müssen, um ihn und seine älteren Schwestern durchzubringen. In seiner Kindheit und Jugend hatte die Mutter unter ständigen Zahnschmerzen gelitten, aber das Geld reichte nicht für eine Behandlung. Am Ende war sie gezwungen gewesen, sich alle Zähne ziehen zu lassen.

Die Erinnerung an das Gebiss auf ihrem Nachttisch verfolgte ihn bis heute.

Schon früh hatte sich herausgestellt, dass Johan ein begabtes Kind war. Obwohl kein Geld da war, hatte die Mutter darauf bestanden, dass er aufs Gymnasium ging und nicht nach der Hauptschule aufhörte, so wie die anderen Jungen in dem kleinen Dorf.

Als Johan Abitur machte, war er der Erste in der Familie, der das geschafft hatte.

Eigentlich hätte er sich an den Tag mit Freuden erinnern müssen, dachte er jetzt wie schon so oft zuvor. Aber das Einzige, woran er sich erinnerte, war die Demütigung, das Gefühl von Scham, als er mit seinen Eltern auf dem Schulhof stand. Der Vater mit seiner verschlissenen Schirmmütze, die Mutter in ihrer noppigen Strickjacke über einem kleingeblümten Kleid.

Seine Klassenkameraden hatten ihn zu ihren Abiturfeiern eingeladen. Das war ein bitterer Witz, denn sich mit einer Gegeneinladung zu revanchieren, war undenkbar.

Direkt nach der Schule hatte er seinen Militärdienst bei den Küstenjägern geleistet. Dort verbrachte er die beste Zeit seines Lebens, und als er auf die Universität kam, trauerte er dieser Zeit aufrichtig nach. Aber das Lernen fiel ihm leicht, seine Noten waren gut, und nach einer Weile merkte er zu seiner eigenen Verwunderung, dass er bei seinen Mitstudentinnen hoch im Kurs stand.

Ihm eröffneten sich ganz neue Welten.

Wie ein Chamäleon passte er sich an und studierte insgeheim seine wohlhabenden Freunde und ihre Sitten. Wie man einer Frau den Hof machte, wie man als Jüngerer einen Älteren ansprach. All das saugte er in sich auf.

Diskret ergänzte er seinen Nachnamen um einige Buchstaben, um ihm einen besseren Klang zu geben. Aus Ekgren wurde Ekengreen. Die neuen Kontakte brachten ihm eine gute Stellung mit weißem Hemd und blank geputzten Schuhen ein. Er war kaum dreißig und verdiente mehr Geld, als seine Eltern sich je hätten träumen lassen.

Sein Elternhaus besuchte er selten.

Er machte Karriere, bekam einen neuen Job, wurde befördert. Mit Anfang dreißig wurde er Geschäftsführer. Man lud ihn zu Podiumsdiskussionen ein und interviewte ihn für Wirtschaftszeitungen. Einige Jahre später rief der Vorstandsvorsitzende eines großen börsennotierten Unternehmens an, der einen Konzernchef brauchte.

Er verdiente noch mehr Geld, ohne sich irgendwo heimisch zu fühlen. Aber das verbarg er sorgfältig hinter einem luxuriösen Haus in einem eleganten Vorort und maßgeschneiderten Anzügen.

Die Mutter von Nicole und Pontus hatte ihn auf einem Teil des Weges begleitet. Jahrelang verschloss sie Augen und Ohren vor all den Gerüchten über andere Frauen. Bis sie genug hatte und ihn verließ.

Ein paar Jahre später traf er Madeleine bei einer privaten Feier. Sie war perfekt, sechzehn Jahre jünger und stammte aus einer namhaften Bankiersfamilie; ihre Mutter war eine polnische Adelige. Erst wurde Ellinor geboren und zwei Jahre darauf Victor. Beide waren ebenso blond und elegant wie ihre Mutter.

Ellinor und Victor.

Der Griff um den Kognakschwenker wurde fester.

Auf dem Kaminsims standen Fotos der Kinder. Seiner vier Kinder. Nun lebten nur noch drei. Victor würde nie mehr zurückkommen. Der Tod war das Einzige, was unwiderruflich war.

Zum ersten Mal in seinem Leben fühlte Johan sich älter, als er an Jahren zählte.

Er nahm einen großen Schluck, der Alkohol brannte ihm auf der Zunge.

Die Unklarheiten im Zusammenhang mit Victors Tod quälten ihn mehr, als er sich hätte vorstellen können. Plötzlich verstand er, warum Angehörige von Menschen, die bei Schiffsunglücken umgekommen waren, manchmal jahrelang darum kämpften, dass die Leichen geborgen wurden.

Das Bedürfnis nach Gewissheit über das, was passiert war, peinigte ihn, die Ungewissheit schmerzte ihn körperlich. Es war das Einzige, woran er in den letzten vierundzwanzig Stunden hatte denken können.

Wer hatte seinen Sohn ermordet?

Am Nachmittag hatte er bei der Polizei angerufen, um sich nach dem Stand der Ermittlungen zu erkundigen, aber nur unzufriedenstellende Antworten erhalten.

»Wir melden uns, sobald wir mehr wissen«, hatte Thomas Andreasson gesagt.

Das reichte ihm nicht.

Johans Magen krampfte sich zusammen bei dem Gedanken an die nichtssagenden Worte. Sollte er wochen-, ja monatelang auf eine Antwort warten?

»Sie werden doch wenigstens *etwas* in Erfahrung gebracht haben«, hatte Johan gedrängt.

»Wir melden uns«, hatte der Kommissar wiederholt.

Johan spürte, wie die Ungewissheit ihn zu ersticken drohte. Eine Mischung aus Verzweiflung und Wut ballte sich in seinem Körper. Er konnte nicht einfach dasitzen und warten.

Hart stellte er das Glas ab und erhob sich aus dem Sessel. Er ging einige Schritte, ziellos, planlos. Am Schreibtisch blieb er stehen und stützte die Hände auf die Schreibtischplatte.

Sein Blick wanderte durch den Raum.

Im letzten Bücherregal, zweites Fach von oben, stand das Jubiläumsbuch über die schwedischen Küstenjäger, die Eliteeinheit auf Korsö gegenüber von Sandhamn. Johan hatte die Ausbildung als Drittbester seines Zugs abgeschlossen.

Er hatte gelitten wie ein Tier, die Gerüchte über den harten Schliff bei den Küstenjägern waren nicht übertrieben gewesen. Aber er hatte gelernt, die Zähne zusammenzubeißen und niemals aufzugeben; unschätzbare Werte für seine spätere Karriere. Der Korpsgeist war extrem gewesen, nichts hatte die Loyalität und den Zusammenhalt unter den Kameraden brechen können.

Johan zögerte, dann straffte er die Schultern und ging zum Bücherregal. Er zog das Buch heraus und blätterte darin, bis er zu seinem eigenen Jahrgang kam.

Sechsunddreißig Mann waren sie gewesen, die in jenem Jahr Mitte der Sechziger die Ausbildung abgeschlossen hatten. Nur mit wenigen von ihnen hatte er noch regelmäßigen Kontakt, aber er wusste, dass er jeden seiner Kameraden von damals jederzeit um Hilfe bitten konnte, ganz gleich, um was es ging.

Mit dem Buch in der Hand blickte er zum Kamin und betrachtete das Foto von Victor.

Sein Sohn lächelte ihn an, die blonden Haare ein wenig zerzaust. Das hellblaue Hemd war am Hals geöffnet und gab den Blick auf das silberne Kreuz frei, das sie ihm zur Konfirmation geschenkt hatten. Es war erst ein Jahr her, dass Victor in einem Segelcamp im Schärengarten konfirmiert worden war.

Die Erinnerung an Victors regloses Gesicht auf der Pritsche, mit den blutverklebten Strähnen auf der Stirn, wurde immer stärker.

Johan fiel das Atmen schwer.

Mit dem Buch in der Hand ging er zurück zum Schreibtisch und zog die oberste Schublade auf, in der das alte Adressbuch lag. Wie von selbst fanden seine Finger die Seite mit der Telefonnummer. Rasch tippte er die Ziffern auf seinem Handy ein.

»Hier ist Johan Ekengreen. Ich brauche deine Hilfe«, sagte er leise ins Telefon.

Dienstag

Kapitel 63

Wilma schlief immer noch. Vielleicht ganz gut so, dachte Jonas. Er hatte sie am Abend in Ruhe gelassen, genau wie Margot ihm geraten hatte, aber heute mussten sie sich unterhalten.

Lautlos schloss er die Tür zu ihrem Zimmer und ging die Treppe hinunter. Mit geübten Handgriffen schnürte er seine Joggingschuhe und trat vor die Tür. Es war mild draußen, dabei war es erst acht Uhr morgens.

Die Brand'sche Villa erhob sich auf dem Kvarnberget direkt nebenan, aber er vermied es, zu dem gelben Haus hinüberzusehen, und begann stattdessen, in Richtung Missionshaus zu joggen, auf den Wald zu.

Seine Laufrunde führte einmal quer über die Insel, den Südstrand entlang bis nach Trouville und zurück über das Sandfeld. Zwei Runden dauerten knapp eine Stunde und fünfundvierzig Minuten, wenn er das Tempo durchhielt.

Es war befreiend, in die Stille des Kiefernwaldes einzutauchen. Die hohen Kronen der Nadelbäume rauschten in der Morgenbrise, es war nichts zu hören als das Geräusch seiner Schritte auf dem nadelbedeckten Pfad, der sich durch Blaubeersträucher und Heidekraut schlängelte.

Jonas konzentrierte sich auf seine Schritte. Er atmete gleichmäßig ein und aus und versuchte, sein Gehirn von allen Gedanken zu leeren.

Die ganze Nacht hatte er sich in seinem Bett herumgewälzt. Jetzt wollte er nichts lieber, als sich seine Stresshormone abzulaufen.

Er erhöhte das Tempo und bog auf den Pfad ab, der hinunter zum Südstrand führte. Der lag etwas abseits des beliebten Trouvillestrands und war auch nicht so feinsandig. Aber er war schöner.

Hier an diesem Strand hatte er zum ersten Mal mit Nora gesprochen. So richtig gesprochen. Sie hatte einen einsamen Spaziergang gemacht, als sie zufällig zusammentrafen. Das war im September gewesen, ein halbes Jahr nach ihrer Trennung von Henrik.

Damals hatte sie so traurig gewirkt, das Lächeln ihres Mundes hatte ihre Augen nicht erreicht. Einmal war sie sogar den Tränen nahe gewesen.

Es hatte ihn gerührt, damals bei ihrer Begegnung am Strand, als ihre Lippen zitterten. Er hatte sie zum Lachen gebracht, indem er Steinchen über die Wellen hüpfen ließ.

Sie waren zusammen zurück ins Dorf gewandert, und bevor sie auseinandergingen, hörte er sich fragen, ob sie Lust hätte, mit ihm essen zu gehen. Die Worte hatten ihn selbst überrascht, er hatte kaum den Gedanken formuliert, als er ihm auch schon über die Lippen kam. Aber er war überglücklich gewesen, als sie einwilligte.

Sie hatten einen entspannten Abend lang in der Taucherbar zusammengesessen, und eine Woche später waren sie sich zufällig wieder begegnet. Beide hatten ein kinderfreies Wochenende, und das hatte damit geendet, dass sie die Nacht zusammen verbrachten.

Er hatte sich fast sofort in sie verliebt.

Eine Frau, mit der ich mir vorstellen könnte, mein Leben zu teilen, hatte er gedacht.

Zum ersten Mal seit Jahren hatte er es genossen, mit einer Frau zusammen aufzuwachen, anstatt sich unauffällig aus einem One-Night-Stand davonzuschleichen.

Der Schweiß lief ihm den Rücken hinunter. Jonas erhöhte das Tempo. Es war eine Befreiung, sich auf das Spiel der Muskeln zu konzentrieren und zu spüren, wie die Lungen arbeiteten. Es ging darum, am Strand die richtige Spur zu finden – nicht so weit oben im Sand, dass die Schritte schwer wurden, aber auch nicht so nah an der Wasserkante, dass die Wellen an den Sohlen leckten. Gleich würde er die Grüne Wiese erreicht haben, den Bolzplatz, auf dem die Jugendlichen der Insel jahraus, jahrein Fußball spielten.

Ein Stück voraus standen zwei Frauen in Frotteebademänteln am Wassersaum und bereiteten sich auf ihren morgendlichen Sprung ins Meer vor. Jonas hob grüßend die Hand, als er an ihnen vorüberlief.

Zwei eigenartige Häuser mit Türmchen und Steinbrüstungen tauchten vor ihm auf. Um die Eigentümer nicht zu stören, schwenkte er in den Wald hinein und einen kleinen Hügel hinauf. Absichtlich erhöhte er sein Tempo nochmals und holte das Letzte aus sich heraus, bis ihm das Blut in den Ohren pochte und er Salz auf der Zunge schmeckte.

In der Ferne bellte ein Hund, und Jonas bog auf den Holzbohlenweg ein, der in den Hauptweg zum Dorf mündete. Die Bohlen wippten unter seinen Füßen, und nach wenigen Minuten lag die letzte lange Spurtstrecke vor ihm.

Das Blut rauschte in seinen Adern. Der Schweiß lief ihm in die Augen und tropfte aufs Sweatshirt, das schon triefnass war.

Obwohl er lief, so schnell er konnte, holten ihn die Gedanken ein.

Sollte er gezwungen sein, sich zwischen seiner Tochter und Nora zu entscheiden? Stand es wirklich so schlimm?

Kapitel 64

Im roten Backsteingebäude der Polizeistation Nacka saß die Drogenfahndung ein Stockwerk über der Ermittlungsabteilung. Margit und Thomas brauchten nur wenige Minuten, um die Treppe nach oben zu steigen. Auf dem Weg dahin berichtete Thomas ihr vom gestrigen Gespräch mit Harry Anjou.

Als sie ankamen, hatte Torbjörn Landin drei seiner Kollegen an einem runden Tisch in einem kleinen, fensterlosen Besprechungsraum versammelt. Landin selbst war ein hochgewachsener Mann mit rotfleckigem Teint, es sah fast so aus, als hätte er eine Art von Gesichtsrose um die Nase und auf den Wangen. Sein Händedruck war fest.

»Setzt euch doch«, sagte er und zeigte auf zwei freie Stühle.

Vom Sehen kannte Thomas die anderen Anwesenden, zwei Männer und eine Frau, aber Landin stellte alle namentlich vor. Harald Rimér, Kurt Ögren und Emma Hallberg.

»Diese Gruppe hier ist die Hälfte der Zivilfahnder, die wir am Mittsommerwochenende auf Sandhamn im Einsatz hatten«, sagte Landin. »Die anderen haben frei, aber wir können sie später befragen, falls nötig.«

Thomas grüßte in die Runde und schlug seinen Notizblock auf.

»Ich habe sie über euren Fall informiert«, sagte Landin, »sie wissen also, worum es geht. Was wollt ihr denn im Einzelnen wissen?«

Alles, was mehr Licht in Victor Ekengreens letzte Stunden auf Erden bringt, dachte Thomas, sagte aber nichts.

Er zog ein Foto von Victor hervor, das die Eltern ihnen überlassen hatten. Es war draußen aufgenommen worden, auf dem Meer. Victor war braun gebrannt und trug eine rot gestreifte Schwimmweste. Er zeigte auf etwas, das sich hinter dem Fotografen befand.

Urplötzlich kam Thomas der Gedanke, dass Victor traurig wirkte. Aber vielleicht blinzelte er nur in die Sonne, es war schwer zu sagen.

»Das hier ist Victor Ekengreen«, sagte er. »Wir würden gerne wissen, ob er euch am Mittsommerwochenende irgendwie aufgefallen ist.«

Das Foto wurde am Tisch herumgereicht, aber alle schüttelten den Kopf.

»Hübscher Junge«, sagte Emma Hallberg leise.

»Eine unserer Hypothesen ist, dass Victor sich am Tatort mit einem Dealer verabredet hatte«, sagte Margit. »Und dass dieses Zusammentreffen aus dem Ruder gelaufen ist.«

»Wir haben überlegt, ob einer der Leute, die ihr observiert habt, darin verwickelt sein könnte«, fügte Thomas hinzu.

»Er wurde in Skärkarlshamn gefunden, richtig?«, fragte Emma und legte das Foto auf den Tisch.

Thomas und Margit nickten.

»Zu weit weg«, sagte Emma.

»Inwiefern?«, hakte Margit nach.

»Im Hafen wurde eine Menge gedealt. Mir erscheint es abwegig, dass Käufer und Verkäufer sich für einen Deal an einem so entlegenen Platz verabredet haben sollen, wenn sie es doch gleich hinter der nächsten Ecke hätten tun können. Hätte keine fünf Minuten gedauert.«

»Da ist was dran«, warf Landin ein. »Die meisten Deals gehen auf den Booten über die Bühne. Solche Infos verbreiten sich wie ein Lauffeuer, die Interessenten wissen schnell, wo man was kaufen kann. Nicht die Verkäufer ziehen herum, sondern die Käufer. Es würde viel zu viel Zeit kosten, wenn die Verkäufer sich mit jedem einzelnen Kunden an einem bestimmten Ort verabreden würden.«

»Wir haben am Wochenende auf mehreren Booten zugeschlagen«, sagte Harald Rimér. Er war vollkommen kahl, und auf seiner Glatze leuchtete ein kräftiger Sonnenbrand. »Es ist nicht schwer zu erkennen, wo gedealt wird, wenn man weiß, worauf man achten muss.«

Landin zog an seinen Fingern, bis es knackte.

»Auf manchen Booten kommt alle Viertelstunde ein neuer Interessent«, sagte er. »Die bleiben nur zehn Minuten. Der Käufer geht an Bord, sagt guten Tag und verschwindet unter Deck. Nach fünf bis zehn Minuten kommt er wieder hoch und verabschiedet sich. Kurz darauf kommt der nächste Kunde. Wenn du so was siehst, weißt du gleich, dass da was faul ist.«

Die anderen murmelten zustimmend.

»Also warum sollte sich ein Dealer die Mühe machen, nach Skärkarlshamn zu marschieren, wenn er doch nur darauf zu warten braucht, dass die Kundschaft zu ihm kommt?«, überlegte Thomas laut.

Er dachte an das Gespräch mit Harry Anjou. Skärkarlshamn war der perfekte Ort für einen Drogenhandel, hatte Anjou gesagt. Weit, aber nicht zu weit vom Hafen entfernt.

»Wie ich die Sache sehe, bietet sich Skärkarlshamn für Drogengeschäfte geradezu an.«

Emma schüttelte den Kopf.

»Viel zu aufwendig.«

»Sagt mal«, meldete Kurt Ögren sich zu Wort, »hatte der Tote vielleicht Briefchen bei sich?«

Thomas hatte den Ausdruck schon gehört. Die üblichste Art, ein paar Gramm Kokain zu transportieren, war ein quadratisches Stück Papier, klein wie ein Post-it-Zettel, das diagonal zu einer Art Briefkuvert gefaltet wurde.

»So weit uns bekannt ist, nicht«, erwiderte er.

»Wie sieht's mit Kugeln aus?«, fragte Landin.

Damit meinte er die Säckchen aus Plastikfolie, die benutzt wurden, um größere Mengen Rauschgift zu transportieren. Indem man mit Daumen und Zeigefinger einen Ring bildete und diesen mit der dünnen Folie umwickelte, erzeugte man eine Art Tasche, in die das Pulver geschüttet wurde.

»Nein«, sagte Margit. »Warum fragst du?«

»Ich dachte nur, falls das Opfer ungeöffnete Päckchen bei sich trug, hätte er kaum Nachschub besorgen müssen.«

Das klang logisch, dachte Thomas, aber bei Victor hatten sie nichts gefunden. Nur ein Briefchen in der näheren Umgebung der Leiche, das zur Analyse ins Labor geschickt worden war.

War die Drogenspur eine Sackgasse? Sollten sie die Theorie fallen lassen, dass Ekengreens Tod etwas mit den Dealern auf Sandhamn zu tun hatte?

Dafür war es noch zu früh. Thomas wollte mehr wissen.

»Wie lückenlos habt ihr Minosevitch an dem Abend beobachtet?«, fragte er. »Im Hafen wimmelte es von Leuten. Wusstet ihr immer, wo er sich aufhielt?«

»Das kann ich beantworten«, sagte Emma. »Seine Gang hat im Seglerrestaurant gesessen und gesoffen.«

»Bist du sicher?«, fragte Margit.

»Japp. Sie hatten einen eigenen Tisch im östlichen Teil. Ich kann nicht beschwören, dass sie vollzählig waren, aber es sah schon so aus, als hätte sich die ganze Gruppe dort versammelt, es waren mindestens zehn, zwölf Typen, die dort aßen und tranken.« Sie schwieg einen Moment. »Sie waren nicht zu übersehen, um es mal so zu sagen. Die Jungs brauchen eine Menge Platz.«

»Kannst du etwas über die Uhrzeit sagen?«, fragte Thomas.

»Tja«, erwiderte Emma mit einem Schulterzucken. »Sie waren auf jeden Fall dort, als die Flagge eingeholt wurde. Ich war gerade im Restaurant, als ich den Schuss hörte.«

»Einundzwanzig Uhr«, sagte Thomas automatisch. »Da wird die Flagge niedergeholt.«

»Dann war es um die Zeit.«

Also hatten Minosevitch und seine Kumpane ungefähr zur selben Zeit auf der Ostveranda getafelt, als Victor Ekengreen am Strand erschlagen wurde. Es genügte, wenn eine einzige Person nicht mit am Tisch gewesen war. Oder sich später dazugesellt hatte. Sie wussten nicht, wie viele zu der Gruppe gehörten.

Warum war Victor ausgerechnet nach Skärkarlshamn gegangen? Das war immer noch eine Schlüsselfrage. Es konnte Zufall gewesen sein, aber wenn nun nicht ...?

Margit ergriff das Wort.

»Lasst es mich so sagen«, sagte sie. »Wie groß ist die Wahrscheinlichkeit, dass einer dieser Kerle wegen eines Streits um ein paar Gramm Koks einen Teenager erschlägt?«

Sie wandte sich direkt an Landin.

»Was meinst du?«

Der Gruppenchef kratzte sich die rote Nase.

»Das hört sich tatsächlich nicht besonders wahrscheinlich an«, sagte er. »Diese Leute geben sich selten mit kleinen Jungs ab.«

Nora ging in die Küche, um Frühstück zu machen. Es war fast neun Uhr, sie war später aufgewacht als sonst. Sie fühlte sich schwer und steif, hatte überhaupt keine Energie.

Die Jungs schliefen, es würde sicher noch eine Weile dauern, bis sie wach wurden. Wie alle Teenager konnte Adam bis Mittag durchschlafen, wenn sie ihn nicht weckte. Simon war eigentlich ein Frühaufsteher, aber auch er war gestern Abend spät zu Bett gegangen, da der Film erst nach Mitternacht zu Ende gewesen war.

Der Himmel hatte sich zugezogen, aber in der Küche, die nach Südwesten hinaus lag, war es trotzdem hell. Da das Haus ganz oben auf dem Kvarnberget lag, gab es nichts, was die Aussicht verstellte. Vom Fenster aus konnte Nora beinahe bis nach Stavsnäs sehen, wenigstens bildete sie sich das ein.

Drüben bei Ekno näherte sich eine Waxholmfähre mit Kurs auf Sandhamn, dahinter hatte ein großer Tanker begonnen, die Insel auf seinem Weg in die Ostsee westlich zu umfahren.

Noras Handy lag auf dem Küchentisch. Als sie es hochnahm, sah sie sofort, dass sie eine neue Nachricht hatte. Die musste gekommen sein, als sie schlief.

Von Jonas.

Wilma geht es so weit gut. Danke, dass du nachgefragt hast. Ich melde mich. /J

Sie starrte auf das Telefon in ihrer Hand und las die wenigen Worte noch einmal.

Er wollte sich melden. Wie meinte er das?

Das war so albern, sie wohnten keine fünfzig Meter voneinander entfernt, aber einfach hingehen und miteinander reden ging nicht. Wie kompliziert denn noch?

Ärgerlich löschte sie die Nachricht.

Kapitel 65

Der Himmel vor Thomas' Bürofenster war bedeckt. Es war kurz vor neun am Dienstagmorgen, in wenigen Minuten sollte Felicia Grimstad eintreffen. Thomas freute sich nicht gerade darauf, ihren arroganten Vater wiederzutreffen.

Er nahm seinen Block und blätterte in den Notizen, die er sich bei dem Treffen mit Landin gemacht hatte. Sie wollten noch mit den anderen Fahndern reden, die auf Sandhamn im Einsatz gewesen waren. Die würden am Donnerstagmorgen wieder im Dienst sein, hatte Landin gesagt. Bis dahin gab es ohnehin noch genug zu tun.

Das Telefon klingelte, ein interner Anruf.

»Nilsson hier«, meldete sich der Kriminaltechniker.

»Guten Morgen«, sagte Thomas. »Wie geht's?«

»Wir haben alles beisammen, was ins Labor soll, aber eine Sache muss vorher noch abgeklärt werden. Am Fundort haben wir einen kleinen gelben Stofffetzen sichergestellt, knapp einen halben Zentimeter lang.«

»Was ist damit?«

»Ich frage mich, ob der nicht von der Reflektorweste eines der Ordnungspolizisten stammen könnte.«

Thomas stellte den Kaffeebecher ab.

»Aha?«

»Vermutlich ist einer der uniformierten Kollegen an einem Ast hängen geblieben, aber das bedeutet, dass wir von allen Einsatzkräften die Westen einsammeln müssen, damit wir das Stoffstück von der Analyse ausschließen können. Ich will keine unnötigen Proben einschicken, wie du sicher verstehst.«

»Ich kümmere mich darum«, sagte Thomas. »Ich werde Anjou bitten, das in die Hand zu nehmen, er kommt ja gerade von der Insel.«

»Klingt gut«, sagte Nilsson. »Bis später.«

Thomas erhob sich und ging zu Harry Anjous Zimmer. Der saß hoch konzentriert vor dem Computer und klickte sich mit der Maus durch ein Menü.

Ein halb voller Becher Kaffee stand neben mehreren leeren mit eingetrocknetem Bodensatz. Daneben lag eine Dose Snus.

»Kannst du mir bei einer Sache helfen?«, fragte Thomas.

»Klar«, erwiderte Anjou und blickte auf.

»Nilsson will alle Reflektorwesten haben, die beim Einsatz auf Sandhamn getragen wurden. Kannst du das organisieren?«

»Wieso das denn?«

»Er hat einen gelben Stofffetzen am Tatort gefunden, den er vom Beweismaterial ausschließen will. Vermutlich stammt er von einem der Ordnungpolizisten, die da waren, als Victor gefunden wurde.«

»Mach ich«, sagte Anjou und schob die Maus beiseite.

Dabei stieß er so unglücklich gegen die Snusdose, dass sie vom Tisch fiel. Die dunkelbraunen Krümel des Lutschtabaks verteilten sich großflächig auf dem Fußboden.

»Verdammte Scheiße.«

Thomas versuchte, sich ein Grinsen zu verkneifen, und wurde vom Telefon gerettet, das in seinem Zimmer klingelte.

»Ich muss rüber.«

»Ich kümmere mich um die Westen«, sagte Anjou, ohne aufzublicken, und versuchte, die Bescherung mit der Schuhspitze zusammenzukratzen.

Der Anruf betraf Felicia Grimstad. Sie war eingetroffen, und Thomas steckte den Kopf in Margits Büro.

»Können wir? Felicia ist unten am Empfang. Karin bringt sie gerade hoch.«

Als Thomas und Margit die Tür zum Vernehmungszimmer öffneten, saß Felicia Grimstad zusammengesunken auf einem Stuhl. Ihr Haar war zu einem Pferdeschwanz gebunden, und sie trug eine Baumwollbluse, die sie ordentlich in den kurzen Rock gesteckt hatte.

Diesmal war zum Glück nur die Mutter mitgekommen. Jeanette Grimstad grüßte die beiden Polizisten freundlich.

Felicia blickte Thomas und Margit hohläugig an.

»Haben Sie den Mörder von Victor?«, fragte sie leise.

»Bis dahin liegt noch viel Arbeit vor uns«, erwiderte Thomas. »Aber genau aus dem Grund haben wir dich herbestellt.«

»Wie geht es dir?«, fragte Margit.

»Nicht so gut.«

Jeanette Grimstad strich ihrer Tochter mit dem Handrücken über die Wange.

»Mein Liebes«, sagte sie zärtlich.

»Konntest du dich ein bisschen ausruhen?«, fragte Thomas.

Felicia schüttelte den Kopf.

»Nicht viel, ich kann nur schwer einschlafen.«

Thomas wollte behutsam vorgehen. Es hatte keinen Sinn, das Mädchen gleich zu Anfang unter Druck zu setzen.

»Wir möchten uns mit dir ein bisschen ausführlicher darüber unterhalten, was am letzten Abend passiert ist, als du mit Victor zusammen warst«, sagte er.

»Bevor er gestorben ist«, sagte sie leise.

»Genau.«

Felicia legte die Hände in den Schoß.

»Wir würden gern wissen, ob Leute am Strand waren, die etwas gesehen haben könnten«, sagte Margit. »Kannst du dich erinnern, wie es um euch herum aussah, als du mit Victor dort warst? Waren andere Jugendliche in der Nähe, oder vielleicht Leute, die gezeltet haben? Jedes Detail ist wichtig. Wir haben Schwierigkeiten, Zeugen zu finden, weißt du.«

Jeanette Grimstad legte den Arm um die Schultern ihrer Tochter.

»Denk scharf nach, Liebling«, sagte sie.

Thomas war dankbar für ihre ruhige Art. Es hätte die Sache nicht besser gemacht, wenn sie auch noch mit Jochen Grimstads Jähzorn hätten umgehen müssen.

»Ich weiß nicht mehr, als ich schon gesagt habe«, antwortete Felicia. »Sie haben mich das doch alles schon gefragt.«

»Lass uns mal Schritt für Schritt vorgehen«, sagte Margit. »Als du in Skärkarlshamn ankamst, war da irgendwer zu sehen?«

Felicia kaute auf ihrer Unterlippe und überlegte einen Moment.

»Ich glaube, am Anfang saß eine Gruppe«, sagte sie.

»Du meinst, am Anfang des Strandes?«

»Ja.«

»Und wo genau?«

»Bei einem großen Haus mit einem langen Zaun. Gelb. Ein Stück weiter weg von da, wo wir waren.«

Also am nördlichen Ende des Strandes, dachte Thomas, ein paar Hundert Meter entfernt. So weit entfernt vom Tatort, wie es nur ging.

Er hatte auf eine andere Antwort gehofft.
»Aber du kanntest die Leute nicht?«, fuhr Margit fort.
»Nein.«
»Würdest du sie wiedererkennen, wenn du ihnen heute begegnen würdest?«
»Das glaube ich nicht.«
Margit versuchte es aus einer anderen Richtung.
»Du hast uns erzählt, dass du und Victor euch bei einem großen Baum hingesetzt habt, an derselben Stelle, wo später Victors Leiche gefunden wurde.«
Felicia zuckte zusammen, als sie das Wort »Leiche« hörte. Sie schluckte sichtbar und sagte mit dünner Stimme: »Ja.«
»Was meinst du, wie lange ihr da gesessen habt, bevor du eingeschlafen bist?«
»Ich weiß nicht. Eine Weile.«
»Du hast keine Zeitvorstellung?«, hakte Thomas nach. »Es ist ziemlich wichtig für uns, dass wir das herausfinden.«
»Nein.«
»War es eine Stunde, oder eine halbe? Oder länger?«
»Ich weiß nicht.«
Sinnlos, dachte Thomas. Sie hat keine Ahnung, wie lange sie dort war. Außerdem war sie betrunken und aufgeregt, das macht die Sache nicht gerade leichter.
Der Rechtsmediziner hatte ihnen einen Zeitrahmen von einigen Stunden genannt, präziser ließ sich der Todeszeitpunkt nicht bestimmen. Sie mussten den Zeitraum eingrenzen oder, noch besser, die genaue Uhrzeit herausfinden.
Thomas lächelte Jeanette Grimstad beruhigend an, die kurz davor schien, sich einzumischen.
»Das ist nicht einfach, ich weiß. Aber wir müssen Ihrer Tochter gewisse Fragen stellen.«
»Ich verstehe«, sagte Jeanette Grimstad und wandte sich an Felicia. »Die Polizisten tun nur ihre Arbeit. Wir sind sicher bald fertig.«
Die Frage nach den Drogen lag Thomas auf der Zunge. Ihm schwante, dass die Mutter bestürzt reagieren würde. Aber es hatte keinen Zweck, das Thema aufzuschieben.
»Wir müssen noch über etwas anderes sprechen«, sagte er. »Uns ist

bekannt, dass ihr auf dem Boot Alkohol getrunken habt, Wodka gemixt mit Brause, wenn ich mich recht erinnere.«

Er blickte Felicia fest in die Augen.

»Wir haben Grund zu der Annahme, dass dort auch Drogen konsumiert wurden.«

Jeanette Grimstad zuckte zusammen, und Felicia schlug sich die Hand vor den Mund.

»Drogen?«, rief Jeanette Grimstad aus.

Margit ließ Felicia nicht aus den Augen.

»Die rechtsmedizinische Untersuchung hat ergeben, dass dein Freund an dem Abend, bevor er gestorben ist, Kokain genommen hat«, sagte sie. »Wusstest du davon?«

Felicias Mund zitterte.

»Wusstest du davon?«, fragte Margit noch einmal.

»Ja.«

Die Antwort kam so leise, dass sie kaum zu verstehen war.

»Kannst du deine Antwort für das Aufnahmegerät wiederholen? Bitte antworte laut und deutlich.«

»Ja«, sagte Felicia mit gesenktem Kopf.

»Du musst jetzt die Wahrheit sagen«, fuhr Margit fort. »Hast du auch schon mal Drogen genommen? Zum Beispiel am Mittsommertag?«

»Ja«, flüsterte Felicia, ohne ihre Mutter anzusehen.

Jeanette Grimstad atmete so heftig ein, dass sie sich verschluckte und zu husten begann. Sie hielt sich die Hand vor den Mund und wandte sich ab, es klang, als würde ihr Husten in ein Schluchzen übergehen, aber das ließ sich nicht mit Sicherheit sagen.

Thomas wartete einen Moment.

»Wie lange ging das schon mit den Drogen?«, fragte er Felicia. »Aus welchem Grund hast du damit angefangen?«

Felicia

Sie waren unterwegs zur ersten Party nach den Weihnachtsferien. Die Temperatur war unter zehn Grad minus gefallen, und der Boden war schneebedeckt. Als sie aus dem Bus stiegen, war es eisig kalt, Felicia fror an den Füßen, trotz ihrer gefütterten Uggboots.

Die Party fand zu Hause bei Filip statt, und Ebba und Tobbe waren auch da. Es ging auf elf Uhr zu, und die Musik dröhnte durchs ganze Haus. Im Wohnzimmer und im Esszimmer, wo der große Tisch an die Wand geschoben worden war, wurde wild getanzt.

Im Flur zogen sie ihre dicken Sachen aus. Felicia wollte schnell nach drinnen und tanzen, aber Victor war irgendwie hektisch. Er schien etwas zu suchen und antwortete kaum, als sie mit ihm sprach.

Er war immer noch braun nach dem Weihnachtsurlaub der Familie in Mexiko, die Sonne dort unten hatte ganz schön gebrannt.

»Komm, wir gehen tanzen.«

Felicia knuffte Victor in die Seite und zupfte ihr schwarzes Kleid zurecht. Das hatte sie zu Weihnachten bekommen, es war irre teuer gewesen, aber Victor hatte noch kein Wort dazu gesagt.

»Jetzt nicht«, sagte er und blickte sich suchend um.

»Warum nicht?«

»Ich muss erst noch was erledigen.«

»Was denn?«

»Ist doch egal. Ich komm gleich nach.«

Felicia zog einen Flunsch.

»Ich will aber bei dir sein.«

Sie fuhr sich mit der Zunge über die rosa schimmernden Lippen und versuchte, sein Interesse zu wecken.

In Victors Augen blitzte es auf, ohne dass sie verstand, wieso. Dann zuckte er die Schultern und strich sich die Haare zurück. Sie waren lang geworden und reichten bis in den Nacken. Felicia gefiel die neue Länge, es sah cool aus, wenn er sie hinter die Ohren strich.

»Okay, meinetwegen«, sagte er. »Komm mit.«

Rechts vom Wohnzimmer war ein kleinerer Raum, der als Bibliothek diente. Die Wände waren von Regalen bedeckt, und am Fenster standen zwei grüne Ledersessel.

Victor ging in den Raum voraus, Felicia folgte ihm. Er schloss die Tür hinter ihnen und setzte sich in einen der Sessel. Dann sah er sie an, lange und prüfend.

Wortlos zog er einen Taschenspiegel und ein kleines Kuvert aus der Gesäßtasche.

Felicia hatte geahnt, was er und Tobbe vorhatten, wenn sie auf Partys ab und zu verschwanden. Jedes Mal kamen sie mit glänzenden Augen und neuem Schwung zurück. Plötzlich hatten sie strahlende Laune. Aber Victor hatte nie offen gezeigt, was er so trieb.

Vorsichtig schüttete er weißes Pulver auf den Spiegel und schob es zu einer schmalen Linie zusammen. Dann beugte er sich über den Tisch und schniefte es mit einer kontrollierten Bewegung auf.

Der Körper reagierte sofort auf die Droge. Victor zog Felicia an sich und gab ihr einen heißen Kuss.

Als er sie losließ, zeigte er auf das Briefchen mit dem Kokain auf dem Tisch.

»Das reicht auch noch für dich. Willst du?«

Felicia war hin- und hergerissen zwischen ihrer Neugier und den Ermahnungen der Eltern, die irgendwo im Hinterkopf echoten.

Victor streichelte ihre Brüste unter dem dünnen Kleid und küsste sie wieder. Dann lächelte er herablassend, wischte sich übers Nasenloch und schob ihr den Taschenspiegel hin.

»Nicht mal probieren?«

Felicia zögerte und verlagerte ihr Gewicht im Sessel.

»Na los«, sagte Victor. »Du wolltest doch mitkommen.«

»Also gut«, murmelte sie.

Mit routinierten Handgriffen machte er eine neue Linie fertig.

»Bist du sicher, dass das nicht gefährlich ist?«

Felicia hatte es zuerst spannend gefunden, aber jetzt kamen ihr Bedenken.

»Stell dich nicht so an. Mir geht's doch gut. Verdammt gut sogar.«

Er zog sie wieder an sich und küsste sie gierig. Felicia schmolz dahin. Sie sträubte sich nicht länger, sondern beugte den Kopf über den Tisch. Mit dem Zeigefinger drückte sie auf den rechten Nasenflügel, genau wie sie es bei Victor gesehen hatte, und atmete durch das andere Nasenloch ein. Ihre Nasenspitze schwebte so dicht über dem Spiegel, dass sie ihn beinahe berührte.

Ein neues Gefühl durchströmte ihren Körper. Alles war gut. Es war kein bisschen unangenehm, sie verstand überhaupt nicht mehr, wieso sie so lange gezögert hatte.

Victor beobachtete sie erwartungsvoll, und sie strahlte ihn an.

Kapitel 66

Felicia vermied es, ihre Mutter anzusehen, die mit geballten Fäusten im Schoß dasaß.

»Wie oft habt ihr gekokst?«, fragte Margit nach einem Moment der Stille.

Thomas sah, wie Jeanette Grimstad bei der Frage zusammenzuckte. Margit kam gern direkt zur Sache.

»Na ja ... das war ganz verschieden. Meistens auf Partys.« Felicia hielt den Kopf gesenkt. »Victor und Tobbe haben es viel öfter gemacht als ich. So viel steht fest.«

»Und Ebba?«, hakte Thomas nach.

»Sie wollte nicht. Sie und Tobbe haben sich deswegen gestritten, bevor es auseinanderging.«

»Woher hattet ihr das Geld?«, fragte Margit. »Kokain ist ja nicht billig, meist sieben- bis achthundert Kronen pro Gramm, manchmal mehr.«

Felicia sank noch mehr in sich zusammen, die Haare fielen ihr übers Gesicht und verdeckten die Augen. Leise sagte sie:

»Victor hat das Essensgeld gespart, das seine Eltern ihm gegeben haben. Sie waren ja dauernd weg, und er hat ihnen immer erzählt, dass er Pizza für die ganze Clique kauft. Und Tobbe kriegt manchmal Geld von seinem Vater, glaube ich, für gute Noten und so.«

»Und das soll gereicht haben? Wirklich?«, fragte Margit gedehnt.

Das Mädchen zögerte.

»Manchmal hat Victor was von ... seinen Eltern genommen.«

»Er hat sie also bestohlen?«

»Ja«, flüsterte Felicia.

»Hast du das auch getan?«, fragte Thomas.

Jetzt rutschte Felicia ein wenig auf dem Stuhl herum, als wollte sie von ihrer Mutter abrücken.

»Ja«, murmelte sie. »Ein paar Mal.«

Jeanette Grimstad presste die Lippen zusammen. Sie starrte ihre Tochter entgeistert an.

»Du hast mir Geld aus dem Portemonnaie gestohlen?«

Felicia versuchte gar nicht erst, sich zu verteidigen. Eine Träne rollte ihr über die Wange und tropfte vom Kinn.

»Habt ihr noch etwas anderes genommen als Kokain?«, fragte Thomas nach einer Weile. »Außer Alkohol.«

Sie schlug die Augen nieder.

»Was war es?«, fragte Margit.

Ihr Ton war jetzt freundlicher, offenbar hatte sie gemerkt, dass Felicia an ihre Grenzen gekommen war.

»Ich weiß nicht genau.«

Ihre Stimme war so leise, dass man die Worte nur mühsam verstehen konnte.

»Victor hat ein paar Mal irgendwelche Pillen von seiner Mutter mitgehen lassen. Und manchmal hat er Pillen gekauft, aber ich weiß nicht genau, was für welche.«

Margit griff nach der Kanne mit Wasser und schenkte Felicia ein Glas ein. Das Mädchen schwankte schon leicht auf dem Stuhl.

»Trink einen Schluck«, mahnte sie. »Du bist ganz grün im Gesicht.«

Thomas wartete, bis Felicia getrunken hatte. Als sie das Glas absetzte, sagte er:

»Von wem hat er die Drogen gekauft?«

»Am Anfang von einem Kumpel von Christoffer. Tobbe kannte ihn und hat das organisiert. Ich glaube, Victor wollte sichergehen, dass ihn keiner über den Tisch zieht. Aber dann hat er einen anderen gefunden, und von da an hat er immer bei dem gekauft.«

»Warst du dabei?«, fragte Margit.

»Nicht direkt.«

»Wie meinst du das?«

»Ich habe immer ein bisschen abseits gewartet.«

»Aber du hast gesehen, wie sie den Deal gemacht haben?«, wollte Thomas wissen. »Wie ging das vor sich?«

Felicia blinzelte ein paarmal.

»Victor hat eine SMS geschickt. Dann kam da ein Typ zur Schule, in einem schwarzen Auto. Victor hat ihm das Geld durchs Fenster gegeben und bekommen, was er bestellt hatte. Das ging blitzschnell.«

»Wusste Christoffer davon?«

Sie hielt beide Hände hoch.

»Ich glaube nicht, dass er irgendwas gecheckt hat. Ehrlich. Er macht so was nicht, er hasst Drogen.«

»Hast du gewusst, was dein Freund für das Mittsommerwochenende eingekauft hatte?«, fragte Margit.

»Nein, da war ich nicht dabei. Und ich habe ihn nicht danach gefragt.«

»Wieso nicht?«

Felicia begann, an einer Schürfwunde am Ellbogen zu pulen.

»Wir hatten uns ein bisschen gezofft«, antwortete sie nach einer Weile. »Außerdem war er sauer, weil Ebba mitkommen sollte, aber ohne sie hätte ich ja nicht fahren können.«

Ein wenig Blut quoll hervor, als der Schorf abging.

»Ich dachte, er würde wieder ... lieb sein«, sagte sie. »Wenn wir erst auf Sandhamn wären. Dass zwischen uns alles wieder in Ordnung kommen würde.«

Margit beugte sich über den Tisch.

»Warum hattet ihr euch gezofft?«

»Er hat so viel getrunken. Manchmal hat er es echt übertrieben ... Wir haben uns deswegen öfter gestritten.«

Jeanette Grimstad, die eine ganze Weile wie abwesend dagesessen hatte, fuhr ihre Tochter plötzlich an:

»Warum hast du nicht einfach Nein gesagt? Wie konntest du dich von Victor überreden lassen, Drogen zu nehmen? Wir hatten doch darüber geredet. Du hattest mir versprochen, so etwas niemals zu tun!«

Felicia verzog verzweifelt das Gesicht.

»Ich habe ihn geliebt«, schluchzte sie. »Ich hatte Angst, dass er mich sonst fallen lässt.«

»Du hast geglaubt, er macht mit dir Schluss, wenn du nicht auch Drogen nimmst?«, fragte Margit ungläubig.

Felicia nickte verzweifelt.

»Er konnte wegen jeder Kleinigkeit ausrasten. Manchmal war er der liebste Mensch, den man sich vorstellen kann, und dann wieder war er ein richtiges Ekel. Er hat gemeine Sachen gesagt, dass ich blöd in der Birne bin und so was.«

Zum ersten Mal seit Beginn der Vernehmung wandte Felicia sich direkt an ihre Mutter.

»Tobbe hat mit Ebba Schluss gemacht, weil sie sich geweigert hat, das Zeug zu probieren. Was, wenn Victor das auch getan hätte?«

Felicia legte die Hände auf den Tisch und verbarg schluchzend das Gesicht darin. Jeanette Grimstad strich ihrer Tochter hilflos übers Haar, als wüsste sie nicht, wie sie mit dem eben Gehörten umgehen sollte.

»Wir müssen jetzt aufhören«, sagte sie. »Es geht nicht mehr.«

»Wir sind gleich fertig«, versuchte Margit sie zu beruhigen. »Es sind nur noch ein paar Fragen. Es ist wichtig, dass wir uns Klarheit verschaffen.«

Jeanette Grimstad atmete resigniert aus. Sie sank gegen die Stuhllehne, ohne noch etwas zu sagen.

Mutter und Tochter waren sich ähnlich, dachte Thomas, aber Jeanette war etwas fülliger, und durch ihr blondes Haar zogen sich vereinzelt dünne graue Strähnen. Die tiefe Falte auf ihrer Stirn zeugte von tiefem Unbehagen.

»Möchtest du dir die Nase putzen?«, sagte Margit und griff nach einer Schachtel Papiertücher, die sie Felicia hinschob.

Aber das Mädchen blickte nicht auf.

»Felicia«, sagte Thomas. »Ich habe noch eine Frage, und es ist sehr wichtig, dass du sie wahrheitsgemäß beantwortest.«

Er konnte beinahe sehen, wie sie sich hinter dem Tisch verschanzte.

»War jemand am Strand, den ihr gekannt habt, du und Victor?«

Felicia drehte den Kopf zum offenen Fenster. Die paar Regentropfen, die am Vormittag gefallen waren, hatten kaum geholfen, die Schwüle zu mildern. Gewitter lag in der Luft.

Sie ist auf der Hut, dachte Thomas. Sie weiß etwas, das sie uns nicht verraten will. Schützt sie jemanden?

»Als Victor ausgerastet ist und dich am Strand angeschrien hat, ist da keiner gekommen und hat versucht, dir zu helfen?«, bohrte Thomas.

»Wir fragen uns, ob du nicht vielleicht Ebba oder Tobbe angerufen hast«, sagte Margit. »Und sie gebeten hast, dorthin zu kommen.«

Heftiges Kopfschütteln.

»Nein«, sagte Felicia.

Ihre Stimme war jetzt fester.

»Ich habe niemanden angerufen. So viel ist sicher.«

Margit ließ nicht locker.

»Hast du eine SMS an deine Freunde geschickt?«

»Nein«, sagte sie. »Ich schwöre. Das habe ich nicht.«

Die Veränderung in ihrem Verhalten überraschte Thomas. Eben noch kleinlaut und ganz verloren, und jetzt plötzlich fest und bestimmt.

Dann ging ihm ein Licht auf.

Margits Fragen waren so formuliert, dass Felicia sie verneinen konnte, ohne zu lügen. Sie hatte nicht angerufen oder gesimst. Aber nichtsdestotrotz hatte sie an diesem Abend jemanden am Strand gesehen. Das war es, was sie nicht zugeben wollte.

Thomas betrachtete sie forschend, bis sie ein neues Taschentuch nahm und sich schnäuzte, als wollte sie vermeiden, noch mehr zu sagen.

Dann sagte er: »War es nicht so, dass du jemanden am Strand getroffen hast, kurz bevor Victor starb?«

»Nein«, flüsterte sie mit gesenktem Kopf und dem Taschentuch vor dem Mund. »Nein, so war das nicht.«

»Wie dann?«

Felicias Augen wurden wieder blank.

»Erzähl es uns«, sagte Thomas in leisem Ton, um sie nicht zu verschrecken.

»Ich habe ihn gesehen.«

»Wen?«

»Tobbe.«

Eine Träne tropfte von den Wimpern.

»Ich habe ihn an den Haaren erkannt.«

»Felicia.«

Margit klang eindringlich, als könnte sie Felicia mit ihrem Tonfall klarmachen, wie wichtig es war, dass sie wahrheitsgemäß antwortete.

»Hat Tobbe versucht, dir beizustehen, als du mit Victor gestritten hast?«

»Ich weiß nicht«, sagte sie und krümmte sich. »Ich weiß nicht, ich kann mich nicht mehr erinnern, das habe ich ja schon gesagt.«

»Sieh mich bitte an«, sagte Margit, und Felicia hob zögernd den Blick. »Als dir schlecht wurde und Victor die Beherrschung verloren hat, war Tobbe da in der Nähe?«

»Ich erinnere mich nicht mehr.«

Es schien, als müsse Jeanette Grimstad sich mit aller Macht zurückhalten, um sich nicht in die Vernehmung einzumischen. Sie presste die Faust gegen den Mund.

Hast du wirklich keine Ahnung gehabt?, dachte Thomas. Kann es sein, dass man so wenig über sein eigenes Kind weiß?

Er schwor sich, dass ihm das mit Elin niemals passieren würde.

»Wir glauben«, sagte Thomas und sprach betont langsam, damit die Worte in Felicias Bewusstsein vordringen konnten, »Victor war so betrunken, dass er nicht mehr er selbst war.«

Er schwieg einen Moment, bevor er fortfuhr:

»Wir glauben, dass Tobbe versucht hat, dir zu helfen, und er und Victor sich geprügelt haben. Wir glauben, dass diese Auseinandersetzung damit endete, dass Tobias Hökström deinen Freund erschlagen hat. Könnte es so gewesen sein?«

»Ich kann mich nicht mehr erinnern«, sagte Felicia und brach wieder in verzweifeltes Weinen aus. »Ich habe es doch schon gesagt! Ich weiß es einfach nicht!«

Kapitel 67

Felicia folgte ihrer Mutter zu dem weißen Audi, der am Bordstein vor der Polizeistation parkte. Jeanette öffnete die Autotür. Sie hatte kein Wort gesagt, seit sie das Vernehmungszimmer verlassen hatten.

»Mama, entschuldige«, sagte Felicia, als sie eingestiegen waren.

Der Sitz war heiß, und ihre nackten Beine klebten sofort am Lederbezug fest. Der Sicherheitsgurt verdrehte sich unter ihren verschwitzten Fingern, aber schließlich fummelte sie das Metallstück ins Schloss und ließ es einrasten.

Es schien nicht so, als hätte ihre Mutter sie gehört.

Jeanette drehte den Zündschlüssel. Der Motor sprang an, und sie legte den Gang ein. Aber anstatt loszufahren, saß sie einfach nur da, die Hand am Steuer.

Felicia schielte aus dem Augenwinkel zu ihrer Mutter hinüber. Wollten sie nicht nach Hause fahren?

Jeanette starrte blicklos vor sich hin.

Auf der Straße war so gut wie kein Verkehr. Ein paar Meter weiter stand eine graue Parkuhr. Felicia bemerkte eine tote Fliege, die zwischen Scheibenwischer und Frontscheibe klebte.

Mehrere Minuten verstrichen. Felicia blickte verstohlen zu Jeanette, sie wagte nicht, etwas zu sagen.

»Wie konntest du uns das antun?«

Felicia hatte ihre Mutter noch nie so enttäuscht und verletzt erlebt.

»Entschuldigung«, sagte Felicia wieder. »Es tut mir leid. Das alles tut mir ganz schrecklich leid.«

Jeanette strich sich über die Stirn. Sie war schweißfeucht.

»Das hätte ich nie von dir gedacht. Papa und ich haben uns darauf verlassen, dass du auf dich achtgibst. Wir haben dir vertraut. Du hast uns belogen, hast Drogen genommen und mich bestohlen ...«

Ihre Stimme versagte.

Dieses versteinerte Gesicht, dieser tiefe Kummer. Felicia krallte die Finger ineinander.

Wenn ich doch bloß tot wäre, dachte sie verzweifelt. Genau wie

Victor. Es wäre besser, ich wäre auch gestorben. Das hier kommt nie wieder in Ordnung.

Sie schluckte.

»Wirst du es Papa sagen?«

Felicia hörte selbst, wie flehend das klang, aber sie konnte es nicht ändern. Die Angst davor, wie Papa reagieren würde, lag ihr wie ein Stein im Magen. Er konnte so wütend werden.

Jeanette schüttelte sich, wie um aufzuwachen. Sie hob die Hände und presste die Finger an die Schläfen.

»Ich muss das erst mal verdauen«, sagte sie halblaut, ohne Felicias Frage zu beantworten. »Irgendwie muss ich in den Kopf kriegen, was da passiert ist.«

Ohne Vorwarnung schlug sie mit der Faust auf das Armaturenbrett, so heftig, dass Felicia zusammenfuhr.

»Hast du jetzt alles gesagt? Kannst du mir versprechen, dass da nicht noch etwas ist, was ich wissen sollte?«

Sie packte ihre Tochter an der Schulter, es tat weh, aber Felicia war zu schockiert, um zu jammern. Normalerweise war ihr Vater derjenige, der aufbrauste, nicht ihre Mutter. Jeanette war die, die dazwischenging, wenn der Vater tobte. Sie wurde sonst nie laut.

»Mama, bitte.«

Jeanette ließ Felicia los, starrte sie aber immer noch an, als wäre sie eine Fremde. Ihr Mund war ein schmaler Strich.

Dann beugte sie sich vor und stellte den Motor ab. Sie schloss die Hand um die Autoschlüssel.

»Erzähl mir von dem letzten Mal, als du mit Victor zusammen warst«, sagte sie. »Ich will ganz genau wissen, was an dem Abend passiert ist. Und keine Lügen mehr, Felicia.«

Felicia

Sie lagen im Sand, im Schatten des Baums. Victor war immer noch sauer. Felicia ließ ihre Hand über seinen Bauch und hinunter zum Sack wandern. Normalerweise genügte das, um seine Laune zu bessern.

Sie versuchte das Gefühl zu verdrängen, dass sie sich billig benahm.

Als sie den Reißverschluss seiner Shorts öffnete, stieß Victor ihre Hand weg und setzte sich auf.

»Willst du nicht?«, fragte sie verwirrt.

»Ich will es nur ein bisschen spannender machen«, lächelte er.

Er zog ein Briefchen aus der Hosentasche. Felicia überkam ein ungutes Gefühl. Victor war so unberechenbar, wenn er sich jetzt eine Line reinziehen wollte, bestand die Gefahr, dass seine Laune sich wieder verschlechterte.

»Muss das sein?«, fragte sie vorsichtig.

Victors Augen wurden schmal.

»Was ist?«

Felicia gab klein bei.

»Ich dachte nur, dass wir es doch gerade so schön haben. Wir brauchen das gar nicht ...«

»Ich hab ein paar neue Sachen gekriegt.«

Er schüttete zwei Tabletten in seine Handfläche und zwinkerte ihr zu.

»Eine für dich, eine für mich.«

»Was ist das?«

»Fängt mit E an«, lächelte er.

Felicia hatte noch nie Ecstasy probiert, wagte aber nicht zu protestieren.

Gehorsam nahm sie eine der Pillen und spülte sie mit Wodka aus dem Flachmann hinunter, den Victor dabeihatte. Sie hasste es, Tabletten zu schlucken, aber ihm zuliebe tat sie es.

Nach einer Weile ging es ihr richtig gut, das Abendlicht war so schön, und sie lag da und summte eine Melodie. Victor wollte Sex, aber es ging nicht, er bekam keinen hoch.

Für einen Moment fürchtete sie, er würde wieder wütend werden, aber ihm schien es egal zu sein. Sie lagen nebeneinander und schauten in den Himmel.

Sie musste pinkeln und verschwand hinter dem Baum, und in dem Moment sah sie Tobbe am Strand. Aber er war ziemlich weit weg, und sie war so träge, dass sie keine Lust hatte, ihn zu rufen, sie sagte nicht einmal Victor etwas davon, dass Tobbe da war.

Kurz darauf wurde ihr schlecht, das wohlige Gefühl verschwand, und sie musste würgen. Ihre Hände zitterten, sie fühlte sich ganz merkwürdig.

Die Übelkeit wurde immer stärker, und plötzlich musste sie sich übergeben.

Ein paar Spritzer trafen Victor, als sie sich erbrach. Er kam auch gerade wieder runter und rastete sofort aus. Er schrie und tobte, und Felicia kauerte sich zusammen. So sehr wie in diesem Moment hatte sie sich noch nie vor ihm gefürchtet. Er war wie von Sinnen.

Jemand näherte sich, sie nahm gerade noch einen Schatten hinter Victor wahr.

Dann wurde alles schwarz.

Kapitel 68

Der Mann, der in Begleitung von Tobias Hökström zur Vernehmung erschien, trug einen blauen Anzug und ein weißes Hemd. Die hellblaue Krawatte hatte schmale, dunklere Streifen.

Er stellte sich als Arthur Hökström vor, Vater von Tobias. Sein Händedruck war fest. Noch so ein Mann, dachte Thomas, der es gewohnt war, zu bekommen, was er wollte. Genau wie Felicias Vater.

»Ich bin Anwalt«, sagte Arthur Hökström. »Sozius der Kanzlei Zetterling, den Namen haben Sie vielleicht schon gehört.«

»Sie befassen sich mit Strafrecht?«, fragte Margit.

»Nein, gar nicht. Ich bin Wirtschaftsanwalt. Spezialisiert auf Firmenübernahmen und dergleichen Transaktionen.«

Er sagte das so dahin, als sei es eine Selbstverständlichkeit. Wirtschaftsrecht rangierte in der Skala weit über dem Strafrecht, wie Thomas wusste. Es war auch wesentlich lukrativer.

Thomas hatte schon mit Vertretern seines Schlages zu tun gehabt. Steifen Juristen, die sich seit den Strafrechtsvorlesungen an der Uni nicht mehr mit Verbrechen befasst hatten. Trotzdem maßten sie sich an, besser in Strafsachen bewandert zu sein als die vernehmenden Polizisten.

»Bitte, nehmen Sie Platz«, sagte Margit und deutete auf zwei Stühle auf der anderen Seite des Tisches in dem weißen Raum.

Sie beugte sich zum Aufnahmegerät und sprach rasch die obligatorischen Angaben ins Mikrofon.

Arthur Hökström holte sein Handy heraus und legte es vor sich auf den Tisch.

»Würden Sie das bitte weglegen«, sagte Margit.

»Wieso das?«

Er hob die Augenbrauen, steckte das Telefon aber wieder in die Tasche.

Margit wandte sich an seinen Sohn, der ganz zusammengesunken dasaß, und tätschelte seine Hand.

»Wir geht es dir, Tobias?«, fragte sie.
»Sagen Sie Tobbe«, murmelte er. »Das tun alle.«
Er war auffallend blass, mit bläulichen Ringen unter den Augen.
»Du siehst nicht gut aus«, sagte Margit. »Hast du in den letzten Tagen ein bisschen geschlafen?«
»Nicht viel.«
Tobbe schüttelte sich. Die Jeans hing unterhalb der Hüften und sah aus, als wäre sie etliche Nummern zu groß. Seine Unterhose schaute oben heraus, und das weiße T-Shirt schlotterte um den Körper.
»Ich hatte Albträume«, fügte er hinzu.
»Was hast du geträumt?«
Er rutschte auf dem Stuhl nach hinten.
»Von Victor. Wie er gestorben ist und so. Ob es wehgetan hat, als er ...«
Seine Stimme versagte. Er versuchte es noch mal.
»Ich meine, als er ...«
Es ging nicht.
»Gibt es einen besonderen Grund, dass du solche Träume hast?«, fragte Margit und beobachtete sein Gesicht. »Gibt es irgendetwas, was du uns erzählen möchtest?«
Tobias Hökströms Lippen arbeiteten, während er Worte zu formen versuchte, die nicht kommen wollten. Er zupfte an seinem Hosenknie.
»Vielleicht würdest du dich besser fühlen, wenn du mit uns über das sprichst, was passiert ist«, fuhr Margit fort. »Manchmal tut es gut, wenn man sein Herz erleichtern kann.«
Wortlos drehte der Junge den Kopf zu seinem Vater. Aber bevor er etwas sagen konnte, griff Arthur Hökström ein.
»Was beabsichtigen Sie mit diesen Fragen?«
Margit richtete sich auf.
»Ein Jugendlicher ist vor zwei Tagen getötet worden«, erwiderte sie. »Wir müssen mit Ihrem Sohn darüber sprechen.«
Sie wandte sich wieder an Tobbe.
»Möchtest du etwas sagen?«
Aber der Moment war vorbei.
»Nein, nichts Besonderes.«
Ohne sich um den Vater zu kümmern, wandte Thomas sich direkt an den Teenager.

»Wir möchten von dir wissen, wo du dich am Samstag zwischen halb neun Uhr abends und zwei Uhr nachts aufgehalten hast.«

Tobbes Gesicht war wie leergefegt.

»Da war ich mit meinem Bruder auf diesem Boot. Das hatte ich Ihnen doch schon gesagt.«

»Gibt es jemanden, der das bezeugen kann?«

»Mein Bruder. Und ein Mädchen, Tessan. Wir waren zusammen dort.«

Thomas sagte mit Nachdruck: »Wir haben mit deinem Bruder und mit Therese Almblad gesprochen, und sie behaupten, dass du keineswegs dort warst. Therese hat ausgesagt, du seist gegen halb neun an Land gegangen, um eine Toilette aufzusuchen, aber nicht zurückgekommen. Sie sagt, dass sie dich danach nicht mehr gesehen hat.«

Tobbes Schultern senkten sich.

»Das hat Tessan gesagt?«

»Ja.«

»Er war mit seinem Bruder zusammen«, mischte Arthur Hökström sich ein. »Das steht bereits fest.«

»War er nicht«, erwiderte Margit ohne Umschweife. »Ihr ältester Sohn kann das nicht bestätigen. Christoffer hat die Nacht mit einer Studienfreundin namens Sara verbracht, und er hat keine Ahnung, wo sein Bruder sich in der fraglichen Zeit aufgehalten hat.«

»Dann trügt ihn die Erinnerung«, sagte Arthur Hökström, ohne mit der Wimper zu zucken.

»Das ist möglich«, erwiderte Thomas, »aber wenig wahrscheinlich. Ich kann mir nicht vorstellen, dass Christoffer uns ins Gesicht gelogen hat. Vielleicht wollen Sie ja damit andeuten, dass er seine Aussage ändern wird. Das würde allerdings bedeuten, dass er bei seiner Vernehmung bewusst die Unwahrheit gesagt hat.«

Für einen Moment sah es so aus, als wollte Arthur Hökström protestieren, aber dann verschränkte er die Arme vor der Brust und presste die Lippen zusammen.

Thomas überlegte, wie er wohl auf die Information reagieren würde, dass sein Sohn Drogen nahm. War er ebenso ahnungslos wie Jeanette Grimstad?

»Können wir fortfahren?«, fragte Thomas.

Der Anwalt nickte.

»Also, Tobbe«, sagte Thomas. »Wir haben erfahren, dass du und deine Freunde im letzten Jahr Drogen konsumiert habt. Kokain, zum Beispiel, aber auch andere Sachen.«

Arthur Hökström wandte sich bestürzt an seinen Sohn.

»Was habt ihr gemacht?«, fuhr er Tobbe an, der sich unwillkürlich duckte. »Ihr habt gekokst?«

»Sieht so aus, leider«, sagte Thomas und hoffte, dass der Vater sich nicht noch mehr einmischte.

Er wandte sich direkt an den Jungen.

»Wir wissen, dass du und Victor am Mittsommertag betrunken wart und dass ihr unter Drogeneinfluss gestanden habt. Wir wissen auch, dass du an dem Abend, als Victor getötet wurde, am Strand warst.«

Tobbe schüttelte hilflos den Kopf.

»Wir glauben, dass in Skärkarlshamn etwas vorgefallen ist, was aus dem Ruder lief und schließlich dazu führte, dass dein Freund starb. Vielleicht hast du versucht, Felicia beizustehen, als Victor außer sich vor Wut war. Ihr seid in Streit geraten, habt euch geprügelt, und du hast dir nicht anders zu helfen gewusst, als ihm mit einem Stein auf den Kopf zu schlagen.«

»In Notwehr«, fügte Margit hinzu. »Nicht mit Absicht.«

Tobbe blickte Thomas und Margit entsetzt an.

»Papa«, winselte er.

Arthur Hökström umklammerte die Tischkante.

»Das kann nicht Ihr Ernst sein!«, rief er aus.

»Meinst du nicht, dass du uns erzählen solltest, wie es sich abgespielt hat?«, drängte Margit. »Du wirst dich hinterher besser fühlen, das ist immer so.«

»Ich bin losgegangen, um Ebba zu suchen«, sagte Tobbe heiser. »Das ist die Wahrheit. Ich habe Victor nichts getan. Ich schwöre!«

Er wandte sich an seinen Vater.

»Ich schwöre, Papa, ich habe nichts gemacht! Ich war das nicht!«

»Jetzt reicht's«, sagte Arthur Hökström. »Du beantwortest keine einzige Frage mehr.«

Er stand so abrupt auf, dass der Stuhl umfiel.

»Das ist ja wohl eine Frechheit. Mein Sohn hat nichts Unrechtes getan. Wir beenden diese Farce auf der Stelle. Komm, wir gehen.«

»Setzen Sie sich hin!«, herrschte Thomas ihn an.

Arthur Hökström schien überrascht über den scharfen Ton.

»Denken Sie doch mal nach«, sagte Thomas etwas versöhnlicher. »Es ist für alle Beteiligten besser, wenn wir das jetzt zu Ende bringen. Wir haben beim Betreiber der Basisstation Sandhamn die Verbindungsdaten für das betreffende Wochenende angefordert, was bedeutet, dass wir alle ein- und ausgehenden Gespräche und SMS sehen werden, einschließlich derjenigen, die über das Mobiltelefon Ihres Sohnes getätigt wurden.«

Arthur Hökström stand immer noch bewegungslos da.

»Ich kann Ihnen versichern«, sagte Thomas zu dem Anwalt, »wenn Tobias nichts mit der Sache zu tun hat, wird sich das herausstellen. Aber im Interesse aller Beteiligten müssen wir das hier so schnell wie möglich aufklären. Es ist niemandem damit gedient, wenn die Sache hinausgezögert wird. Das würde nur dazu führen, dass wir Ihren Sohn erneut vernehmen müssen.«

»Wir sind bald fertig«, fügte Margit hinzu. »Aber es ist wirklich wichtig, dass wir die Wahrheit über das erfahren, was sich an dem Abend zugetragen hat. Dafür sollten Sie als Jurist doch Verständnis haben.«

Arthur Hökström schienen die Worte im Hals stecken geblieben zu sein.

Thomas ahnte einen Riss in der Fassade. Der erfahrene Wirtschaftsjurist sollte wissen, dass die Polizei unter den gegebenen Umständen jedes Recht hatte, seinen Sohn zu vernehmen, Minderjährigkeit hin oder her. Die Frage war nur, ob und welche Zwangsmaßnahmen dazu eingesetzt werden mussten.

Mit einer Hand strich sich Hökström über sein graumeliertes Haar. Es stand in starkem Kontrast zu dem Lockenkopf seines Sohnes, desses kräftiges Rot offenbar nicht von väterlicher Seite stammte.

»Dann bleibt uns wohl keine andere Wahl«, sagte er kurz.

Er drehte sich um und stellte widerstrebend den umgefallenen Stuhl auf.

»Er ist noch ein Junge, fassen Sie ihn nicht so hart an.«

Hökström drückte seinem Sohn die Schulter. Zum ersten Mal seit Beginn der Vernehmung erahnte Thomas so etwas wie Zärtlichkeit in den Augen des Vaters.

Tobbes Augen waren immer noch schreckgeweitet, und Margit legte ihm ihre Hand auf den Arm.

»Jetzt erzähl uns mal, was an diesem Abend auf Sandhamn wirklich passiert ist«, sagte sie. »Sag die Wahrheit, Tobias.«

Tobbe

Tobbe ging mit Christoffer zu Carl Bianchis Fairliner an der Via-Mare-Brücke. Tessan hatte sich bei ihm eingehakt, aber er war nicht mehr in Stimmung. Die Wirkung des Alkohols ließ langsam nach, und er hatte keine Lust, sich jetzt eine Line reinzuziehen.

Das Bild, wie Ebba heulend von Bord gelaufen war, wollte ihn nicht loslassen.

Er versuchte, sich gegen das schlechte Gewissen zu wehren und stattdessen wütend zu werden. Ebba, diese dumme Kuh, immer wollte sie ihm Vorschriften machen. Sie war schließlich nicht seine Mutter!

Aber sein Gewissen ließ ihm keine Ruhe.

Sie gingen an der Festmeile auf dem Kai vorbei und weiter in Richtung der hinteren Pontons. Ein Stück vor der Bootstankstelle standen mehrere Familien für die KSSS-Fähre an, die zur gegenüberliegenden Insel Lökholmen fuhr. Ein kleines Mädchen schleckte an einer großen Eistüte, aus der es auf ihre Shorts tropfte.

Tessan plapperte neben ihm munter dahin. Sie versuchte, seine Hand zu nehmen, aber er entzog sie ihr.

Als sie an der Via-Mare-Brücke angekommen waren, gab Christoffer den Zugangscode ein, und sie öffneten das Tor. Das Boot von Christoffers Kumpel lag an der rechten Seite. Es sah schweineteuer aus, eine achtundvierzig Fuß lange Jacht mit glänzendem Rumpf und einer Einrichtung aus Mahagoni. Clubmusik dröhnte aus den Außenlautsprechern, und es waren schon Unmengen von Leuten an Bord.

Christoffer begrüßte Dante Bianchi und rief »Ciao« zu einer hübschen, ziemlich groß gewachsenen Braut Anfang zwanzig hinüber. Sie hatte langes dunkelbraunes Haar mit Mittelscheitel und trug einen blauen Pullover und weiße abgeschnittene Jeans.

Christoffer erstrahlte geradezu, als das Mädchen auf sie zukam. Er stellte sie als Sara vor, eine Kommilitonin von der Hochschule, aber Tobbe begriff sofort, dass das wohl nicht die ganze Wahrheit war. Und dass die beiden für sich sein wollten, begriff er natürlich auch.

»Tobbe, hier drüben!«, rief Tessan und zeigte auf einen Stuhl neben sich.

Er hatte keine Lust, ging aber trotzdem hin und setzte sich. Es fühlte sich einfach falsch an, neben ihr zu sitzen. Er blickte zu Christoffer, der lächelnd Saras Hand hielt. Er hatte nur noch Augen für sie.

Tobbe dachte an die Zeit, als zwischen ihm und Ebba noch alles gut war.

Sie hatte immer vor dem Schultor auf ihn gewartet, er war meistens spät dran und dann mussten sie rennen, um rechtzeitig zur ersten Stunde in der Klasse zu sein. Im Winter trug sie eine alberne Mütze mit einer Pelzquaste, die auf und ab wippte, wenn sie ging. Er hatte sie dann immer aufgezogen und gesagt, dass sie aussehe wie seine Oma auf Bergtour.

Als im Dezember der erste Schnee fiel, hatten sie in ihrem Garten einen Schneemann gebaut. Anschließend hatte er ihr die Mütze vom Kopf gerissen und sich mit ihr im Schnee gewälzt. Sie hatte ihre Arme nach ihm ausgestreckt und ihn an sich gezogen. Trotz der Kälte waren ihre Lippen ganz warm gewesen.

Sie hatten nebeneinander im Schnee gelegen, bis sie vor Kälte mit den Zähnen klapperten.

»Tobbe?«

Tessans Stimme holte ihn zurück in die Gegenwart. Sie zog ein missmutiges Gesicht und sagte, sie habe Durst.

»Gibt's auf diesem Kahn nichts zu trinken?«

Tobbe zog die Wodkaflasche aus dem Rucksack und besorgte zwei Gläser und Fanta. Tessan trank einen Schluck und beugte sich vor. Sie presste ihre Brüste an ihn und öffnete die Lippen.

Ihm wurde plötzlich alles zu viel. Rasch stand er auf und murmelte, er müsse mal aufs Hafenklo.

»Bin gleich wieder da«, log er und machte, dass er wegkam.

Sie rief ihm irgendwas hinterher, aber er tat, als hätte er es nicht gehört.

Während er sich zu den Herrentoiletten hinter der Strandpromenade durchschlug, ging ihm die Frage durch den Kopf, was in aller Welt er hier eigentlich machte. Missmutig betrat er den Vorraum und stellte sich in die Schlange. Als er fertig war und sich die Hände waschen wollte, begegnete ihm sein unglückliches Gesicht im Spiegel. Zwei grölende Typen kamen herein, als er sich die Hände wusch. Im Spender waren keine Papiertücher mehr, also trocknete er seine Hände an der Hose ab und ging nach draußen.

Vor dem Toilettenhaus blieb er stehen. Er hatte keine Lust, zurück zu der Jacht zu gehen, und wusste nicht recht, was er machen sollte. Es war erst Viertel nach acht. Er nahm sein Handy und schickte eine SMS an Victor, um herauszufinden, wo er gerade war. Es war schon eine ganze Weile her, seit Victor und Felicia abgehauen waren.

Unschlüssig blickte er auf sein Telefon.

Als Ebba vorhin weggerannt war, hatte sie ganz verzweifelt ausgesehen. Sollte er sie anrufen und fragen, ob sie okay war? Aber warum sollte sie mit ihm sprechen wollen? Er hatte sich ihr gegenüber wie der letzte Arsch benommen.

Im Grunde wusste er genau, warum zwischen ihnen Schluss war. Das mit den Drogen war zu weit gegangen, viel zu weit.

Am Anfang war es nur zum Spaß gewesen. Er war immer für Neues zu haben, und als sich die Chance bot, Kokain zu probieren, hatte er sofort zugegriffen. Vor allem wohl aus Neugier, ein Kumpel hatte ihm gesagt, damit könnte man die ganze Nacht durchfeiern.

Victor wollte auch probieren, und ehe Tobbe wusste, wie ihm geschah, koksten sie fast jedes Wochenende. Victor war ganz wild darauf, und warum sollte Tobbe kneifen? Er mochte das Gefühl, auch wenn er nie wieder einen so geilen Flash hatte wie beim allerersten Mal.

Victor stieß auf eine neue Quelle und kaufte alles Mögliche. Wenn er keinen Schnee bekam, warf er was anderes ein. Schon bald versorgte er auch andere aus der Clique mit Koks. Es wurde immer mehr, und Tobbe begriff schnell, dass Victor sich den ganzen Stoff, den er verbrauchte, nie hätte leisten können, wenn er nicht selber dealte.

Manchmal war Victor anhänglich und weinerlich, manchmal schlecht gelaunt und reizbar. Tobbe dachte daran, aufzuhören, aber es war unmöglich, mit Victor darüber zu reden. Außerdem wollte er Ebba diesen Triumph nicht gönnen. Er war das ganze Frühjahr so verdammt sauer auf sie gewesen. Es ärgerte ihn, dass sie recht gehabt hatte.

Aber Victors Verhalten beunruhigte ihn.

Ihr Vater hatte für Juli ein Haus auf Mallorca gemietet, Christoffer und Tobbe würden ein paar Wochen dort Urlaub machen. Das schien eine gute Gelegenheit zu sein, um aufzuhören.

Mittsommer würde das letzte Mal sein, dass er sich eine Line reinzog, das hatte er sich geschworen.

Tobbe steckte das Handy in die hintere Hosentasche und begann zu gehen, vorbei an der Rückseite des Seglerrestaurants und einen steilen Hügel hinauf. Er hatte die vage Hoffnung, irgendwo auf Ebba zu treffen. Sich mit ihr hinzusetzen und zu reden.

Als er eine Weile gegangen war, kam er an einen Aussichtspunkt. Neben einem alten Eisenanker mitten auf der Klippe saß eng umschlungen ein Paar in den Dreißigern.

Tobbe wünschte, er und Ebba würden so zusammensitzen.

Planlos wanderte er weiter, bis er an ein paar flache Felsen am Ufer kam. Er ging am Wasser entlang und kam an einen Strand, wo eine Gruppe von Leuten um ein Lagerfeuer herum saß. Er hörte sie lachen, kannte aber niemanden von ihnen.

Ebba war nicht dabei.

Nach einer Weile kehrte er zu den flachen Felsen zurück und legte sich hin. Gleichgültig starrte er in den Himmel. Es widerstrebte ihm, zu Bianchis Boot zurückzukehren. Tessan war bestimmt immer noch da.

Irgendwann musste er eingeschlafen sein, denn als er aufwachte, war die Sonne untergegangen, und in der Ferne hörte er die Musik im Hafen wummern. Im Dunkeln stolperte er und schlug mit dem Gesicht auf. Es tat irrsinnig weh, und er hätte beinahe angefangen zu heulen. Irgendwie schaffte er es zurück zu ihrem Boot. Dort schlief er auf dem Sofa ein.

Kapitel 69

Tobbes Stimme wurde rau, und er verstummte.

Thomas und Margit wechselten einen Blick. Tobias Hökström konnte nicht belegen, wo er sich zum fraglichen Zeitpunkt aufgehalten hatte, und obwohl es einen Augenzeugen gab, wollte er nicht zugeben, dass er in Victors Nähe gewesen war.

Der Verdacht blieb bestehen, die Frage war nur, wie sie jetzt weiter vorgehen sollten.

»Du bleibst also dabei, dass du mit dem Mord an Victor nichts zu tun hast?«, fragte Thomas.

Tobbe blickte ihn unglücklich an.

»Ich hatte keine Ahnung, was passiert ist, bis der Polizist es mir gesagt hat, Ehrenwort.« Seine Worte kamen schnell und abgehackt. »Ich habe jetzt alles gesagt.«

Was du gesagt hast, beweist gar nichts, dachte Thomas und betrachtete den sechzehnjährigen Jungen. Und es gibt vieles, das gegen dich spricht.

»Wie bereits erwähnt, haben wir Beweise dafür, dass du ungefähr zu der Zeit, als dein Freund getötet wurde, in Skärkarlshamn warst«, sagte er. »Felicia hat dich gesehen. Begreifst du jetzt, warum wir glauben, dass du etwas mit Victors Tod zu tun hast?«

Tobbe warf einen Seitenblick auf seinen Vater. Arthur Hökström war einen Hauch blasser geworden. Keiner von ihnen sagte ein Wort.

»Gibst du zu, dass du zur selben Zeit am Strand warst, als dein Freund erschlagen wurde?«, sagte Margit.

»Aber er war nicht da, als ich hingekommen bin«, rief Tobbe mit einer Stimme, die beinahe kippte. »Weder er noch Felicia. Warum glauben Sie mir nicht?«

Thomas ließ ihn nicht aus den Augen.

»Was wir glauben, ist, dass ihr zwei euch geprügelt habt. Als Victor tot war, hast du dich irgendwo versteckt, wo dich niemand sehen konnte. Die Klippen unterhalb vom Dansberget eignen sich sicher hervorragend dafür. Vielleicht stimmt es, dass du eingeschlafen bist, die Anspannung war sicher ermüdend. Als du irgendwann aufgewacht bist, hast du nicht gewusst, was du tun solltest, also bist du zurück zu eurem Boot gegangen, weil dir nichts Besseres eingefallen ist.«

Arthur Hökström war wieder aufgestanden, während Thomas sprach. Seine Kiefermuskeln arbeiteten, als wollte er etwas sagen, ohne dass es ihm über die Lippen kam. Dann setzte er sich wieder. Seine Hände zitterten, als er sie vor sich auf den Tisch legte.

»Habe ich recht?«, sagte Thomas und sah Tobbe an.

Der Junge schüttelte stumm den Kopf. Sein Gesicht war rotfleckig. Der Bluterguss auf der Wange war deutlicher denn je.

»Dieser blaue Fleck, den du da auf der Wange hast«, sagte Thomas. »Wir haben schon mal darüber gesprochen, ohne dass du uns eine vernünftige Erklärung geben konntest. Woher hast du den wirklich?«

»Das habe ich doch gerade gesagt. Ich bin im Dunkeln auf den Klippen ausgerutscht und hingeknallt.«

»Du hast dich also nicht mit jemandem geprügelt?«

»Nein«, erwiderte er. »Nein, das habe ich nicht.«

»Du hast dich nicht mit Victor geschlagen? Er sieht aus, als würde er von einer Faust stammen.«

»Hören Sie auf! Ich habe doch gesagt, dass ich gefallen bin.«

Margit legte wieder die Hand auf seinen Arm.

»Begreifst du den Ernst der Sache?«, sagte sie. »Du hast gerade zugegeben, dass du uns angelogen hast, als wir auf Sandhamn mit dir gesprochen haben. Du hast uns verschwiegen, dass ihr beide, Victor und du, Drogen genommen habt. Kannst du mir einen einzigen Grund nennen, warum wir dir jetzt glauben sollten?«

Der Teenager sah Margit und Thomas mit aufgerissenen Augen an.

»Ich wollte nicht lügen, als Sie mich neulich gefragt haben. Ich wollte nur nicht sagen, dass ...« Er wurde rot. »Dass ich versucht habe, Ebba zu finden.«

»Warum nicht?«, fragte Thomas.

»Weil es meine Schuld war, dass sie abgehauen ist. Deshalb habe ich gesagt, dass ich mit den anderen auf Bianchis Boot war.«

Er errötete noch tiefer.

»Ich fand es schrecklich, dass sie zur Polizei gegangen ist, weil sie uns nicht finden konnte ... dass sie solche Angst gehabt hat.«

Seine Stimme erstarb. Er begann an dem kümmerlichen Rest seines Daumennagels zu knabbern.

»Ich habe mich geschämt«, kam es erstickt.

Arthur Hökström beugte sich vor und zog die Hand seines Sohnes behutsam vom Mund weg.

»Lass das jetzt.«

Thomas beobachtete die Geste zwischen Vater und Sohn. Es sah nicht gut aus für Tobbe. Er hatte sie angelogen, er hatte kein Alibi, und er hatte keine gute Erklärung für den Bluterguss auf seiner Wange. Aber es gab keine Indizien.

Noch nicht.

Sie würden die Kleidungsstücke untersuchen müssen, die er an dem Wochenende getragen hatte, aber dazu brauchten sie eine richterliche Anordnung.

Er konnte Margit ansehen, dass ihr ähnliche Gedanken durch den Kopf gingen.

Thomas fasste einen Entschluss.

»Wir unterbrechen die Vernehmung an dieser Stelle. Ich möchte mich mit der Staatsanwältin beraten, bevor wir weitermachen.«

Tobbe war sehr blass, als Thomas und Margit zehn Minuten später zurückkamen. Sie setzten sich, und Thomas schaltete das Aufnahmegerät wieder ein.

»Wir haben mit der Staatsanwältin gesprochen«, sagte Thomas und schwieg einen Moment, um die richtigen Worte zu finden.

Es gab nur eine Möglichkeit, das zu sagen, was er sagen musste.

»Tobias Hökström, du wirst hiermit in Kenntnis gesetzt, dass du unter Verdacht stehst, den Mord beziehungsweise Totschlag an Victor Ekengreen begangen zu haben. Du hast Anspruch auf einen Pflichtverteidiger, die Kosten dafür übernimmt die Staatskasse.«

»Papa!«, rief Tobbe mit schriller Stimme. »Bitte, tu doch was!«

Arthur Hökström legte den Arm um seinen Sohn und zog ihn an sich. Zuerst sah es so aus, als sei Tobbe Körperkontakt mit seinem Vater nicht gewohnt. Aber dann verbarg er das Gesicht an Arthurs Schulter, das rote Haar fest auf den steifen Anzugstoff gedrückt.

»Das klärt sich auf«, sagte Arthur Hökström leise zu seinem Sohn, ohne sich darum zu kümmern, dass Thomas und Margit auf der anderen Seite des Tisches saßen. »Das kommt alles in Ordnung.«

Als wollte er sich und seinen Sohn überzeugen, wiederholte er, diesmal lauter: »Das kommt alles in Ordnung.«

»Die Anklage hat eine Hausdurchsuchung und die Beschlagnahmung deiner Kleidung angeordnet, die du an dem Wochenende getragen hast«, fuhr Thomas fort. »Außerdem wird dir eine Speichelprobe entnommen, bevor du diesen Raum verlässt.«

»Aber ich habe doch nichts getan«, stieß Tobbe hervor.

»Es wäre besser, wenn du mit uns zusammenarbeiten würdest«, sagte Margit. »Du machst es nur schlimmer, wenn du dich weiterhin widersetzt.«

Sie beugte sich vor.

»Wir glauben nicht, dass du es mit Absicht getan hast«, sagte sie versöhnlich. »Kannst du uns nicht einfach erzählen, wie es kam, dass du dich mit Victor geschlagen hast? Wir wissen, dass ihr euch früher schon heftig gestritten habt, das hat dein Bruder uns gesagt.«

»Christoffer«, stöhnte Tobbe.

Arthur Hökströms Augen hatten einen gläsernen Ausdruck angenommen. Thomas hatte halb erwartet, dass er die Vernehmung abbrechen und verlangen würde, sofort einen Pflichtverteidiger hinzuzuziehen. Aber offenbar war der Vater zu erschüttert, um in diesen Bahnen zu denken.

»Victor war mein Freund«, stammelte Tobbe. »Warum sollte ich ihn umbringen?«

»Nicht mit Absicht«, sagte Margit aufmunternd. »Wie viel hast du am Samstag getrunken?«

»Das weiß ich nicht mehr genau.«

»Versuche dich zu erinnern. Waren es drei Wodka oder mehr? Wie viel Alkohol hast du an dem Tag zu dir genommen?«

»Vielleicht vier oder fünf Drinks, mehr nicht.«

»Kokain auch?«, bohrte Margit nach.

Er nickte bedrückt.

»Ja.«

»Wann?«

»Am Nachmittag.

»Um wie viel Uhr?«

»Ich weiß nicht mehr, vielleicht gegen vier.«

»Also warst du an dem Abend sowohl betrunken als auch unter Drogeneinfluss.«

»Aber ich habe ihn nicht umgebracht! Ich war das nicht!«

Tobbes Stimme war ein einziger Schrei.

»Bist du sicher, dass du dich richtig erinnerst?« Margits Stimme war ernst. »Wenn ich eine halbe Flasche Wodka und auch noch Rauschgift intus hätte, würde ich mich vermutlich an überhaupt nichts mehr erinnern.«

Margit beugte sich vor.

»Warum versperrst du dich?«, sagte sie.

»Ich habe nichts getan«, weinte Tobbe, und der Rotz lief ihm aus der Nase.

Thomas fasste Margit am Arm. Der Junge war verstört, es reichte jetzt.

»Ich denke, wir kommen heute nicht mehr weiter«, sagte er. »Wie gesagt, wir werden deine Kleidung beschlagnahmen, ebenso dein Mobiltelefon.«

Die Luft in dem kleinen Raum war stickig.

»Ich rede noch mal mit der Staatsanwältin, ob du festgenommen wirst oder nicht«, sagte Thomas und stand auf. »So lange wartest du hier mit deinem Vater.«

»Kann ich nicht nach Hause?«, flüsterte Tobbe.

Kapitel 70

»Tja, was machen wir jetzt?«, sagte Margit zu Thomas.

Sie saßen in seinem Zimmer und versuchten, die Vernehmung vom Vormittag zu analysieren.

»Du hast ja gehört, was sie gesagt hat«, erwiderte Thomas. »Was wir haben, reicht nicht für eine Festnahme.«

Staatsanwältin Charlotte Ståhlgren hatte keine Festnahme von Tobias Hökström anordnen wollen. Sie fand, dass sie nicht genug gegen den Jungen in der Hand hatten. Bei einer Festnahme wäre er, da er minderjährig war, sofort dem Sozialdienst überstellt worden. Es war besser, sie warteten ab.

»Wenigstens haben wir die Kleidung«, sagte Margit. »Und das Handy.«

Sie sah auf die Uhr und erhob sich.

»Wie wär's mit Mittagessen? Wir können Harry fragen, ob er mitkommt.«

Sie gingen in ein Restaurant, das nur wenige Minuten zu Fuß vom Polizeihaus entfernt lag, am Nacka Strand unten am Wasser.

Thomas wählte gekochten Dorsch mit Eiersoße, das war solide Hausmannskost, nicht besonders raffiniert, aber gut. Margit griff zu einer ordentlichen Portion Lasagne, die vermutlich zerkocht war, aber lecker duftete. Harry Anjou nahm ebenfalls die Nudeln.

Mit dem Tablett in der Hand folgte Thomas Margit, die auf die Gartenterrasse zusteuerte.

Trotz des trüben Wetters war die Luft angenehm mild.

Auf den Tischen, die auf der eingezäunten Holzterrasse standen, lagen rotkarierte Tischdecken. Fast alle Tische waren besetzt, bei den umliegenden Firmen hatten die Betriebsferien noch nicht überall begonnen.

Thomas stellte sein Tablett neben dem von Harry Anjou ab.

»Ist dir kalt?«, scherzte er, denn sein neuer Kollege hatte eine dicke dunkelbraune Lederjacke an.

Er selbst trug nur ein Hemd.

»Ich fühl mich irgendwie nicht so recht«, sagte Harry.

Er sieht auch nicht gesund aus, dachte Thomas. Anjou hatte dunkle Augenringe, und seine Augen waren gerötet. Hatte er sich vom Mittsommerwochenende noch nicht wieder erholt?

»Hoffentlich wirst du uns nicht krank«, sagte Margit. »Wir brauchen jeden Mann.«

Das Gespräch kam wie von selbst auf den Fall, wie so oft bei einer laufenden Ermittlung. Es war schwer, einfach abzuschalten.

»Wir müssen mehr Zeugen auftreiben«, sagte Margit. »Kalle und Erik haben nicht einen einzigen Menschen da draußen gefunden, der was gehört oder gesehen hat. Außer dieser Nachbarin, und die hat auch nicht viel gebracht.«

»Wundert dich das?«, sagte Thomas.

Die anderen Jugendlichen am Strand hatten aller Wahrscheinlichkeit nach ihren Alkohol illegal erstanden. Viele waren außerdem ohne Erlaubnis ihrer Eltern auf die Insel gefahren. Unter diesen Umständen fanden die meisten es wohl besser, den Mund zu halten.

Margit griff nach der Gabel. Thomas konnte sehen, wie ihr Gehirn arbeitete, während sie kaute.

»Ich dachte wirklich, wir hätten genug für eine Festnahme«, sagte sie. »Mit Felicias Zeugenaussage und dem, was Tobbe uns selbst gesagt hat, besteht der dringende Verdacht, dass er um Victors Todeszeitpunkt herum am Tatort war. Außerdem wissen wir, dass die beiden sich schon früher gestritten hatten, und dass sie unter kräftigem Alkohol- und Drogeneinfluss standen.«

»Aber Felicia weiß nicht genau, was vorgefallen ist«, erinnerte Thomas sie. »Sie stand ebenfalls unter Drogen, und Tobbe bestreitet jegliche Beteiligung.«

»Ich weiß, aber du musst zugeben, dass es nicht gut für ihn aussieht. Er war vermutlich so high, dass er nicht mehr weiß, was er getan hat.«

»Außerdem hat er den Bluterguss an der Wange«, sagte Harry, der sich bis dahin auf sein Essen konzentriert hatte.

»Ich kann mir nur schwer vorstellen, dass er sich den blauen Fleck bei einem Sturz zugezogen haben soll«, sagte Margit.

»Ja, das klingt nach einer schlechten Ausrede«, stimmte Thomas zu.

Margit verschwand im Lokal, um Kaffee zu holen, und kam kurz darauf mit drei Bechern zurück.

»Ich werde Nilsson nach der Mittagspause anrufen und noch mal mit ihm reden«, sagte Thomas. »Mal sehen, ob er noch mehr herausgefunden hat.«

»Ich bin gespannt, was die Kleidungsstücke hergeben«, sagte Margit. »Aber es dauert wohl mindestens eine Woche, bis wir das Ergebnis haben.«

»Wenn der Junge nicht vorher einknickt und gesteht«, sagte Harry Anjou und zog eine Dose Snus aus der Tasche. »Ich finde, wir sollten ihm ruhig noch etwas Druck machen. Ich wette ein Monatsgehalt, dass er es war.«

Kapitel 71

Was für eine Erleichterung, das Haus für ein paar Stunden verlassen zu können, dachte Johan Ekengreen, als er auf die Autobahn bog. Wenn Madeleine nicht von Schlaftabletten betäubt im Tiefschlaf lag, wanderte sie wie ein Gespenst durchs Haus.

Er hatte es nicht mehr ausgehalten.

Die Vorstandssitzung begann um vierzehn Uhr, also in fünfzig Minuten. Bis dahin war noch reichlich Zeit. Aber er wartete lieber im Auto, als noch länger zu Hause zu sitzen.

Im Handschuhfach lag eine Schachtel Zigarillos. Johan rauchte nur selten, aber jetzt nahm er die Schachtel heraus und steckte sich einen Zigarillo an.

Sein Handy klingelte. Johan giff in die Innentasche seines Jacketts und holte es heraus. Routinemäßig warf er einen Blick aufs Display.

Das Telefon fühlte sich plötzlich kalt in seiner Hand an.

»Ja«, sagte er.

»Ich habe mich unter den Ermittlungsbeamten umgehört«, sagte die wohlbekannte Stimme. Der Polizeichef klang genauso wie vor dreiundvierzig Jahren, als sie zusammen auf Korsö gelegen hatten. Nur abgeklärter. »Anscheinend liegt ein begründeter Verdacht gegen einen Bekannten deines Sohnes vor.«

Johan umklammerte das Telefon.

»Hast du einen Namen?«, fragte er.

»Tobias Hökström. Weißt du, wer das ist?«

Der Zigarillo fiel ihm aus den Fingern und landete auf seinem Schoß. Die Glut fraß sich durch den Stoff bis auf die Innenseite des Schenkels. Er schlug danach.

»Hallo? Bist du noch da?«

Johans Stimme klang gepresst, als er antwortete.

»Ja. Tobias Hökström ist ... war Victors bester Freund.«

Das Auto vor ihm bremste, und Johan wäre um ein Haar aufgefahren. Er konnte gerade noch auf die andere Fahrbahn ausweichen, direkt vor ein gelbes Taxi.

»Ich verstehe nicht«, sagte er, immer noch verwirrt. »Tobbe soll etwas damit zu tun haben?«

»Sieht so aus. Die Ermittler glauben, dass es eine Schlägerei zwischen den beiden gegeben hat, alle beide waren offenbar auf Drogen.«

»Was?«

»Sie haben Spuren von Kokain im Körper deines Sohnes gefunden.«

Dieser Polizist, Thomas Andreasson, hatte gestern am Telefon so was erwähnt, dass Victor unter Drogen gestanden haben sollte. Aber Johan hatte das nicht wahrhaben wollen.

»Tut mir leid, ich dachte, du wüsstest das«, sagte sein früherer Küstenjäger-Kamerad. »Wie es aussieht, sind sich die Jungs am Strand in die Haare geraten, und am Ende hat Hökström deinen Sohn erschlagen. Anschließend hat er ihn unter einem Baum versteckt. In Panik. Ein paar Stunden später hat ein Hundebsitzer ihn dann ja dort gefunden.«

Ohne es zu merken, hatte Johan aufs Gas gedrückt und fuhr jetzt mit einhundertfünfzig Stundenkilometern. Die Landschaft raste draußen vorbei, viel zu schnell. Er musste sich zwingen, den Fuß vom Gaspedal zu nehmen.

»Hat Tobbe gestanden?«, presste er hervor.

»Nein, bisher nicht. Aber er ist heute vernommen worden, in Anwesenheit seines Vaters.«

Arthur Hökström. Johan kannte ihn nur flüchtig. Madeleine mochte ihn nicht.

»Er steht offiziell unter Mordverdacht beziehungsweise unter Verdacht des Totschlags. Die Staatsanwaltschaft hat eine Hausdurchsuchung angeordnet, und seine Kleidung wurde beschlagnahmt. Eine Anklage wird vorbereitet, aber die Staatsanwältin fordert weitere Indizien, und die kriminaltechnische Untersuchung wird mindestens noch eine Woche dauern, wenn nicht länger. Außerdem ist er noch minderjährig, dann ist das alles ein bisschen heikler.«

»Verstehe«, flüsterte Johan.

»Sie werden ihn in Kürze erneut vorladen, aber im Moment untersuchen sie noch seine Kleidung und sein Handy.«

Der Polizeichef schwieg einen Moment.

»Ich melde mich wieder, sobald ich mehr weiß.«

»Danke.«

Johan legte das Handy auf dem Beifahrersitz ab. Sein Herz klopfte. In einiger Entfernung sah er eine Tankstelle, und er wechselte die Spur, ohne in den Rückspiegel zu schauen, bog in die Auffahrt und fuhr auf den Parkplatz.

Als er den Motor abstellte, lief ihm der Schweiß den Nacken hinunter.

Tobbe. War Tobbe der Mörder seines Sohnes? Derselbe Junge, der mit ihnen zusammen in den Skiurlaub und ins Sommerhaus gefahren war? Ein liebenswerter Kerl, der seit der Scheidung seiner Eltern vor ein paar Jahren nicht recht wusste, wo er hingehörte?

Die Polizei musste sich irren.

Johan Ekengreen begann unkontrolliert zu zittern. Sein Puls raste. Er umklammerte das Lenkrad, um sich zu beruhigen.

Was hatte Thomas Andreasson am Telefon gesagt? Johan hatte ihn angerufen, um sich zu erkundigen, ob die Obduktion stattgefunden hatte und wann mit der Freigabe der Leiche zu rechnen war, damit sie die Beisetzung organisieren konnten. Madeleine redete von nichts anderem mehr, sie bestand darauf, dass er so schnell wie möglich bestattet werden müsse, wie es die Familientradition verlangte.

Johan hatte Andreassons Stimme wieder im Ohr, klar und deutlich.

»Ich muss Ihnen leider sagen, dass Ihr Sohn unter Drogeneinfluss stand, als er starb. Dies ist einer der Gründe, warum sich die Freigabe verzögert. Wir melden uns, sobald wir Ihnen einen konkreten Termin nennen können. Es wird nicht mehr allzu lange dauern, denke ich.«

Drogen.

Johan hatte sich geweigert, das zu glauben; sein Sohn war kein Junkie. Er hatte es weit von sich geschoben und kein Wort zu Madeleine gesagt.

Natürlich hatte er davon gehört, dass in ihrer Nachbarschaft Drogen konsumiert wurden. Das war einer der Nachteile, wenn man in einer Villengegend wohnte. Die Jugendlichen waren verwöhnt und hatten mehr Geld zur Verfügung, als sie ausgeben konnten. Manche schlugen über die Stränge und suchten nach dem besonderen Kick. Aber Johan hatte darauf vertraut, dass seine Kinder die Finger davon ließen. Sie hatten doch alles, was sie wollten, dafür hatte er gesorgt.

Im Wagen roch es nach versengtem Stoff. Draußen begann es zu nieseln, winzige Tropfen setzten sich auf die Windschutzscheibe und liefen am Glas hinunter.

Victor musste überredet worden sein, Kokain zu probieren. Das war die einzig vernünftige Erklärung.

Johan griff wieder nach dem Handy. Er wollte es wissen. Rasch wählte er die Nummer der Polizei.

»Thomas Andreasson«, meldete sich eine Stimme nach wenigen Rufsignalen.

»Johan Ekengreen hier. Sie haben gesagt, die Obduktion hätte ergeben, dass Victor unter Drogen stand. Was genau haben Sie damit gemeint?«

Er sprach viel zu hastig. Johan versuchte, sich zur Ruhe zu zwingen; wenn er am Telefon allzu gehetzt klang, würde er nie erfahren, was er wissen wollte.

»Das ist leider richtig«, sagte der Polizist. »Der Rechtsmediziner hat bei der Obduktion Spuren von Kokain gefunden.«

»Ist das ganz sicher?«

»Ein Irrtum ist ziemlich unwahrscheinlich. Außerdem gibt es Zeugen, die ausgesagt haben, dass Ihr Sohn am Samstag Kokain genommen hat.«

»Wer behauptet das?«

Er klang immer noch zu drängend. Du musst dich zusammenreißen, dachte er.

»Mehrere Personen, die mit Victor auf Sandhamn waren.«

Andreasson wollte offenbar nicht mit Details herausrücken. Zu dumm.

»Könnten Sie etwas konkreter werden? Mit wem haben Sie gesprochen, sind diese Personen glaubwürdig?«

Johan wartete gespannt.

»Wir haben mit Victors Freundin und seinem besten Freund gesprochen.«

Felicia und Tobbe also. Sie hatten bestätigt, dass Victor kokste.

Die kleinen Wassertropfen auf der Frontscheibe ließen die Außenwelt verschwimmen. Oder lag es an seinen Augen?

»Wissen Sie, warum?«, fragte er. »Wieso hat er Rauschgift genommen?«

Die Antwort ließ auf sich warten, so als würde Andreasson überlegen, wie viel er preisgeben konnte. Schließlich sagte er:

»Es waren vermutlich seine Freunde, die zuerst damit anfingen. Aber alle drei haben über längere Zeit Drogen genommen.«

Es wurde still am anderen Ende.

»Es tut mir leid«, sagte Thomas Andreasson, »aber wie es aussieht, war ihr Sohn schwer drogenabhängig.«

Es klang, als wollte er das Gespräch damit beenden. Aber Johan musste unbedingt noch mehr erfahren.

»Eine letzte Frage«, sagte er. »Haben Sie schon einen Verdächtigen?«

»Das darf ich leider nicht sagen.«

»Wir sprechen über meinen Sohn«, stieß Johan hervor. »Bitte, verstehen Sie doch.«

Er war verzweifelt, das ließ sich nun nicht mehr verbergen. Aber offenbar ließ sich der Kommissar dadurch erweichen.

»Wir haben einer bestimmten Person gegenüber einen Tatverdacht ausgesprochen. Mehr kann ich dazu im Moment wirklich nicht sagen.«

Wie gelähmt beendete Johan das Telefonat.

Tobbe.

Er war es, durch den Victor in Kontakt mit den Drogen gekommen war. Er hatte Victor abhängig gemacht, und dann hatte er ihn erschlagen.

Ohne Vorwarnung schoss ihm der Geschmack von Galle in den Mund, er konnte gerade noch die Autotür aufreißen. Krampfhaft erbrach er alles, was er im Magen hatte. Auf dem schwarzen Asphalt unter der Fahrertür bildete sich eine rosa Pfütze.

Als alles draußen war, legte Johan die Stirn aufs Lenkrad und starrte leer vor sich hin.

Dieses Schwein.

Kapitel 72

Überall in Wilmas Zimmer lagen Kleidungsstücke verstreut, unterm Bett schauten ein roter Bikini und ein nasses Handtuch hervor. Auf dem Nachttisch stand schmutziges Geschirr.

Aber Jonas war nicht gekommen, um seiner Tochter zu sagen, dass sie ihr Zimmer aufräumen sollte.

Wilma saß mit angewinkelten Knien auf dem Bett, den Rücken gegen die gelbe Wand gelehnt. Aus dem Laptop auf ihrem Bauch strömte Musik, ihr Handy lag in Reichweite auf dem zerknüllten Laken.

Sie hatte immer noch ihr Nachthemd an, obwohl es schon nach zwei Uhr war. Es roch muffig, als hätte sie seit Tagen kein Fenster mehr geöffnet.

Jonas setzte sich auf die Bettkante.

»Hallo, Liebes. Wie fühlst du dich?«

Wilma starrte fest auf den Bildschirm.

»Ich denke, es wird Zeit, dass wir miteinander reden.«

Ohne sich darum zu kümmern, dass sie nicht reagierte, beugte Jonas sich vor und strich ihr sanft über die Wange.

»Ich weiß, dass du mit Mama gesprochen hast, aber ich möchte auch wissen, was am Samstag passiert ist. Wenn du bei mir wohnst, musst du dich an meine Regeln halten. Das verstehst du doch?«

Wilma hatte für nichts anderes Augen als für ihren Computerbildschirm. Die Musik wechselte, ein lärmendes Stück folgte dem anderen, ohne dass Jonas irgendeins davon kannte.

Hatte sie überhaupt gehört, was er gesagt hatte?

»Bitte, stell jetzt das Ding weg.«

Missmutig schob seine Tochter den Laptop beiseite. Im selben Moment piepste ihr Handy, und automatisch griff Wilma danach.

Jonas hielt ihre Hand fest.

»Kannst du das nicht mal einen Moment lassen?«

»Wieso denn!«

Wilma wollte ihm nicht in die Augen sehen. Jonas merkte, dass er kurz davor war, ein paar scharfe Worte zu sagen, aber er biss sich auf die Zunge.

»Weil ich dich darum bitte.«

Widerwillig legte Wilma das Telefon weg.

Wo sollte er anfangen? Ihm war, als bewegte er sich auf gefährlichem Terrain, gespickt mit Minen, die jederzeit hochgehen konnten, wenn er die falschen Worte wählte. Zu dumm, dass Margot nicht hier war, sie hätten das Gespräch besser zu dritt geführt.

Zorn und Sorge kämpften in seinem Inneren um die Vorherrschaft, während er nach der richtigen Formulierung suchte.

»Wie du dich am Samstag verhalten hast, war alles andere als okay. Ich hoffe, du siehst das ein. Wir hatten uns ganz klar auf ein Uhr geeinigt. Nora und ich haben uns unglaubliche Sorgen gemacht, dass dir etwas zugestoßen sein könnte.«

»Was geht Nora das überhaupt an«, entgegnete Wilma mit unerwartet zittriger Stimme. »Sie ist nicht meine Mutter.«

Es war ein Fehler gewesen, Nora zu erwähnen, wie Jonas erkannte. Aber jetzt war es zu spät.

»Ich habe wirklich Angst um dich gehabt, ich dachte, dir wäre etwas Schreckliches passiert.«

Diesmal lag die Betonung auf ich. Wilma reagierte, indem sie das Kinn eine Idee hob, aber ihre Körperhaltung war immer noch abweisend.

Jonas suchte erneut nach den richtigen Worten.

»Als die Polizei zu uns kam, dachte ich, es wäre wegen dir, begreifst du das nicht? Dass dir etwas Schlimmes zugestoßen ist. Außerdem bist du nicht ans Handy gegangen, ist dir eigentlich klar, welchen Schreck du mir damit eingejagt hast? Ich war die halbe Nacht draußen und habe dich gesucht.«

Während er die Worte aussprach, erkannte Jonas, wie dicht unter der Oberfläche die Panik gelauert hatte. Er hatte versucht, seine Angst mit logischen Erklärungen zu maskieren. Alles nur, um nicht das Schlimmste annehmen zu müssen. Aber innerlich hatte er Todesängste ausgestanden.

Es schnürte ihm die Kehle zu, als er daran dachte, was alles hätte passieren können. Er musste ständig daran denken, dass eine andere Familie in derselben Nacht ihren Sohn verloren hatte.

»Das war wirklich nicht okay«, wiederholte er und schämte sich nicht, dass seine Stimme belegt klang.

Wilma schluchzte auf, und Jonas kämpfte darum, nicht die Fassung zu verlieren. Plötzlich warf sie sich ihm in die Arme.

»Verzeih mir, Papa, bitte verzeih mir.«

»Versprich mir, dass du so etwas nie wieder tust. Nie wieder, hörst du.«

Jonas umarmte seine Tochter fest.

Nach einer ganzen Weile sagte er ihr ins Ohr:

»Jetzt musst du mir aber wirklich erzählen, was denn eigentlich passiert ist.«

»Muss ich?«, murmelte sie.

Etwas in ihrer Stimme ließ ihn aufhorchen, und die Angst regte sich wieder in seiner Brust. Zärtlich streichelte er ihre Wange.

»Was war los, Wilma? Wenn dir etwas zugestoßen ist, musst du es mir sagen.«

Wilma

Malena wartete bereits am Café Strindbergsgården. Wilma lachte siegessicher und öffnete ihre Tasche, in der die geklauten Weinflaschen lagen.

»Wow, geil!«, quiekte Malena. »Komm, wir gehen.«

»Wohin?«

»Zum Strand bei den Tennisplätzen. Die anderen sind schon da.«

Arm in Arm liefen sie durch den Hafen, vorbei an Gruppen von Betrunkenen, die vor der Taucherbar herumstanden. Ein paar Typen riefen ihnen anerkennende Bemerkungen hinterher. Wilma tat, als hätte sie nichts gehört, aber insgeheim freute sie sich.

Sie brauchten ungefähr zehn Minuten, bis sie die anderen erreicht hatten. Sie saßen im Kreis um ein Lagerfeuer herum.

Wilma entdeckte Mattias sofort, er lag lang ausgestreckt auf dem Rücken, die Hände hinter dem Kopf verschränkt und neben sich eine offene Bierflasche.

Es kitzelte in ihrem Bauch, als sie ihn sah, er war wirklich unglaublich süß. Sie versuchte, ihn nicht zu beachten, und nickte in die Runde, bevor sie sich in den Sand setzte, knapp einen Meter neben Mattias. Es kam ihr so vor, als checkte er sie kurz, aber er sagte nichts.

Sie schob den Busen vor, so gut sie konnte, und zog den Wein aus der Umhängetasche.

»Will jemand?«, sagte sie und drehte sich wie zufällig zu Mattias um.

Er hievte sich auf einen Ellbogen.

»Schau an, die Babes haben Alk dabei«, sagte er und grinste. »Und wie willst du die aufmachen?«

Beschämt ging Wilma auf, dass sie einen Korkenzieher brauchte. Wie hatte sie nur so dumm sein können, nicht die Flaschen mit Schraubverschluss mitzunehmen, als sie unten im Weinkeller war?

Sie wurde rot und suchte krampfhaft nach einer witzigen Bemerkung, um ihre Verlegenheit zu überspielen.

»Wie wär's damit«, sagte ein Typ, der ihr gegenübersaß.

Micke hieß er. In der Hand hielt er einen Korkenzieher mit rotem Griff.

»Soll ich die für dich aufmachen?«

Freundlich beugte er sich vor und nahm ihr eine der Flaschen ab.

»Danke«, murmelte sie.

Hastig warf sie Mattias einen Seitenblick zu, jetzt hielt er sie bestimmt für ein kleines Mädchen, das null Ahnung hatte. Sie hätte sich selbst in den Hintern treten können. Wie konnte man nur so dämlich sein!

Aber Mattias hatte bereits das Interesse verloren. Er hatte sich wieder auf den Rücken gelegt und redete mit einem der älteren Mädchen. Seine braunen Haare lagen auf dem Sand, und Wilma wünschte, sie könnte die Hand ausstrecken und sie berühren.

Das Mädchen kicherte, und Wilma hatte das dumme Gefühl, dass die beiden über sie lästerten. Sie machten sich natürlich lustig über ihren ungeschickten Versuch, cool zu sein.

Micke hatte die Flasche entkorkt und gab sie ihr zurück.

»So, jetzt ist sie offen.«

»Danke«, murmelte sie wieder, die Augen immer noch bei Mattias, der sie überhaupt nicht wahrzunehmen schien.

Malena, die neben ihr saß, stieß sie an.

»Lass mal probieren.«

Sie nahm die Flasche und trank, und anschließend nahm Wilma einen Schluck. Sie musste sich zusammenreißen, um nicht das Gesicht zu verziehen, das schmeckte ja widerlich! Schnell schluckte sie hinunter und setzte die Flasche wieder an die Lippen, damit keiner merkte, dass sie zum ersten Mal Alkohol trank.

Anderthalb Stunden später waren beide Flaschen leer. Wilma war immer dichter an Mattias herangerutscht und saß jetzt nur wenige Zentimeter von ihm entfernt. Plötzlich stand das andere Mädchen auf und verschwand im Wald hinter einem Busch.

Wilma lehnte sich an Mattias. Sie fühlte sich ein bisschen schwindelig und musste sich mit einer Hand auf dem Boden abstützen. Aber das war jetzt ihre Chance.

»Wollen wir was machen?«

Ihre Aussprache war ein bisschen verschwommen, aber sie hoffte, er merkte es nicht. Er hatte selbst auch reichlich getrunken, die Bierflasche war leer, und er hatte schon wieder eine neue in der

Hand. Eine Flasche Wodka hatte auch bereits mehrmals die Runde gemacht.

Mattias sah sie an. Auf der Stirn hatte er einen leichten Sonnenbrand, wo es jetzt rot war, würde die Haut sich wohl schälen. Er grinste.

»Was denn zum Beispiel?«

Sie zuckte die Schultern und versuchte, so einladend wie möglich zu lächeln. Hoffentlich hatte sie keinen Rotwein an den Zähnen.

»Wir könnten uns was überlegen, du und ich«, sagte sie.

Jetzt sah er ihr tatsächlich ins Gesicht, Wilma konnte kaum atmen.

»Dann komm«, sagte er völlig überraschend und stand auf.

Sie beeilte sich, aufzustehen und ihm zu folgen. Als sie sich aufrichtete, drehte sich alles ein bisschen, aber das ging schnell vorbei.

»Wir kommen zurück«, rief er den anderen über die Schulter zu. »Bis nachher.«

Mattias nahm ihre Hand, und Wilma dachte, sie müsste sterben vor Glück. Sie gingen eine Weile, bis der Strand zu Ende war und sie an einen Zaun kamen, hinter dem ein paar graue Häuser standen. Mattias kletterte über den Zaun, als wäre es die selbstverständlichste Sache der Welt.

Wilma blieb vor dem Zaun stehen. In ihrem Kopf drehte sich alles, aber sie versuchte, sich auf Mattias zu konzentrieren.

»Was machst du da?«, sagte sie unsicher.

»Meine Oma wohnt hier.«

Wilma verstand überhaupt nichts mehr.

»Wir gehen zu deiner Oma? Warum das denn?«

»Da ist keiner zu Hause, aber ich weiß, wo der Ersatzschlüssel liegt«, sagte er. »Komm.«

Er ging auf das große Haus zu, und Wilma folgte ihm zögernd. An der einen Wand war Kaminholz aufgestapelt, Mattias zog an einer Stelle ein Scheit heraus. Etwas Metallisches blinkte in seiner Hand.

»Wird sie nicht sauer sein, wenn sie es merkt?«, flüsterte Wilma.

»Wer sollte es ihr sagen?«

Mattias nahm den Schlüssel und ging zu einem der kleineren Gästehäuser etwas weiter hinten auf dem Grundstück. Ohne zu zögern steckte er den Schlüssel ins Schloss und öffnete die Tür.

Plötzlich waren in einiger Entfernung Stimmen zu hören. Wilma reckte den Hals, um zu sehen, wer es war.

»Shit, die Bullen«, sagte sie halblaut.

»Dieses Jahr sind unheimlich viele auf der Insel«, sagte Mattias. »Kümmer dich nicht drum. Die haben nichts mit uns zu tun.«

Er duckte sich und zog Wilma mit sich ins Häuschen.

»Haben sie uns gesehen?«, flüsterte sie.

»Keine Ahnung, ist doch auch egal. Wenn sie was wollen, sage ich einfach, dass meine Oma hier wohnt.«

Er schloss die Tür hinter ihnen und spähte einen Moment aus dem Fenster. Wilma wartete gespannt neben ihm.

»Alles klar, sie sind weg«, sagte Mattias.

Er drehte sich zu Wilma um und presste sich an sie.

Im Handumdrehen hatte er ihr das weiße Top über den Kopf gezogen, sodass sie nur im BH dastand. Plötzlich waren seine Finger in ihren Shorts. Er zog den Reißverschluss auf und streifte sie von ihren Hüften, sodass sie auf ihren Knöcheln landete.

Wilma starrte auf die Shorts zu ihren Füßen. Verlegen stieg sie heraus, fühlte sich aber unwohl, wie sie da so halb nackt stand.

Er fing an, sie zu küssen, hielt aber inne.

»Hast du 'n Gummi dabei?«, fragte er.

Unglücklich schüttelte sie den Kopf.

»Nein.«

Er seufzte ungeduldig. Wilma fühlte sich zunehmend unwohler, so hatte sie sich den Abend mit Mattias nicht vorgestellt. Das ging alles viel zu schnell.

Sie hatte gedacht, sie würden zusammensitzen und reden und sich kennenlernen, vielleicht ein bisschen im Sand knutschen. Tausendmal hatte sie sich vorgestellt, wie es sein würde, wenn er sie zum ersten Mal küsste, aber nicht das hier, nicht so. Er knetete ihre Brüste so fest, dass es wehtat.

Mattias schob sie zu einem der Gästebetten hinüber, und als dessen Kante ihre Kniekehlen traf, konnte sie sich nicht länger halten, ihre Beine knickten ein und sie landete auf dem Rücken. Mattias lag schwer auf ihr, und seine Finger schoben sich in ihren Slip.

Das Weinen stieg ihr in die Kehle. Alles war ganz verkehrt gelaufen. Ihr war schwindelig und schlecht vom Rotwein. Aber sie traute sich nicht, etwas zu sagen.

Mattias presste seinen Mund auf ihren, zwang ihre Lippen auseinander, und als sie seine Zunge in ihrer Mundhöhle spürte, musste sie würgen.

»Nein«, versuchte sie abzuwehren, »nein, ich will nicht. Ich muss jetzt nach Hause. Hör auf, Mattias.«

Ohne sich um ihre Einwände zu kümmern, zerrte er ihren BH mit einer Hand herunter und begann wieder, ihre Brüste zu kneten.

»Hör auf, sag ich!«

Verzweifelt versuchte sie, sich wegzudrehen, aber er lag mit dem Oberkörper auf ihr und hielt sie mit seinem Gewicht fest. Sie konnte ihm nicht entkommen.

»Stell dich nicht so an«, murmelte er und küsste sie immer weiter.

Er schmeckte nach Bier und Zigaretten, und jetzt konnte sie die Übelkeit nicht mehr zurückdrängen.

»Ich muss spucken«, stieß sie hervor und konnte gerade noch den Kopf über die Bettkante schieben, als auch schon ein Schwall roter Flüssigkeit herausschoss.

»Scheiße, verdammte«, fluchte Mattias und sprang auf. »Du Sau, guck dir an, was du gemacht hast!«

Er hatte ein bisschen abgekriegt, aber das meiste war auf ihren Klamotten vor dem Bett gelandet. Erbrochenes rann in kleinen Bächen über den Fußboden.

»Wie zur Hölle soll ich meiner Oma das erklären? Wie stellst du dir das vor?«, schrie er ihr ins Gesicht.

Wilma starrte ihn wie gelähmt an. Dann griff sie sich ihre Kleider und riss die Tür auf.

Sie stolperte nach draußen und blickte sich um. Sie musste hier weg. Sofort.

So schnell sie konnte, lief sie auf die Bäume zu. Wenn er ihr nur nicht hinterherkam! Sie stolperte über eine Wurzel und wäre um ein Haar gefallen, fing sich jedoch wieder und rannte keuchend in den Wald hinein. Ihre Lunge tat weh, sie konnte bald nicht mehr. Nach ein paar weiteren Metern brach sie zusammen.

Das Schluchzen kam in langen, atemlosen Wellen. Sie fühlte sich so dumm und naiv. Was hatte sie eigentlich erwartet?

Ein Geräusch ließ sie zusammenzucken. War das Mattias? Panik schoss in ihr hoch, aber sie konnte niemanden entdecken.

Nach einer Weile begann sie zu frieren und zog ihre Sachen an, obwohl sie schrecklich stanken. Danach musste sie eingeschlafen sein, denn als sie die Augen wieder aufschlug, war es Nacht. Sie wusste nicht, wo sie war, ihr war so elend, dass sie keine Kraft hatte, sich zu rühren oder ans Handy zu gehen.

Die ganze Nacht lag sie einsam im Wald.

Im Morgengrauen wachte sie auf und schlich zurück in den Ort.

Ihr Vater war bei Nora. Als Wilma sich der Brand'schen Villa näherte, traute sie sich nicht, hineinzugehen. Sie wusste, dass er sich zusammenreimen würde, was passiert war, und sie schämte sich so sehr. Außerdem konnte sie sich in ihren vollgekotzten Klamotten nicht blicken lassen. Schon gar nicht vor Nora.

Also versuchte sie, in ihr eigenes Haus zu gelangen, aber das war abgeschlossen und sie hatte keinen Schlüssel. In der Nachtkälte fror sie so sehr, dass ihre Zähne aufeinanderschlugen. Wo sollte sie jetzt hin?

Da fiel ihr der Geräteschuppen ein.

Kapitel 73

Wilma verbarg das Gesicht in den Händen.

»Ich komme mir so dumm vor«, schluchzte sie. »So total blöd.«

»Dieses Schwein«, sagte Jonas und hatte Mühe, sich zu beherrschen.

Er war so aufgebracht, dass er das Gefühl hatte, zu ersticken.

»Wenn ich diesen Mattias in die Finger kriege, drehe ich ihm den Hals um«, platzte es aus ihm heraus.

»Ich war in ihn verliebt«, sagte Wilma mit gebrochener Stimme. »Ich dachte, er mag mich. So richtig. Das habe ich wirklich gedacht.«

Er musste ruhig bleiben, das Wichtigste war jetzt, dass er sich um Wilma kümmerte. Jonas zwang sich, die Stimme zu senken.

»Mein kleiner Spatz«, sagte er und zog seine Tochter an sich.

Wie sollte er ihr klarmachen, dass dieser Mattias ein besoffener, triebgesteuerter Halbstarker war, dem man mal einen kräftigen Kinnhaken verpassen sollte? Eigentlich müsste man ihn anzeigen. Wilma war erst vierzehn. Der Bengel hatte sich an einer Minderjährigen vergriffen.

Jonas wurde schwarz vor Augen, wenn er daran dachte, was hätte passieren können, wenn Wilma sich nicht erbrochen hätte und weggelaufen wäre.

»Es war nicht deine Schuld, nichts von alldem war deine Schuld«, sagte er tröstend.

Wenn er Mattias anzeigte, würde Wilma entwürdigende Fragen über sich ergehen lassen müssen, so viel wusste er. Aussage stand gegen Aussage. Das bedeutete Vernehmungen, eindringliche Fragen, noch mehr Schamgefühle.

Auf gar keinen Fall würde er sie einer solchen Tortur aussetzen.

Hauptsache, Wilma begriff, dass sie nicht verantwortlich für das war, was er getan hatte. Mattias war ein Schwein, aber das hatte nichts mit ihr zu tun.

»Vergiss diesen Idioten. Wenn ich den jemals in die Finger kriege ...«

Er biss sich auf die Zunge.

»Das wird ihm noch leidtun, das verspreche ich dir«, sagte er schließlich.

Durch die unbequeme Stellung auf dem Bett tat ihm langsam der Rücken weh. Jonas stand auf und reckte sich.

»Was hältst du davon, wenn du unter die Dusche gehst und dich anziehst, dann unternehmen wir was Schönes. Wir könnten heute Abend im Värdshuset essen, nur du und ich.«

»Ohne Nora?«

Jonas seufzte stumm.

»Ohne Nora.«

Kapitel 74

Johan Ekengreen saß in der Bibliothek. Er hatte sich für die Vorstandssitzung entschuldigen lassen und war nach Hause gefahren. Dort hatte er sich mit einer Flasche Whisky eingeschlossen.

Er war schon seit einer ganzen Weile nicht mehr nüchtern, hatte aber keine Probleme, klar zu denken. Wieder und wieder ging er das kurze Telefonat durch, die Informationen, die seine Welt ins Wanken gebracht hatten.

Er konnte es immer noch nicht glauben. Aber sein alter Kamerad war sich seiner Sache sicher gewesen. Tobbe stand unter Verdacht, seinen Sohn ermordet zu haben.

Es schnürte Johan die Kehle zu, wenn er daran dachte, wie seine Familie hintergangen worden war.

Erinnerungen tauchten auf. Der Skiurlaub in Chamonix während der Winterferien, zu dem sie Tobbe eingeladen hatten. Die Jungs waren die ganze Woche schlecht gelaunt und rastlos gewesen, vor allem Victor war unkonzentriert und reizbar. An einem Abend waren die zwei in die Disco gegangen, und am nächsten Tag wollte keiner der beiden Ski fahren.

Madeleine hatten sie erzählt, sie hätten sich den Magen verdorben, aber Johan war überzeugt, dass sie einen Kater hatten. Damals hatte er darüber geschmunzelt, dass die Bengel keinen Alkohol vertrugen. Kleine Jungs eben.

Jetzt wusste er es besser. Sie hatten gekokst, und danach war es ihnen dreckig gegangen. Wieso hatte er das damals nicht gesehen? Wie blind er gewesen war, wie ahnungslos.

Aber seine Zweifel hielten sich hartnäckig. Tobbe war Victors bester Freund gewesen, und er war doch noch ein Teenager.

Es klingelte an der Tür, und er hörte, wie Ellinor öffnete. Leises Gemurmel, sie sprach mit jemandem. Dann ein zaghaftes Klopfen.

»Papa?« Ellinor steckte den Kopf zur Tür herein. »Tobbes Vater ist hier, er möchte mit dir reden.«

Es dauerte einen Moment, bevor Johan begriff.

»Arthur?«, fragte er verblüfft.

Sie nickte und trat einen Schritt zur Seite.

Arthur Hökström kam herein, in Schlips und Kragen. Sein Aufzug ließ vermuten, dass er direkt aus der Kanzlei kam.

»Tag, Johan«, sagte er und streckte die Hand aus.

Mechanisch erhob Johan sich und erwiderte den Händedruck.

»Darf ich mich setzen?« Ohne eine Antwort abzuwarten, nahm Arthur ihm gegenüber im Sessel Platz. »Mein Beileid. Wir haben Victor immer sehr gemocht.«

Die banalen Phrasen waren kaum zu ertragen. Johan merkte, wie sein Widerwille zunahm. Was wollte Arthur hier, sein Sohn lebte doch noch.

Arthur zeigte auf eine Reisetasche, die er neben sich abgestellt hatte.

»Das sind Victors Sachen, sie waren noch auf dem Boot.«

»Was sollen wir damit?«, fuhr Johan ihm über den Mund. »Victor ist tot.«

Unmöglich, die Bitterkeit zurückzuhalten.

Arthur Hökström wurde unsicher, so als hätte er eingeübt, was er sagen wollte, und jetzt sein Stichwort verloren.

Er versuchte es noch mal.

»Ich wollte mit dir über Tobias reden.«

»Wozu?«, erwiderte Johan und griff nach seinem Glas.

Offenbar fiel es seinem Besucher schwer, das zu formulieren, was er auf dem Herzen hatte. Schließlich sagte er:

»Wir waren heute zur Vernehmung bei der Polizei.«

»Aha.«

Ich weiß, hätte er am liebsten gesagt. Ich weiß alles.

»Es war ... eine Zumutung.«

Arthur unterbrach sich und lockerte die Krawatte. Schweiß stand ihm auf der Stirn.

»Sie behaupten, dass Tobbe an dem Abend am Strand war, an der Stelle, wo Victor gefunden wurde. Anscheinend hat Felicia ihn vor Victors Tod gesehen. Sie ist auch vernommen worden.«

War die Polizei sich deshalb so sicher, dass Tobbe Victor ermordet hatte? Wegen Felicias Zeugenaussage?

Ihm wurde übel, als er das hörte, aber er ließ sich nichts anmerken.

»Die Polizei glaubt, dass Tobbe es getan hat«, stieß Arthur hervor.

»Dass Tobbe Victor erschlagen hat. Sie haben sogar eine Hausdurchsuchung gemacht und seine Kleider mitgenommen. Das ist natürlich vollkommen absurd.«

Arthur strich sich über die feuchte Stirn.

»Tobbe und Victor waren seit dem Kindergarten die besten Freunde. Mein Junge hätte deinem Sohn niemals etwas antun können. Das musst du mir glauben.«

Arthurs Stimme wurde schrill.

»Bitte, Johan, du musst der Polizei sagen, dass sie auf dem Holzweg sind, dass unsere Söhne beste Freunde waren. Tobias ist unschuldig.«

Es hatte wieder angefangen zu nieseln, durch das offene Fenster konnte man den leichten Sommerregen hören. Als Victor klein war, hatte er es geliebt, in den Pfützen zu planschen. Johan erinnerte sich, mit welcher Begeisterung er darin herumgehüpft war, triefnass bis auf die Haut und die Stiefel voller Wasser.

»Ich habe Fehler gemacht, weiß Gott«, sagte Arthur leise. »Die letzten Jahre waren für keinen von uns einfach. Ich weiß, dass ich kein guter Vater war, dass ich mich nicht genug um meine Jungs gekümmert habe. Aber ich bin auch nur ein Mensch ... Und jetzt wird Tobbe dafür bestraft ...«

Er senkte den Kopf, als sei diese Erkenntnis mehr, als er ertragen konnte.

»Es ist furchtbar, dass Victor tot ist, aber es ändert nichts an der Sache, wenn sie meinen Sohn zum Mörder machen. Tobbe hat damit nichts zu tun. Das weißt du ebenso gut wie ich.«

Seine Stimme senkte sich zu einem Flüstern.

»Nur du kannst der Polizei begreiflich machen, welchen Fehler sie begehen. Ich würde alles dafür tun, dass du uns hilfst.«

Das Klirren von zerspringendem Glas überraschte sie beide.

Johan starrte auf das Whiskyglas, das er zerbrochen hatte, trotz des dickwandigen Kristalls. Auf dem Perserteppich zu seinen Füßen lagen die Scherben. Der Whisky war in dem dunkelroten orientalischen Muster versickert.

»Dein Sohn lebt«, sagte er tonlos, »und du kommst her und verlangst von mir, dass ich den Mörder meines Sohnes in Schutz nehme?«

Glassplitter steckten in seiner Handfläche, ein dünner Streifen Blut lief ihm den Arm hinunter.

Johans Lippen waren so starr, dass sie ihm nicht gehorchen wollten. Er musste sich zwingen, die Worte zu formen, Silbe für Silbe.

»Verschwinde«, stieß er mühsam hervor. »Raus!«

Kapitel 75

Nora öffnete den Gartenwasserhahn und hielt die grüne Plastikkanne unter den Strahl. Die Topfgeranien brauchten dringend Wasser, die Erde war trocken und rissig.

Über dem Festland hingen die Wolken immer noch tief, aber über Sandhamn hatte es aufgeklart. Im äußeren Schärengarten war das Wetter oft besser als an Land.

Sie ging mit der schweren Wasserkanne zum Haus, als sie aus den Augenwinkeln Jonas am Zaun stehen sah. Sie zwang sich zu einem neutralen Lächeln und stellte die Kanne auf der untersten Treppenstufe ab.

»Hallo«, sagte sie abwartend.

»Hallo.«

Er stand immer noch am Zaun und machte keine Anstalten, hereinzukommen.

»Wie geht's?«, fragte er.

»Gut. Ganz gut, so weit«, erwiderte sie freundlich. »Wie geht's Wilma?«

»Schon besser. Sie hat viel geschlafen, aber langsam fängt sie sich wieder.«

»Schön zu hören.«

Nora zupfte ein paar gelbe Blätter von der nächststehenden Geranie.

»Was war denn eigentlich los?«, fragte sie und drehte die welken Blätter zwischen den Fingern.

»Eine Sache mit einem Jungen. Und Alkohol, natürlich.«

Jonas ballte eine Hand zur Faust, sagte aber nichts mehr. Es war deutlich, dass er nicht ins Detail gehen wollte, und Nora wollte sich nicht aufdrängen.

Es wurde still.

»Möchtest du einen Kaffee?«, fragte sie, weil ihr nichts Besseres einfiel.

»Im Moment nicht«, sagte er leise. »Ich müsste mit Thomas reden.«

»Warum?«

Das war ihr so herausgerutscht.

»Anscheinend waren Wilma und ihre Clique zur selben Zeit am Strand, als dieser Junge ermordet wurde. Ich denke, die Polizei sollte das erfahren. Ich habe in der Zeitung gelesen, dass sie dringend Zeugen suchen.«

»Aha.«

Sie klang so einfältig. Dabei wollte sie doch nur, dass er wusste, wie viel er ihr bedeutete. Natürlich steht deine Tochter für dich an erster Stelle, wollte sie eigentlich sagen. Ich habe selbst Kinder, ich weiß sehr gut, wie das ist. Aber deswegen brauchst du mich nicht auszuschließen. Warum muss es Entweder-Oder sein?

Aber jetzt war nicht der richtige Zeitpunkt, irgendeinen dieser Gedanken laut auszusprechen. Stattdessen warf sie einen Blick auf seine Turnschuhe und sagte: »Dein Schnürsenkel ist aufgegangen.«

»Was?«

Jonas blickte hinunter und entdeckte, dass einer der Lederschnüre sich gelöst hatte.

»Danke«, sagte er, ging in die Hocke und band sich die Schleife neu.

Sie standen nur zwei Meter voneinander entfernt, aber es schien, als sei zwischen ihnen eine Glaswand aus dem Boden gewachsen. Jeder Versuch, miteinander zu reden, scheiterte an einem unsichtbaren Hindernis. Nora musste unwillkürlich an weiß gekleidete Pantomimen mit schwarz gemalten Lippen denken, die sich mit offenen Handflächen an Wänden entlangtasteten, die es nicht gab.

Thomas' Telefonnummer. Nora grub in ihrer Tasche nach dem Handy und holte mit wenigen Klicks den Kontakt aufs Display. Sie hielt ihm das Telefon hin, und Jonas speicherte die Nummer in sein eigenes Handy ein.

»Ich muss wieder zu Wilma«, sagte er, als er damit fertig war. »Wir können das mit dem Kaffee sicher nachholen.«

Er streckte die Hand aus, als wollte er ihre Wange streicheln, aber just in dem Moment kam Simon angeradelt. Er machte eine so heftige Vollbremsung vor Jonas, dass der Kies an ihm hochspritzte und es eine tiefe Bremsspur gab.

Achtlos warf er sein Rad hin, drückte sich an Jonas vorbei durch die Pforte und lief zu Nora.

»Gibt's bald was zu essen?«, rief er. »Ich hab Hunger!«

Die Stimmung war dahin.

»Ich muss Abendbrot machen«, sagte sie und ging die Treppe hinauf ins Haus, ohne sich noch einmal umzudrehen.

Kapitel 76

»Papa?«

Ellinor öffnete die Tür zur Bibliothek, wo Johan immer noch saß, nachdem Arthur Hökström gegangen war. Ihre Augen waren geschwollen, und das silberblonde Haar hatte sie nachlässig mit einer Spange hochgesteckt. Ein paar Strähnen hingen ihr ins Gesicht. Am Handgelenk trug sie ein Armband aus kleinen, auf Schnüre gezogenen Plastikperlen, das sie sich mehrmals um den Arm gewickelt hatte.

»Was machst du?«, fragte sie.

»Ich denke nach.«

Seine Augen wanderten zum Foto von Victor, das auf dem Kaminsims stand. Er konnte nicht anders. Ellinor folgte seinem Blick und schluchzte auf.

Sie knetete ein zerknülltes Papiertaschentuch in den Händen.

»Wollen wir heute kein Abendbrot essen?«, fragte sie.

»Ich habe keinen großen Hunger, Liebes. Ihr werdet allein essen müssen, du und Mama.«

»Mama schläft.« Ellinor zuckte hilflos die Schultern. »Außerdem ist der Kühlschrank leer, wir haben vergessen einzukaufen.«

Johan zückte sein Portemonnaie und nahm einen großen Schein heraus.

»Kannst du nicht in die Stadt gehen und etwas holen? Was du möchtest. Ist vielleicht ganz gut, wenn du mal rauskommst.«

Raus aus dieser Gruft, dachte er, sagte es aber nicht laut.

Ein Teil von ihm wollte zusammen mit Ellinor weinen, aber er konnte sich der Trauer nicht hingeben. Noch nicht. Zuerst musste er sich um andere Dinge kümmern.

Ellinor nahm den Schein entgegen und steckte ihn in die Gesäßtasche ihrer hellblauen Caprihose.

»Möchtest du nichts?«, fragte sie und spielte an ihrem Armband.

»Ich habe keinen Appetit.«

»Okay.«

Ellinor drehte sich um und wollte gehen, aber Johan hielt sie zurück.

»Warte einen Moment. Ich muss dich etwas fragen.«

Seine Tochter blieb stehen.

»Ich habe vorhin mit der Polizei telefoniert. Es gibt da etwas, was mir nicht in den Kopf will.«

»Was denn?«

Sie hatte keine Ahnung, worauf er hinauswollte. Er konnte es ihr ansehen. Hatte nicht einmal Ellinor gewusst, was vor sich ging?

»Sie behaupten, dass Victor Drogen genommen hat«, sagte er. »Sie sagen, er hatte Kokain im Körper, als er starb.«

Ellinor hielt sich an der Rückenlehne eines Sessels fest.

»Ach Papa.«

Johan ließ sie nicht aus den Augen. Ellinors Gesicht verschloss sich.

»Hast du davon gewusst?«, fragte er.

Ellinor

Als Victor am Neujahrstag aufwachte, saß Ellinor auf seiner Bettkante. Sie hatte die Haare zum Pferdeschwanz gebunden und trug ihren neuen blauen Bikini. Vom Pool klang entferntes Gelächter herauf, es war bereits mitten am Tag.

Victor sah elend aus.

»Wie viel hast du gestern getrunken?«, fragte Ellinor.

Sie hatte ihren Bruder noch nie so hackevoll gesehen wie am Abend zuvor. Trank er nur so viel, weil sie nicht in Schweden waren? In den letzten Jahren waren sie über die Weihnachtstage immer verreist. Dieses Jahr nach Mexiko, und sie waren mitten in einer Hitzewelle angekommen.

»Ihr seid jetzt alt genug«, hatten die Eltern gesagt, als sie darüber sprachen. »Wäre es nicht schön, in die Sonne zu fliegen, anstatt hier in der Kälte zu bleiben?«

Ellinor wusste, dass Victor viel lieber in Schweden Weihnachten gefeiert hätte. Er hatte den Heiligabend immer geliebt. Als kleiner Junge war er gleich morgens ins Wohnzimmer gelaufen und hatte erwartungsvoll die verpackten Geschenke unter dem Baum angeschaut. Dann saß er stundenlang da und stapelte die Päckchen hin und her, bis der Rest der Familie erwachte.

Madeleine nahm auf den Reisen immer ein paar Päckchen mit, die sie am Vierundzwanzigsten öffnen durften, aber es war nicht dasselbe. Nicht so wie im winterkalten Schweden.

»Du trinkst zu viel«, sagte Ellinor jetzt.

Ihr war klar, dass er es nicht abstreiten würde, denn sie hatte recht, und er wusste das.

»War doch Silvester«, stöhnte er.

»Ach, hör auf.«

Sie waren nur zwanzig Monate auseinander, aber trotzdem hatte sie sich während ihrer ganzen Kindheit immer um ihn gekümmert. Doch in diesem Herbst war sie kaum zu Hause gewesen, die Schule hatte ihre ganze Zeit beansprucht. Mehr als ein paar Wochenendbesuche waren es nicht geworden, und dann hatte sie sich meistens mit ihren alten Freunden getroffen. Da war keine Zeit geblieben, mit dem kleinen Bruder abzuhängen.

Victor war viel zu oft allein zu Hause, und wenn sie anrief, klang er deprimiert. Anscheinend waren Mama und Papa dauernd unterwegs.

Zum Glück war er seit ein paar Monaten mit Felicia zusammen, sonst hätte sie sich noch mehr Sorgen gemacht. Felicia war süß, und Victor hatte jemanden, mit dem er seine Zeit verbringen konnte, wenn die Eltern verreist waren.

Bei ihrem letzten Besuch vor den Weihnachtsferien war Felicia auch da gewesen. Heimlich hatte Ellinor das »Daumen hoch«-Zeichen gemacht, und als sie sah, wie glücklich Victor darüber war, hatte sie ein ganz schlechtes Gewissen bekommen. Sie ahnte, dass ihr Bruder sie viel mehr vermisste, als sie sich vorstellen konnte. Er musste viel für die Schule tun, der Stoff fiel ihm nicht leicht, und Papa stellte hohe Ansprüche. Aber sie hatte nicht gewusst, wie sehr er darunter litt.

Jetzt war sie schockiert, dass er trank.

»Seit wann geht das schon so?«

Ellinor schob die Träger ihres Bikinioberteils zurecht. Ein schwacher weißer Streifen zeichnete sich auf der braunen Haut ab. Sie knuffte ihren Bruder an, der sein Gesicht ins Kopfkissen bohrte.

»Lass mich in Ruhe«, murmelte er ins Kissen. »Ich kann gerade kein Verhör gebrauchen.«

»Victor.« Ellinor gab nicht auf. »Was machst du für einen Scheiß? Stell dir vor, wenn Mama und Papa was davon gemerkt hätten.«

»Mhmm.«

Ihre Eltern hatten mit den anderen Familien, die ebenfalls diese Reise gebucht hatten, zusammen gefeiert, und keiner hatte sich darum gekümmert, wie »die Kinder« den Silvesterabend verbrachten.

Spät in der Nacht hatte Ellinor gesehen, wie ihr Vater auf der Terrasse einen Zigarillo rauchte. Eine Frau, die nicht aussah wie Madeleine, hatte dicht neben ihm gestanden.

»Victor«, wiederholte Ellinor. »Was ist los? Seit wir hier angekommen sind, hast du jeden Tag getrunken.«

Sie wohnten in einem All-inclusive-Hotel. Es war kein Problem, sich an einer der vielen Bars mit Alkoholischem zu versorgen. Aber war da noch mehr? Hatte es nicht neulich so süßlich gerochen?

»Hast du auch gekifft?«, fragte sie und hörte selbst, dass sie wie ihre Mutter klang. »Du bist erst fünfzehn.«

»Sechzehn in einem Monat«, kam es schwach zurück.

»Tust du so was auch, wenn du zur Schule gehst?«

Sie merkte, wie sie weich wurde.

»Begreifst du nicht, dass ich mir Sorgen um dich mache.«

»Ich mach das nicht wieder.«

In dem Moment klang er aufrichtig. Es war offensichtlich, dass es ihm dreckig ging, er hörte sich an, als klebte ihm die Zunge am Gaumen.

»Ich muss kotzen«, murmelte er und verschwand im Bad.

Durch die Tür war zu hören, wie er sich lautstark erbrach.

Als er zurück ins Zimmer kam, saß Ellinor auf dem Bett, den Rücken ans Kopfteil gelehnt und die Knie bis ans Kinn gezogen. Sie folgte ihm mit dem Blick, als er sich wieder hinlegte.

»Hast du Ärger in der Schule?«, fragte sie. »Hast du Krach mit Felicia, oder ist irgendwas anderes?«

»Ich hab das alles einfach so satt.«

»Was ist passiert?«

Er antwortete nicht.

»Victor.«

»Was willst du wissen?«, murmelte er nach einer ganzen Weile. »Dass unsere Alten dauernd mit irgendeinem Scheiß beschäftigt sind? Oder dass sie sich nur für meine Zensuren interessieren, und alles andere geht ihnen am Arsch vorbei? Du hast keine Ahnung, wie es mir geht.«

Victor rollte sich auf den Rücken und starrte an die Decke.

»Ist ja auch egal. Ich werde nie so gut sein wie du. In dieser Familie gibt es nur ein Kind, das alle Erwartungen erfüllt.«

»Mein Gott, Victor!«

Ellinor erschrak über die Bitterkeit, die aus ihm sprach. So hatte sie ihren Bruder noch nie erlebt. Seine Kiefermuskeln waren angespannt, und es sah aus, als würde er am liebsten irgendwem eine runterhauen.

»Was ist mir dir?«, rief sie aus. »Warum bist du so wütend?«

Das schwarze Hoteltelefon auf dem Nachttisch unterbrach sie.

Ellinor nahm ab und lauschte ein paar Sekunden, dann legte sie auf.

»Das war Mama. Wir sollen um zwei zum Brunch in diesen Golfclub. Du musst sofort duschen, wir treffen uns in einer Viertelstunde unten in der Lobby.«

Für den Rest der Reise ging Victor ihr aus dem Weg.

Sie bekam keine weitere Chance, mit ihm zu reden.

Kapitel 77

»Ich hatte ihn noch nie auf diese Art trinken sehen«, sagte Ellinor. »Ob er auch Kokain genommen hat, weiß ich nicht, aber ich bin mir fast sicher, dass er Marihuana geraucht hat, als wir in Mexiko waren.«

Sie fuhr sich mit der Hand über die Stirn.

»Ich begreife nicht, dass du und Mama nichts gemerkt habt. Er war ja fast jeden Abend voll.«

Ihre Worte versetzten Johan einen Stich.

»Warum hast du nichts gesagt?«, fragte er.

Ihr resignierter Blick war Antwort genug: Ihr hättet ja doch nicht zugehört.

Ohne noch etwas zu sagen, drehte sie sich um und ging. Die Tür fiel hinter ihr zu.

Du bist Victor so ähnlich, dachte er. Die gleiche Haarfarbe, die gleichen blauen Augen. Mein hübsches Kind. Das Tobias Hökström mir genommen hat.

Der Kummer wallte wieder in ihm auf, aber er zwang ihn zurück und konzentrierte sich auf seine Wut. Er stand auf und ging zum antiken Schreibtisch am Fenster. Den hatte er vor mehreren Jahren auf einer Auktion ersteigert. Viele Besucher glaubten, es sei ein Erbstück, und es hatte ihn amüsiert, sie in dem Glauben zu lassen.

Johan nahm sein Adressbuch aus der obersten Schublade, er wusste genau, mit wem er reden muste. Carl Tarras, Leiter der Security in dem Konzern, dessen Geschäftsführer Johan gewesen war. Ein ehemaliger Berufssoldat, der umgesattelt hatte, als die Streitkräfte abgebaut wurden. Inzwischen betrieb er erfolgreich eine Consultingfirma, die alle möglichen Dienstleistungen im Securitybereich anbot, von umfangreichen Sicherheitslösungen bis hin zu Personenschutz für Führungskräfte.

Carl Tarras hatte Kontakte in allen Gesellschaftsschichten

Johan griff nach seinem Mobiltelefon. Seine Hand war bleischwer, als er die Nummer eintippte. Aber noch vor dem ersten Rufsignal legte er auf.

Alles war ein einziges Chaos. Er musste nachdenken.

Er nahm eine noch ungeöffnete Flasche Whisky aus dem Barschrank und schraubte langsam den grünen Deckel ab. Dann goss er sich einen Schluck ein und füllte mit Wasser aus der Karaffe auf. Er setzte sich wieder in den Sessel, lehnte sich zurück und schloss die Augen.

Noch einmal ging er in Gedanken die Nachricht durch, die er am Telefon empfangen hatte, als er im Wagen saß.

Wort für Wort, Satz für Satz.

Der Anrufer war sich seiner Sache ganz sicher gewesen. Alles deutete auf Tobias Hökström hin. Arthur hatte das selbst bestätigt, als er von Felicias Zeugenaussage berichtete. Tobbe war am Strand gewesen, als Victor starb. Felicia hatte ihn gesehen.

Die Drogen waren die Wurzel allen Übels. Aber es war Tobbes Schuld, dass Victor zum Junkie geworden war.

Tobbe war Ursache und Wirkung zugleich.

Es war nur noch eine Frage der Zeit, bis die Polizei ihn verhaften würde, eine Formalität, hatte der Polizeichef am Telefon gesagt. Damit wäre er außer Reichweite. Vermutlich würde er in den geschlossenen Jugendarrest kommen, für ein Jahr oder zwei, höchstens. Bald würde er wieder draußen sein und sein Leben weiterführen.

Während Victor ihm für immer genommen worden war.

Die Erinnerung an Victors lebloses Gesicht stieg wieder in ihm auf. Der Körper, der in dem kleinen Gästehaus auf Sandhamn ausgestreckt auf der Pritsche lag. Der Wechsel zwischen Licht und Schatten in dem dämmrigen Raum, als er seinen toten Sohn identifizieren musste.

Madeleines verzweifeltes Weinen.

Sie waren nicht für Victor da gewesen, als er sie brauchte. Damit würde er bis ans Ende seiner Tage leben müssen. Aber jetzt konnte er nicht tatenlos dasitzen und zusehen.

Es gab eine Schuld zu begleichen.

Arthur Hökström hatte ihn um Hilfe angefleht, und Johan hatte nur den einen Wunsch verspürt, ihm ins Gesicht zu schlagen.

Die Wut, die sich in ihm Bahn brach, war stärker als alles, was er jemals in seinem Leben empfunden hatte. Sie pulsierte in seinen Adern und dröhnte in seinen Schläfen.

Wie zum Teufel konnte der Mann glauben, dass Johan auch nur einen Finger rühren würde, um seinem Sohn zu helfen?

Warum sollte Tobbe leben, wenn Victor tot war?

Kapitel 78

Thomas fuhr gerade durch Mölnvik, als sein Telefon klingelte. Ihm blieben noch genau zwanzig Minuten, um die letzte Fähre in Stavsnäs zu erreichen. Elin war sicher nicht mehr wach, wenn er nach Hause kam, aber wenigstens würde er sie sehen, und Pernilla würde nicht noch eine Nacht allein sein müssen.

Staffan Nilssons Name leuchtete auf dem Display. Am Nachmittag hatte Thomas vergeblich versucht, ihn zu erreichen.

»Wie steht's mit den Westen?«, fragte Nilsson ohne weitere Einleitung.

»Den Westen?«, wiederholte Thomas.

Er passierte den letzten Tempoblitzer und riskierte es, aufs Gaspedal zu treten.

»Ihr wolltet doch die Reflektorwesten der Ordnungspolizisten einsammeln, die am Mittsommerwochenende im Einsatz waren. Wir hatten heute Morgen darüber gesprochen.«

»Ja, richtig. Ich hatte Harry Anjou gebeten, sich darum zu kümmern. Ich dachte, sie wären schon bei euch.«

»Noch nicht.« Nilsson klang leicht gereizt. »Es ist nur so, dass wir noch eine Menge anderer Stofffasern an der Leiche gefunden haben, die untersucht werden müssen. Es wäre gut, wenn wir die Sache so schnell wie möglich vom Tisch kriegen könnten.«

»Natürlich. Ich werde Anjou gleich morgen früh daran erinnern. Sonst alles okay?«

»Muss ja.«

»Ihr habt nichts Neues gefunden?«, erkundigte sich Thomas. »Was ist mit Tobias Hökströms Kleidern?«

»Da sind wir gerade dran. Du weißt, dass es seine Zeit dauert. Ich melde mich wieder.«

Es knackte in der Leitung, Nilsson hatte aufgelegt.

Thomas drückte aufs Tempo, so sehr er es auf der kurvenreichen Straße riskieren konnte, die am Värmdö Golfclub und an Fågelbro vorbeiführte.

Die Digitaluhr am Armaturenbrett zeigte 19:23 an, als die Straße schmaler wurde und der Strömma-Kanal vor ihm auftauchte. Ein paar Segelboote lagen in dem engen Kanal und warteten darauf, durchfahren zu können, aber noch waren die roten Schlagbäume oben und die Brücke versperrte ihnen die Weiterfahrt.

Das Warnsignal, das die Öffnung der Klappbrücke ankündigte, ertönte gerade in dem Moment, als Thomas hinüberfuhr. Aber eine Sekunde später war er auf der anderen Seite. Von Strömma dauerte es höchstens noch zehn Minuten bis Stavsnäs.

Das Handy klingelte wieder. Thomas nahm das Gespräch an, ohne darauf zu achten, wer anrief.

»Hallo Thomas, hier ist Jonas Sköld.«

Jonas? Was wollte der denn? Thomas hatte nicht mal gewusst, dass Jonas seine Nummer hatte.

»Hallo«, sagte er nach kurzem Zögern.

»Nora hat mir deine Handynummer gegeben«, erklärte Jonas, als hätte er seine Gedanken gelesen. »Es geht um Wilma.«

Thomas spürte einen Hauch von schlechtem Gewissen. In den letzten Tagen hatte er überhaupt nicht mehr an Wilma gedacht. Dafür war einfach keine Zeit gewesen. Er hätte sich natürlich bei Nora melden müssen, war aber nicht dazu gekommen.

»Wie geht es ihr nach der ganzen Aufregung?«

»Etwas besser«, sagte Jonas und räusperte sich. »Das ist auch ein Grund, weswegen ich anrufe.«

Gleich würde er in Stavsnäs sein. Und er hatte nur wenige Minuten Zeit, um den Wagen zu parken.

»Worum geht's?«

»Wilma hat mir erzählt, dass sie am Samstagabend mit ein paar Freunden in Skärkarlshamn am Strand war. Ich dachte, unter den gegebenen Umständen solltest du das wissen.«

Kurze Pause.

»Ich hatte in der Zeitung gelesen, dass ihr Zeugen sucht.«

»Verstehe.«

Thomas überlegte rasch. Die Fähre nach Harö fuhr Sandhamn an. Wenn er stattdessen dort ausstieg, konnte er Wilma gleich einen Besuch abstatten. Anschließend konnte Nora ihn mit dem Boot nach Harö bringen.

Pernilla würde nicht erfreut sein, aber es sollte nicht mehr als ein paar Stunden dauern.

Das war es wert.

»Ich bin gerade auf dem Weg nach Harö. Könnte ich heute Abend noch mit Wilma reden?«

»Sicher. Wann ungefähr?«

»Die Fähre müsste gegen halb neun in Sandhamn sein. Ich könnte direkt zu euch kommen.«

»Okay.« Jonas räusperte sich wieder. »Wir sind zu Hause, in Noras altem Haus.«

Hatte er nicht neulich noch in der Brand'schen Villa gewohnt? Wenn er es genau bedachte, klang Jonas nicht besonders glücklich. Aber Thomas wollte keine allzu privaten Fragen stellen.

Er legte auf, ohne recht schlau daraus geworden zu sein.

Stavsnäs tauchte vor ihm auf, Thomas bog auf den Parkplatz, zog schnell einen Parkschein und legte ihn auf die Ablage unter der Frontscheibe. Dann lief er eilig zur Fähre, wo ein Mann gerade dabei war, die Leinen loszumachen.

»Da haben Sie ja noch mal Glück gehabt«, grinste er Thomas an. »Das war auf den letzten Drücker.«

Thomas nickte atemlos und stieg an Bord. Ohne Probleme fand er einen freien Platz im hinteren Salon und setzte sich, während die Fähre rückwärts vom Kai ablegte. Es war schön, sich nach dem langen Tag eine Weile ausruhen zu können. Er lehnte sich zurück und schloss die Augen, aber eine Minute später fiel ihm ein, dass er Pernilla Bescheid sagen musste. Außerdem musste er Nora fragen, ob sie ihn nach dem Gespräch mit Wilma nach Hause fahren würde.

Er schickte eine kurze SMS an Nora und erhielt kaum eine Minute später die Antwort.

Wusste nicht, dass du kommst, kann dich aber gerne hinbringen / Nora

Komisch, dass Jonas ihr nichts von meinem Besuch gesagt hat, dachte Thomas.

Er wählte Pernillas Nummer und hoffte, sie würde Verständnis dafür haben, dass er später als angekündigt nach Hause kam.

Kapitel 79

Jonas empfing Thomas an der Außentreppe. Seine Haare waren feucht, als hätte er vor Kurzem geduscht.

Sie gingen in Noras alte Küche. Hier sah es aus wie eh und je, und doch wieder nicht. Jonas hatte all die alten, abgenutzten Geschirrtücher und Topflappen gegen neue in kräftigem Rot und Grün ausgetauscht. Auf der Anrichte standen Flaschen mit verschiedenen Sorten Olivenöl, und auf einem runden Tablett auf dem Küchentisch drängten sich Töpfe mit Basilikum und Rosmarin.

»Willst du Kaffee?«, fragte Jonas. »Oder lieber ein kaltes Bier?«

Streng genommen war Thomas nicht mehr im Dienst, aber er wollte erst mit Wilma sprechen.

»Gern ein Bier«, erwiderte er, »wenn ich es nach dem Gespräch mit deiner Tochter trinken kann.«

»Na klar.«

Jonas ging zur Treppe, die nach oben führte.

»Wilma«, rief er. »Thomas ist jetzt da. Kommst du bitte?«

Wenige Minuten später kam Wilma in die Küche. Sie trug einen langärmeligen Strickpullover über blauen Shorts und war barfuß, genau wie ihr Vater.

»Hallo«, sagte sie ein wenig schüchtern.

»Hallo, Wilma«, antwortete Thomas und hielt ihr die Hand hin. »Schön, dass wir uns gleich heute Abend unterhalten können.«

Er wandte sich an Jonas.

»Sollen wir uns hier hinsetzen?«

»Das überlasse ich dir, wir können auch ins Wohnzimmer gehen, wenn dir das lieber ist.«

»Küche ist gut«, sagte Thomas.

Er hatte Noras große Wohnküche, in die die Abendsonne hereinschien, immer gemocht.

Wilma zog einen der weißen Küchenstühle unter dem Tisch hervor. Einen Fuß zog sie unter den Po, das andere Bein winkelte sie an, stützte das Kinn aufs Knie und schlang die Arme ums Schienbein.

Thomas setzte sich ihr gegenüber, während Jonas an die Anrichte gelehnt stehen blieb.

In freundlichem Ton sagte Jonas zu seiner Tochter: »Jetzt erzähl Thomas, wen du am Samstag am Strand getroffen hast.«

»Muss das sein?«, fragte sie.

Der Widerwille in ihrer Stimme war nicht zu überhören, aber eine Erklärung dafür erhielt Thomas nicht.

»Na los, Liebes«, sagte Jonas und blickte seine Tochter aufmunternd an. »Du brauchst nur zu sagen, mit wem du da warst und was du an dem Abend gesehen hast. Es könnte wichtig für Thomas sein, das zu erfahren.«

Als Wilma zu Ende erzählt hatte, warf sie Jonas einen schnellen Seitenblick zu.

»Du warst mir eine große Hilfe«, sagte Thomas zu ihr und meinte es auch so. »Es war wirklich gut, dass wir geredet haben.«

Plötzlich hatte er Zugang zu einer ganzen Reihe von Zeugen, von denen sie ansonsten sicher nie erfahren hätten.

Wilma faltete den Zettel zusammen, auf dem sie die Namen und Telefonnummern der Leute notiert hatte, die sie kannte, und gab ihn Thomas. Er steckte den Zettel ein.

»Vielen Dank«, sagte er, und an Jonas gewandt: »Jetzt würde ich gern ein Bier trinken, wenn das okay ist.«

»Kommt sofort.«

Jonas öffnete den Kühlschrank. Er nahm zwei Dosen Bier heraus, behielt die eine und reichte Thomas die andere.

»Wir hatten Probleme, überhaupt Zeugen auf Sandhamn zu finden, die Leitungen sind nicht gerade heiß gelaufen«, sagte Thomas. »Wo habt ihr übrigens Nora gelassen? Sie hatte mir versprochen, mich nach Harö zu bringen, wenn wir hier fertig sind.«

Jonas stellte sich mit dem Rücken zur Tür. Er wandte das Gesicht ab.

»Ich nehme an, sie ist drüben«, sagte er.

Wilma stand auf.

»Kann ich jetzt gehen?«, fragte sie.

»Ich denke schon«, sagte Thomas, hielt Wilma aber zurück, als sie die Küche verlassen wollte.

»Nur noch eine letzte Frage«, sagte er. »Dieser Polizist, den du bemerkt hast, kurz bevor ihr ins Gästehaus gegangen seid – kannst du dich erinnern, wie der aussah?«

Sie schüttelte den Kopf.

»Nein, nicht direkt.«

»Aber du bist sicher, dass er allein war?«

Sie nickte.

»War er dunkelhaarig oder blond? Groß oder klein, dick oder dünn?«

Wilma zögerte.

»Das ging so schnell«, sagte sie. »Aber vielleicht erinnert Mattias sich, er hat ihn viel besser gesehen als ich.«

»Und sonst ist dir nichts aufgefallen?«

Thomas versuchte, unbefangen zu klingen. Er wollte das Mädchen nicht drängen, aber merkwürdig war es schon – keiner der uniformierten Kollegen hatte angezeigt, dass er zur fraglichen Zeit in Skärkarlshamn gewesen war. Unter den gegebenen Umständen wäre es eine Routinesache gewesen, so etwas zu melden.

Thomas stellte die Bierdose auf dem Tisch ab.

»Tu mir einen Gefallen«, sagte er zu Wilma. »Mach die Augen zu und versuch mal, die Situation vor dir zu sehen.«

Wilma schloss die Augen.

»Wie war es, als dir klar wurde, dass ein Polizist in der Nähe ist? Was ist dir da aufgefallen?«

Wilma blinzelte, dann sah sie Thomas direkt in die Augen.

»Er hatte eine gelbe Weste an.«

Kapitel 80

Du findest ihn im Salvatore's, das ist die Pizzeria Ecke Paradistorget, nicht weit vom Bahnhof. Komm um zweiundzwanzig Uhr, dann ist er da. Du musst zehntausend Kronen in bar dabeihaben, um zu zeigen, dass du es ernst meinst. Er verlangt, dass du persönlich kommst, das ist seine Bedingung.

Die Anweisungen des ehemaligen Security-Chefs waren eindeutig gewesen.

Johan sah den Vorortbahnhof von Huddinge vor den Fenstern des Taxis auftauchen. Er hatte viel zu viel getrunken, um sich selbst hinters Steuer zu setzen, so vernünftig war er. Also hatte er sich ein Taxi genommen, er konnte nicht riskieren, in eine Alkoholkontrolle zu geraten.

Nicht heute Abend.

Sicherheitshalber hatte er sich zuvor mit einem anderen Taxi in die City bringen lassen. Dort war er ausgestiegen und hatte bar bezahlt. Das Taxi fuhr weiter, und er war zum Hauptbahnhof in der Vasagatan gegangen und hatte sich in die Warteschlange vor dem Haupteingang gestellt. Als er an der Reihe war, hatte er den Wagen einer anderen Taxifirma gewählt als derjenigen, die ihn gerade gefahren hatte.

Bevor er das Haus verließ, hatte er sich eine blaue Schirmmütze und eine dunkle Sonnenbrille aufgesetzt. Trotz der Sommerwärme trug er dünne Handschuhe, um keine Fingerabdrücke zu hinterlassen.

Wie in einem schlechten Film, dachte er, aber er war ja nicht blöd. Er wollte nicht Gefahr laufen, erkannt zu werden. Nur kein Risiko eingehen.

»Bahnhof Huddinge«, hatte er mit gesenktem Kopf gemurmelt, als er eingestiegen war.

Wenig später hatten sie die Hauptstadt hinter sich gelassen. Das Taxi fuhr auf den südlichen Autobahnring und nahm kurz darauf die Abfahrt Huddingevägen. Es herrschte wenig Verkehr, und nach einer knappen Viertelstunde waren sie am Ziel.

Johan wartete unter einem großen Baum, bis das Taxi weggefahren war. Dann ging er zielstrebig zum Paradistorget.

Das Restaurant lag auf der anderen Straßenseite. Ein fleckiges weißes Neonschild verriet ihm, dass er hier richtig war. Auf dem Bürgersteig vor dem Eingang stand eine kleine weiße Plastiktafel, auf der die verschiedenen Pizzen des Lokals aufgelistet waren.

Drüben auf der anderen Seite der Bahngleise sah er eine Gruppe Hochhäuser mit vollgestellten Balkons. Eine Frau mit Kinderwagen, Kopf und Schultern mit einem Schal verhüllt, eilte hastig an ihm vorbei; sie vermied es, zu einer Gruppe von Jugendlichen hinüberzusehen, die etwa hundert Meter weiter vor einem Würstchenstand auf ihren Mopeds lümmelten.

Dieser Ort hier war nur eine knappe Autostunde von seinem eigenen lauschigen Villenviertel entfernt, aber Johan kam sich vor, als sei er in einem anderen Land.

Ihm war unbehaglich zumute, er wollte weg hier. Jetzt bereute er, dass er den Taxifahrer nicht gebeten hatte, auf ihn zu warten. Aber das war ein Risiko, das er hatte vermeiden wollen; der Fahrer würde ihn womöglich wiedererkennen können.

Die Tür der schäbigen Pizzeria ging auf, und ein großer Mann kam heraus und steckte sich eine Zigarette an. Die Glut leuchtete rot in der Abenddämmerung.

Johan stand unschlüssig im Schatten der Hauswand.

Er konnte immer noch zurück, konnte umkehren und zum Bahnhof gehen. In einer Stunde wäre er wieder zu Hause bei Frau und Tochter.

Aber er sah das zerschundene Gesicht seines Sohnes vor sich.

Der Mann mit der Zigarette hatte aufgeraucht. Er warf die Kippe auf den Bürgersteig und trat sie mit dem Absatz aus. Dann ging er wieder ins Lokal.

Johan warf einen Blick auf die Uhr, gleich fünf nach zehn. Er musste rein.

Der Umschlag mit dem Geld steckte in seiner Jackentasche. Er bewahrte immer einen gewissen Betrag zu Hause auf. Der Wandsafe befand sich im Keller, dort hatte er sich geholt, was er brauchte.

Seine Hand legte sich auf den Umschlag. Ein dünnes Bündel. Zehn Scheine zu je tausend Kronen.

Für dieselbe Summe konnte er Schutz für sich und seine Angehörigen kaufen. Das war der übliche Preis, wenn man bedroht wurde. Der Betrag genügte, um die einschlägigen Kreise zu warnen: Finger weg von dieser Familie. Dieses merkwürdige Wissen teilte er mit vielen hochgestellten Persönlichkeiten.

Aber jetzt ging es um etwas ganz anderes. Diesmal waren die Scheine eine Anzahlung. Eine Eintrittskarte.

Ein metallisches Kreischen war zu hören, und Johan drehte den Kopf. Ein Vorortzug fuhr gerade in den Bahnhof ein, in ein paar Minuten würde er zurück nach Stockholm fahren. Es war noch nicht zu spät, umzukehren.

Er umschloss das Geldkuvert fester.

Kapitel 81

Nora setzte Thomas in Harö am Steg ab. Bis auf die Wellen, die ihr Boot verursacht hatte, lag die kleine Bucht vollkommen still. Auf dem Badesteg lag ein vergessenes Frotteehandtuch zusammen mit einem rosa Schnuller.

»Willst du mitkommen und Pernilla Hallo sagen?«, fragte Thomas.

»Ich muss zurück zu den Jungs. Aber vielleicht sehen wir uns am Wochenende? Ihr könnt zu uns kommen, wenn ihr möchtet.«

Der Außenborder tuckerte im Leerlauf, und Nora hielt sich am Steg fest, damit das Boot nicht abtrieb. Thomas hatte sich das Jackett über die Schulter geworfen.

»Können wir das offenlassen? Es hängt ein bisschen davon ab, wie wir mit der Ermittlung vorankommen.«

»Natürlich. Lass uns Freitag noch mal telefonieren«, sagte Nora und stieß sich mit der Hand ab. »Grüß deine beiden Hübschen!«, rief sie durch den Motorlärm.

Als sie Harö umrundet hatte, tauchte Sandhamn vor ihr auf, und Nora steuerte auf die gelben und roten Holzhäuser an der Einfahrt zum Sund zu. Der hohe Lotsenturm ragte über die Kiefernwipfel. Jahrzehntelang war der Turm ständig besetzt gewesen, die Lotsen hatten sich im Schichtdienst abgewechselt, damit immer jemand da war. Heutzutage wurde alles elektronisch überwacht, der Turm war verlassen.

Ihr kleines Boot hatte keine Scheinwerfer, aber das war auch nicht nötig. Der Abendhimmel war klar, die Wolken, die tagsüber für graues Wetter gesorgt hatten, waren verschwunden, und am Horizont hinter Noras Rücken ging die Sonne als großer orangeroter Ball unter.

Aus einem Impuls heraus stellte sie den Motor ab und ließ das Boot treiben.

Thomas hatte verblüfft ausgesehen, als er nach dem Besuch bei Jonas und Wilma in die Brand'sche Villa gekommen war. Nora war seinem fragenden Blick ausgewichen. Stattdessen hatte sie ihre Jacke geholt, die Bootsschlüssel vom Haken genommen und war hinunter zum Steg gegangen, um den Motor anzulassen.

Das Boot schaukelte auf den sanften Wellen. Nora beugte sich über die Bordwand und tauchte die Hand ins Wasser. Es war ziemlich kalt, das war es hier draußen auf dem Meer immer. Aber sie mochte das Gefühl, wenn die Kälte ihre Fingerspitzen umschloss, und sie ließ die Hand eine ganze Weile im Wasser, ehe sie sie wieder herauszog.

Westlich von Sandhamn zog eine große Fähre mit estnischer Flagge vorbei. Der Sonnenuntergang spiegelte sich in ihren Fenstern, es sah aus, als wären alle Scheiben rosarot angemalt.

Der Gedanke, den sie zu verdrängen versucht hatte, kam zurück.

Thomas hatte Jonas besucht, in ihrem alten Haus, und sie war nicht eingeladen gewesen.

Kapitel 82

Johan Ekengreen drückte die Klinke herunter und trat ein.

Etwa zehn Tische standen in dem länglichen Lokal, dessen Wände mit dunklen Holzpaneelen getäfelt waren. Es war größer, als es von außen den Anschein hatte; der Küchenbereich lag links und gegenüber davon befanden sich mehrere schwarz lackierte Türen.

An den Fenstertischen saßen vereinzelt Gäste. Es roch stark nach Tomatensoße und frisch gebackener Pizza. An einem runden Tisch ganz hinten im Restaurant, mit dem Rücken zur Wand, saß ein kräftiger Mann mit Stirnglatze. Das restliche dunkle Haar war sehr kurz geschnitten. Um den Hals trug er eine schmale silberne Kette, an einem Daumen steckte ein breiter Ring aus gebürstetem Stahl.

Die Augen unter den buschigen Brauen blickten wachsam.

Sein Name ist Wolfgang Ivkovac. Er weiß, dass du kommst. Mehr kann ich nicht für dich tun.

Johan ging zu dem runden Tisch.

Ivkovac war in Gesellschaft von drei weiteren Männern, auch sie muskulös, aber nur er hatte einen Teller mit Essen vor sich, eine halb verzehrte Calzone.

Johan reckte das Kinn und sah Ivkovac fest in die Augen.

»Sie wissen, warum ich hier bin«, sagte er leise.

Ivkovac machte eine kurze Kopfbewegung, und einer der Männer erhob sich und räumte seinen Platz für Johan.

Er setzte sich unbeholfen. Ihm war auf einmal schwindlig, die Zunge lag ihm wie ein unförmiger Klumpen im Mund. Aber jetzt war es zu spät umzukehren.

»Mein Sohn ist tot«, sagte er langsam.

»Mein Beileid«, erwiderte Ivkovac und schob den Teller von sich. »Was kann ich für Sie tun?«

Konzentrier dich, dachte Johan. Er versuchte, die innere Haltung aus seiner Militärzeit wiederzufinden. Die emotionslose Kälte, wenn jede Faser des Körpers auf ein einziges Ziel gerichtet war. Wenn die Welt um einen herum versank und nichts anderes mehr zählte.

»Ich weiß, wer es getan hat«, sagte er.

Aus der Innentasche zog er ein Foto von Tobbe, legte es auf den Tisch und schob es zu Ivkovac hinüber.

Der Mann griff danach und studierte es genau.

»Er ist sehr jung«, sagte er.

»Das war mein Sohn auch«, sagte Johan.

Ivkovac schüttelte nachdenklich den Kopf.

»Ich habe selbst Kinder«, sagte er. »Zwei Söhne und zwei Töchter. Eltern sollten ihre Kinder nicht überleben.«

Er nahm sein Bierglas und trank den letzten Rest aus. Eine blasse Narbe an seinem Hals bewegte sich, als er schluckte.

Johan zeigte auf das Foto.

»Auf der Rückseite stehen sein Name und die Adresse.«

»Haben Sie das Geld dabei?«, fragte Ivkovac.

Johan zog eine Ecke des Kuverts aus der Tasche, sodass der Mann es sehen konnte.

»Ja.«

»Das hier wird ein bisschen teurer.«

Er schrieb eine Zahl auf die Serviette und zeigte sie Johan. Es war deutlich weniger, als der Skiurlaub in Chamonix gekostet hatte.

Wieder schmeckte Johan Galle auf der Zunge.

»Man wird Ihnen eine Kontonummer bei einer ausländischen Bank mitteilen. Es darf nicht nachzuvollziehen sein, woher das Geld stammt.«

Er machte eine vielsagende Geste.

»Sie verstehen?«

»Ich werde das gleich morgen früh erledigen.«

Johan unterhielt seit Jahren Geschäftsbeziehungen in die Türkei. Er hatte einen alten Bekannten dort, der zuverlässig war. Wenn Johan ihn anrief, würde der Mann ohne weitere Fragen die Summe auf Ivkovacs Konto überweisen. Anschließend würde eine der Tochterfirmen in Johans Konzern eine Rechnung über Beratungsleistungen erhalten. Niemand würde die Spur des Geldes je zu ihm zurückverfolgen können.

Ich bin gerissen, dachte Johan. Sogar unter diesen Umständen. Ich habe Kontakte, die mir in allem helfen können, was ich brauche.

Er empfand keine Freude bei dem Gedanken.

»Wann wollen Sie es erledigt wissen?«, fragte Ivokac.

»Sobald wie möglich.«

Diskret zog Johan den Geldumschlag aus der Tasche und reichte ihn im Schutz des Tisches zu Ivkovac hinüber. Der Jugoslawe steckte ihn ebenso unauffällig ein.

»Eins noch«, sagte Johan. »Es muss wie ein Unfall aussehen.«

Ivkovac und einer seiner Leibwächter wechselten einen Blick.

»Ist das wichtig?«

»Ja, es ist sicherer für mich.«

Johan stand auf und schob den Stuhl unter den Tisch.

Seine Stimme war fest, die Entscheidung war gefallen.

»Ich will, dass es vor den Augen seines Vaters geschieht.«

Mittwoch

Kapitel 83

Es war heiß im Zimmer, Tobbe fand keine Ruhe. Er trug nichts als seine Unterhose, aber er schwitzte trotzdem, obwohl er die Bettdecke längst abgeworfen hatte.

Der Actionfilm, den er versucht hatte sich anzusehen, war kurz nach zwei zu Ende gewesen. Er sollte müde sein, aber er konnte sich einfach nicht entspannen.

In der Wohnung war es still, zu still. Seine Mutter hatte schon vor Stunden eine ihrer Schlaftabletten eingeworfen, und Christoffer war bei Sara. Er hatte angeboten, zu Hause zu bleiben, aber Tobbe hatte gesagt, das sei nicht nötig.

Jetzt bereute er es. Er wünschte, Christoffer wäre da, aber er wollte ihn nicht mitten in der Nacht anrufen.

Sein Vater hatte ihn gefragt, ob er eine Weile bei ihm wohnen wollte, aber er hatte nur den Kopf geschüttelt. Es machte die Sache nicht besser, wenn er zu Papa und Eva zog. Tobbe wusste, dass seine Mutter das nur als einen weiteren Schlag ins Gesicht auffassen würde. Und er hatte keinen Bock auf noch mehr kummervolle Blicke und Vorwürfe.

Er hatte genug mit sich selbst zu tun.

Jedes Mal, wenn er einzuschlafen versuchte, kam die Erinnerung an das Verhör bei den Bullen wieder hoch. Die Polizistin hatte ihn angestarrt, als sei er ein Monster. In ihren Augen war er ein Krimineller, ein jugendlicher Verbrecher ...

Ein Mörder.

Ob er wohl ins Gefängnis musste? Er war erst sechzehn, im August kam er aufs Gymnasium. Nur in den USA wurden Teenager in richtige Gefängnisse gesperrt, versuchte er sich zu beruhigen. Aber sein Magen zog sich trotzdem vor Angst zusammen. Was, wenn er sich irrte und sie ihn in den Knast sperrten, zu erwachsenen Männern, die ihn vergewaltigten?

Seine Unterlippe zitterte.

Es gab so vieles, was er bereute, so vieles, was er anders machen würde, wenn er die Chance dazu hätte. Alles war seine Schuld, aber jetzt ließ sich nichts mehr ändern.

Sein Zimmer war immer noch unaufgeräumt, nachdem die Polizei es durchsucht hatte. Als er nach Hause kam, hatten sie in seinen Schubladen gewühlt und Klamotten aus dem Schmutzwäschekorb mitgenommen. Es war so unwirklich gewesen, der Streifenwagen vor dem Haus und seine Mutter heulend in der Küche. Ein paar Nachbarn hatten draußen gestanden und neugierig auf ihre Fenster gestarrt. Mit gesenktem Kopf war er an ihnen vorbei ins Haus gerannt.

Wenn er nur jemanden hätte, mit dem er reden könnte.

Ebba.

Sie hätte verstanden, wie er sich fühlte. Er war so ein Idiot gewesen, dass er sie abserviert hatte.

Die Polizisten hatten seinen Laptop mitgenommen, also ging er ins Wohnzimmer und setzte sich an den Rechner seiner Mutter. Er loggte sich bei Facebook ein und rief Ebbas Profilseite auf. Wenigstens hatte sie ihn nicht geblockt. Das tröstete ihn irgendwie.

Langsam ging er Ebbas Statusmeldungen der letzten Zeit durch, viele waren es nicht, und seit dem Mittsommerwochenende gar keine mehr.

Ihr Fotoalbum lockte ihn. Als sie noch zusammen waren, hatte sie massenweise Bilder gepostet, auf denen er auch drauf war, aber die waren jetzt alle gelöscht. Er konnte es ihr kaum verdenken, trotzdem wünschte er, dass wenigstens noch ein paar davon übrig wären. Aber es tat ihm gut, sich Ebba auf den Fotos anzuschauen, es beruhigte ihn.

Nach einer Weile stieß er auf das Foto, auf dem Victor zusammen mit Felicia drauf war. Es versetzte ihm einen Stich, und er blätterte schnell weiter, um Victor nicht sehen zu müssen.

Das letzte Foto von Ebba war bei der Schulentlassung im Juni aufgenommen worden. Sie trug ein weißes Baumwollkleid mit einer Bordüre und schmalen Trägern. Sie lachte in die Kamera und hielt ihr Abschlusszeugnis hoch.

Er erinnerte sich, wie einfach ihm das Leben an jenem Tag erschienen war. Wie sie sich auf die Sommerferien gefreut hatten, wie wehmütig sie gewesen waren, dass die Klasse nun auseinanderging.

Sie hatten in der Sonne auf dem Schulhof gestanden und sich nicht trennen können.

Ehe er es sich anders überlegen konnte, klickte er auf das Mail-Icon. Ein kleines Fenster öffnete sich auf dem Bildschirm. Die Buchstaben schrieben sich ganz von selbst.

Verzeih mir.

Kapitel 84

Als Thomas vor der Polizeistation Nacka parkte und eilig zum Aufzug ging, war es schon halb acht. Die Fähre von Harö hatte ein paar Minuten Verspätung gehabt, und außerdem hatte er vor der Brücke in Strömma warten müssen, da sie gerade hochgeklappt wurde.

Die Morgenbesprechung würde gleich anfangen; er warf die Jacke in sein Büro und ging rasch zum Konferenzraum, in dem bereits Erik, Kalle und Karin saßen. Margit kam zeitgleich aus einer anderen Richtung, er blieb an der Tür stehen und ließ ihr den Vortritt.

»Ich habe Nilsson im Fahrstuhl getroffen«, sagte sie und nahm an der Längsseite des Tisches Platz. »Er sagte, ihr hättet über die Reflektorwesten gesprochen, die Anjou einsammeln sollte.«

»Ja, stimmt. Da fehlten noch ein paar.«

Ein Geräusch in der Türöffnung unterbrach sie. Harry Anjou kam herein, einen Kaffeebecher in der Hand. Er sah immer noch nicht richtig erholt aus, sein Gesichtsausdruck war müde und die Haut grau.

»Du kommst gerade richtig«, sagte Margit. »Wir haben eben von dir gesprochen. Wie sieht's mit den Westen aus?«

Harry stellte den Kaffee ab und zog einen Stuhl hervor.

»Sind abgeliefert«, sagte er. »Habe die letzten gerade hingebracht.«

»Hervorragend.« Margit musterte seine eingesunkenen Augen. »Wie geht's dir?«

»Na ja.«

Karin blickte von ihrem Notizblock auf.

»Ich habe ein paar Alvedon in der Schublade, wenn du welche willst«, sagte sie freundlich.

Anjou nickte kurz.

»Anderes Thema«, warf Thomas ein. »Sachsen hat sich gemeldet. Sie geben die Leiche heute frei, die Bestattung ist anscheinend morgen, wenn ich das richtig verstanden habe.«

»Die haben's aber eilig«, sagte Margit.

»Die Mutter ist katholisch.«

Margit hob warnend einen Zeigefinger.

»Wollen wir hoffen, dass Sachsen nicht noch mal was kontrollieren muss. Nach der Beerdigung macht das keinen Spaß.«

Das Telefon klingelte just in dem Moment, als Thomas aus dem Besprechungszimmer kam. Es war Nora.

»Hallo Thomas. Hast du eine Minute Zeit?«

»Wenn es nur eine Minute ist ...«

Er lachte, um seiner Antwort die Schärfe zu nehmen.

»Ähm. Ja.« Nora war trotzdem verwirrt. »Ich wollte nur hören, ob du gut nach Hause gekommen bist.«

Thomas hatte auf einmal das Gefühl, dass sie eigentlich etwas ganz anderes hatte sagen wollen.

»Das weißt du doch, du hast mich ja selbst am Steg abgesetzt.«

»Ja, richtig. Gut, das war's schon. Tschüss dann.«

Sie hatte definitiv etwas auf dem Herzen.

»Warte kurz, ich gehe in mein Büro«, sagte Thomas.

Er betrat sein Zimmer und machte die Tür hinter sich zu.

»Ist was passiert?«, fragte er und zog seinen Bürostuhl hervor. »Du rufst doch nicht nur deswegen an?«

Bekümmertes Seufzen am anderen Ende. Es erinnerte Thomas an früher, wenn sie sich mit Henrik gestritten hatte.

»Zwischen Jonas und mir ist im Moment nicht alles in Ordnung«, sagte Nora nach einer Weile.

»Das dachte ich mir. Ich hatte mich schon gewundert, dass du gestern Abend nicht dabei warst.«

»Hat Jonas was gesagt?«

»Nein, gar nicht«, erwiderte Thomas wahrheitsgetreu. »Ich habe ihn gefragt, wo du bist, und er hat nur gemeint, drüben in der Villa.«

Es wurde still.

»Darf man fragen, was los ist?«

»Ach, es ist wegen Wilma«, sagte Nora. »Sie mag mich nicht. Es war von Anfang an schwierig mit ihr. Sie kann sich nicht damit abfinden, dass Jonas eine Freundin hat.«

»Das gehört wohl dazu«, sagte Thomas.

»Als sie Samstag die ganze Nacht weggeblieben ist, war Jonas sehr besorgt. Seit sie am Sonntag wieder aufgetaucht ist, hat er kaum ein Wort mit mir gesprochen. Ich glaube, irgendwie gibt er mir die Schuld an der ganzen Sache. Ich weiß nicht, was ich machen soll.«

Nora verstummte plötzlich, beinahe abrupt.

»Ich glaube, Jonas muss sich im Moment erst einmal um Wilma kümmern«, sagte Thomas vorsichtig. »Sie braucht ihren Vater.«

Aus Wilmas Bericht hatte Thomas herausgehört, dass sie etwas Unangenehmes erlebt hatte. Sie war zwar nicht ins Detail gegangen, aber Thomas konnte es sich ungefähr zusammenreimen. Als Wilma wieder in ihr Zimmer gegangen war, hatte Jonas angedeutet, dass Mattias zu weit gegangen war. Aber er hatte keinen Zweifel daran gelassen, dass er den Vorfall nicht bei der Polizei anzeigen wollte.

Es stand Thomas nicht zu, Nora davon zu erzählen. Das musste Jonas selbst tun.

»Aber ich weiß ja gar nicht, was überhaupt passiert ist«, rief Nora aus. »Er sagt mir ja nichts.«

Thomas versuchte, einen Mittelweg zu finden.

»Nora, ich kann dir nicht sagen, was Wilma erzählt hat, aber sie ist im Moment sehr mitgenommen. Da ist wohl irgendwas mit einem Jungen schiefgelaufen, für den sie schwärmte. Verständlich, dass Jonas sich jetzt um sie kümmert.«

»Warum sagt er mir das denn nicht?«

»Du weißt ja, wie beschränkt wir Männer sind«, sagte Thomas in scherzhaftem Ton. »Wir können uns immer nur auf eine Sache zur Zeit konzentrieren.«

»Du meinst also, ich soll mir keine großen Sorgen machen?«

»Du kennst Jonas viel besser als ich. Aber ich an seiner Stelle hätte wohl ähnlich reagiert.«

»Bist du sicher? Danke, Thomas, du ahnst nicht, was es für mich bedeutet, dass du das sagst.«

Die Erleichterung in ihrer Stimme war unüberhörbar. Aber Thomas erinnerte sich an den Schatten auf Jonas' Gesicht, als er nach Nora gefragt hatte.

Kapitel 85

Es ging auf zehn Uhr zu. Thomas hatte Mattias Wassbergs Facebook-Seite aufgerufen und studierte das Gesicht des Siebzehnjährigen auf dem Bildschirm. Auf dem Foto trug Wassberg ein weißes kurzärmeliges T-Shirt. Man konnte sehen, dass er Sport trieb, seine Oberarme waren muskulös.

Kein Zweifel, der Junge sah gut aus, aber etwas in seinem Lächeln verlieh ihm eine selbstgefällige Ausstrahlung, fand Thomas. Vielleicht war er aber auch voreingenommen durch das, was er gestern von Wilma erfahren hatte.

Thomas wusste nur zu gut, wie viele miese Kerle es gab, die Mädchen schon als Jugendliche schlecht behandelten. Hoffentlich war Wilma mit dem Schrecken davongekommen.

Er wählte Mattias Wassbergs Nummer, die Wilma ihm gegeben hatte. Nach dem fünften Rufsignal meldete sich eine schläfrige Stimme.

»Hallo.«

Thomas stellte sich vor.

»Wir haben ein paar Fragen an dich, es geht um die Vorfälle auf Sandhamn am vergangenen Wochenende.«

»Ich bin draußen beim Segeln«, murmelte die Stimme rau.

»Wo bist du gerade?«

»Vor Gotland.«

»Wann kommst du zurück nach Stockholm?«, erkundigte sich Thomas. »Wir würden dich gerne treffen.«

»Weiß ich nicht.«

Es rauschte in der Leitung, Mattias Wassberg hustete und sagte etwas, das Thomas nicht verstand, dann war die Verbindung unterbrochen.

Thomas rief noch einmal an, aber nun sagte eine blecherne Stimme, dass der Teilnehmer zur Zeit nicht erreichbar sei.

Der Empfang auf dem Meer war nicht der beste, das wusste Thomas. Er versuchte es wieder, auch diesmal ohne Erfolg.

Im Moment war Mattias Wassberg nicht zu erreichen.

In dem großen hellen Raum, in dem die Kriminaltechnik arbeitete, beugte sich Staffan Nilsson über einen Tisch aus rostfreiem Stahl.

Auf einem angrenzenden Tisch stapelte sich ein Haufen neongelber Reflektorwesten, jede sorgfältig mit dem Namen des Polizisten gekennzeichnet, dem sie gehörte. In einer Wanne auf dem Fußboden lagen die Westen, die bereits untersucht worden waren.

»Dann wollen wir mal sehen.«

Nilsson murmelte leise vor sich hin, während er methodisch eine nach der anderen begutachtete. Das war so eine Angewohnheit von ihm; seine Frau sagte immer, dass er sich anhöre wie ein alter Opa.

Siebzehn Westen waren bereits untersucht.

Er griff nach Nummer achtzehn. Adrian Karlsson, stand auf dem weißen Etikett.

Nilsson bemerkte sofort, dass an einer Ecke ein kleines Stück von dem gelben Material fehlte.

»Wo habe ich denn jetzt die Pinzette ...?«

Er sah sich suchend um und fand sie auf der Arbeitsfläche. Mit den schmalen Greifern zog er einen gelben Stofffetzen aus einem verschließbaren Plastikbeutel. Er war mit einer Katalognummer gekennzeichnet und stammte aus der Asservatenkammer.

Vorsichtig hielt er den Stofffetzen an das Loch in der Weste, um zu sehen, ob er passte.

»Da brat mir doch einer einen Storch!«, rief er aus.

Johan atmete auf. Im Haus war alles still; Madeleine schlief und Ellinor war bei Freunden.

Als er das Restaurant in Huddinge verlassen hatte, war ihm leichter zumute gewesen. Langsam nahmen die Dinge Form an. Seine Schuld gegenüber Victor wurde gesühnt.

Mit dieser Gewissheit war er zurück in die Villa gefahren, und wider Erwarten war es ihm gelungen, ein paar Stunden neben Madeleine zu schlafen.

Alles war besser, als tatenlos dazusitzen und zu trauern.

Nach dem Frühstück hatte er begonnen, die letzten Schritte in die Wege zu leiten. Das Telefonat in die Türkei war erledigt, das hatte er gleich am Morgen geführt, sicherheitshalber mit einer Prepaid-Karte, die er an einem Kiosk gekauft hatte.

Wie erwartet gab es keine Probleme, sein alter Freund half ihm gern und stellte keine Fragen.

In einigen Monaten würde eine Rechnung eingehen, ganz legal, über Beratungsleistungen im Zusammenhang mit einer angedachten Firmenübernahme, die nicht zustande kommen würde.

Planen, durchführen, analysieren, das hatte er in der Küstenjäger-Ausbildung gelernt und seitdem immer so gehalten. Das hatte ihn seine ganze Karriere hindurch begleitet. Niemals zurücksehen, nachdem die Entscheidung gefallen ist.

Schon damals hatte ihm das Wissen, dass eine Operation sorgfältig vorbereitet war, innere Ruhe verschafft. Aber er hätte nie geahnt, dass er diese Fähigkeiten einmal in der schwierigsten Situation seines Lebens brauchen würde.

Die Beerdigung sollte am nächsten Tag in der katholischen Domkirche in der Folkungagatan stattfinden. Madeleine hatte sich in die Planung des Trauergottesdienstes und der ganzen Details um die Ausstattung der Kirche mit Trauerschmuck geflüchtet. Anschließend würde es einen Empfang geben; sie hatte darauf bestanden, obwohl Johan bezweifelte, dass sie die Strapaze durchstehen würde. Aber er ließ ihr freie Hand, das Begräbnis ihres Sohnes so zu gestalten, wie sie es wollte. Seine einzige Bedingung war, dass nirgends weiße Blumen verwendet werden durften.

Weiße Lilien waren etwas für alte Menschen, die nach einem erfüllten Leben gestorben waren.

»Johan.«

Als er aufblickte, stand Madeleine in der Tür. Ihre Haare waren an den Schläfen fettig und hingen leblos um die Ohren. Ihre kurzärmelige weiße Bluse war verkehrt zugeknöpft.

»Johan«, sagte sie wieder und hielt einen dunkelblauen Anzug hoch. »Ich muss Kleidung für Victor zum Bestattungsunternehmen bringen. Sie wollen wissen, was er morgen tragen soll.«

Johan betrachtete die Kleidungsstücke auf dem Bügel. Ein grauer Schlips hing über einem der Revers.

»Vielleicht lieber Jeans und Hemd?«, sagte Madeleine. »Die Art von Sachen, die er immer anhatte. Das rosa Hemd, dass er sich von seinem eigenen Geld gekauft hat. Der Anzug hier, das ist nicht Victor.«

Ihre Augen glänzten von Tränen. Sie schluckte mehrmals und versuchte es noch einmal.

»Was meinst du?«

Johan schüttelte den Kopf. Was spielte es für eine Rolle, welche Kleidung Victor trug? In vierundzwanzig Stunden würde sein Sarg in die Erde gesenkt werden. Niemand würde ihn jemals wiedersehen.

»Aber der Anzug ist würdiger«, sagte Madeleine. »Das passt wohl doch besser.«

Ihre Stimme brach.

»Hilf mir«, sagte sie. »Ich weiß nicht, was besser ist.«

Sie hielt sich am Türrahmen fest.

»Bitte, Johan.«

Hastig stand er auf und nahm ihr den Bügel ab.

»Willst du dich nicht ein bisschen ausruhen«, sagte er freundlich, obwohl er eigentlich nur wollte, dass sie wegging. »Leg dich eine Weile hin. Ich hänge das weg, wir können später darüber entscheiden.«

Madeleine ließ den Kleiderbügel los, und Johan tätschelte ihr flüchtig die Schulter. Er musste versuchen, nett zu ihr zu sein, obwohl er es kaum aushielt, mit ihr im selben Zimmer zu sein.

Er ertrug weder seine eigene Trauer noch die seiner Frau.

Kapitel 86

Die Tür zu Staffan Nilssons Büro war zu, als Thomas dort ankam, und er klopfte.

»Herein«, ertönte eine barsche Stimme von drinnen.

»Du wolltest mich sprechen?«, sagte Thomas, als er eintrat.

»Ja, ich möchte dir etwas zeigen.« Nilsson erhob sich von seinem Stuhl. »Komm mit.«

Er ging voraus ins Labor, mit Thomas im Schlepptau. Ein großer Haufen gelber Reflektorwesten lag auf einem Metalltisch.

Nilsson hob eine hoch und hielt sie Thomas hin. Sie war am unteren Saum ausgerissen.

»Das wäre also geklärt?«, fragte Thomas.

»Nicht ganz.«

»Wieso?«

»In dieser Weste fehlt zwar ein kleines Stück Stoff, aber wenn ich das mit dem Fetzen vergleiche, den wir am Tatort gefunden haben, stimmt da was nicht.«

»Kannst du das ein bisschen genauer erklären?«

Statt einer Antwort drehte Nilsson sich um, griff nach einem Plastikbeutel mit einem Stofffragment darin und hielt ihn Thomas hin.

»Überzeuge dich selbst.«

»Passt das nicht zusammen?«, fragte Thomas, ohne richtig zu begreifen, worauf Nilsson hinauswollte.

»Sieh dir die Kanten des Lochs in der Weste an.«

Thomas beugte sich vor und musterte das Synthetikgewebe.

»Die sehen gerade aus.«

»Genau.«

Nilsson nahm Thomas den Plastikbeutel aus der Hand und platzierte ihn neben Adrian Karlssons Reflektorweste, sodass Loch und Stofffetzen direkt nebeneinander lagen.

»Was du in dem Beutel siehst, ist ein Fetzen Stoff, der herausgerissen wurde, so als wäre er irgendwo hängen geblieben. Flüchtig betrachtet könnte man denken, das Fragment sei aus Karlssons Weste.

Das Stoffstück, das in dieser Weste fehlt, wurde aber teilweise ausgeschnitten und nur an einem Ende herausgerissen.«

Der Kriminaltechniker lehnte sich an den Arbeitstisch und verschränkte die Arme. Thomas musterte sein Gesicht.

»Was willst du damit sagen?«

»Der Stoff wurde manipuliert, damit es so aussieht, als sei er zerrissen. Jemand will uns weismachen, dass der Stofffetzen aus genau dieser Weste stammt.«

Thomas versuchte, die Tragweite zu begreifen.

»Du meinst, Adrian Karlsson hat absichtlich ein Loch in seine Weste geschnitten, damit es so aussieht, als ob der Stofffetzen von ihm stammt?«

»So in etwa.«

»Warum sollte er das tun?«

»Das genau ist meine Frage«, sagte der Kriminaltechniker. »Warum sollte er das tun?«

Thomas ging die Treppe hinunter in das Stockwerk, in dem die Ordnungspolizei saß.

Irgendetwas stimmte nicht, genau wie Nilsson gesagt hatte. Warum sollte Karlsson seine eigene Weste zerschneiden?

Thomas ging zu Jens Sturup, der den Einsatz auf Sandhamn am Mittsommerwochenende geleitet hatte. Die Tür zu seinem Büro stand einen Spalt offen, und Thomas trat ein. Sturup saß an seinem Schreibtisch über einem aufgeschlagenen Aktenordner. Vor ihm stand ein blauer Kaffeebecher mit der Aufschrift »Ordnung muss sein«.

»Hallo«, grüßte Thomas. »Ich suche Adrian Karlsson. Weißt du zufällig, wo er steckt?«

Sturup sah auf die Uhr.

»Ich glaube, er hat heute Spätschicht, die fängt um fünfzehn Uhr an. Worum geht's denn?«

»Ich habe ein paar Fragen wegen des ermordeten Jungen auf Sandhamn. Könntest du ihm sagen, dass er in mein Büro kommen möchte, wenn er auftaucht?«

»Mach ich«, erwiderte Sturup und wandte sich wieder seinem Bildschirm zu. Aber Thomas blieb in der Tür stehen.

»Hättest du mal eine Minute?«, fragte er.

Sturup blickte auf.
»Ich nehme an, die Streifen auf Sandhamn waren zu zweit unterwegs? Es sind wohl nur die Kollegen von der Fahndung, die allein arbeiten?«
»Im Prinzip schon«, sagte der Gruppenchef.
»Was heißt das?«
»In der Regel ist das so, aber es gibt Ausnahmen. Wenn es relativ ruhig ist, oder wenn zum Beispiel jemand auf die Toilette muss, kann es sein, dass sie auch eine Einzelrunde gehen.«
»Es kann also vorgekommen sein, dass auch mal einer der Kollegen ohne Partner unterwegs war?«
»Ja, durchaus möglich.«
Wilma hatte erzählt, dass sie einen einzelnen Polizisten gesehen hatte. In einer gelben Neonweste.
Hätte Adrian Karlsson sich den Riss in seiner Weste am Tatort geholt, hätte er das einfach nur melden müssen und die Sache wäre aus der Welt gewesen. Offenbar hatte er jedoch eine andere Vorgehensweise gewählt.
Bei einer Mordermittlung waren die Abweichungen interessant, das, was das Muster durchbrach. War es jetzt durchbrochen?
»Kennst du ihn eigentlich gut?«, fragte Thomas gedehnt. »Karlsson, meine ich? Wir sind uns am Sonntag nur ganz kurz begegnet.«
»Eigentlich schon«, erwiderte Sturup. »Wir arbeiten seit ein paar Jahren zusammen. Er war voriges Jahr auch bei dem Mittsommereinsatz dabei.«
»Wie ist er so, als Mensch?«
Sturup schlug den Ordner zu.
»Ordentlich, ehrlich, ziemlich ruhig. Ein netter Kerl und ein guter Polizist.«
»Wie alt?«
»Vierunddreißig, glaube ich, vielleicht fünfunddreißig.«
»Familienverhältnisse?«
»Lebt mit seiner Freundin zusammen, ein Kind. Im Herbst kommt wohl noch eins.«
»Sag mal ...« Thomas suchte nach den richtigen Worten, er wollte es nicht dramatisch machen. »Weißt du zufällig, ob er jemals einen Akteneintrag bekommen hat? Wegen irgendwelcher Unkorrektheiten?«

»Wieso?«
»Nur so eine Idee.«
Jens Sturup schob die Brille auf die Stirn.
»Jetzt mal raus mit der Sprache, worum geht's dir eigentlich? Du fragst das alles doch nicht ohne Grund.«
Thomas zögerte, dann beschloss er, den Ball flach zu halten.
»Ach, es ist sicher nichts, ich bin nur über etwas gestolpert, das ich ein bisschen merkwürdig finde. Das klärt sich bestimmt auf, wenn ich ihn danach frage.«
Er drehte sich um.
»Aber vergiss nicht, ihm auszurichten, dass er sich bei mir melden möchte«, sagte er noch, bevor er den Raum verließ.

»Der gewünschte Teilnehmer ist zur Zeit nicht erreichbar.«
Thomas drückte die automatische Ansage weg, behielt das Telefon aber in der Hand. Mattias Wassberg musste wohl noch auf dem Meer sein.
Ein Geräusch an der Tür ließ ihn aufblicken. Adrian Karlsson in Dienstuniform betrat sein Zimmer.
»Du wolltest mich sprechen?«, sagte er. »Worum geht's?«
»Setz dich doch.«
Thomas legte das Telefon weg, er würde später noch einmal versuchen, Wassberg zu erreichen.
»Mein Dienst fängt in ein paar Minuten an«, sagte Karlsson. »Dauert es länger?«
Er warf einen vielsagenden Blick auf seine Armbanduhr, setzte sich dann aber auf den Stuhl gegenüber von Thomas.
»Ich denke nicht, ich möchte nur kurz etwas abklären«, sagte Thomas und beschloss, direkt zur Sache zu kommen. »Es geht um die Reflektorweste, die du gestern abgeliefert hast. Sie ist kaputt, und wie es aussieht, hast du ein kleines Stück Stoff herausgeschnitten. Warum hast du das getan?«
»Wie bitte? Wovon redest du?«
Adrian Karlsson klang verwundert, und Thomas musterte den Kollegen forschend.
»Deine Reflektorweste ist beschädigt, und offenbar ist die Beschädigung absichtlich herbeigeführt worden. Ich frage mich, aus welchem Grund.«

»Sie war heil, als ich sie abgegeben habe«, erwiderte Karlsson. »Das kann ich beschwören.«

Thomas versuchte, den Blick von Margit auf sich zu ziehen, die mit etwa zehn Kollegen zusammen im Pausenraum saß. Karin Ek hatte Geburtstag und gab eine Runde Kaffee und Kuchen aus.

Als Margit ihn bemerkte, stellte sie ihren Teller ab und entschuldigte sich. Thomas ging ein paar Schritte in den Flur hinein, damit die Kollegen nichts von der Unterhaltung hörten.

»Adrian Karlsson?«, sagte Margit sofort, als sie bei ihm ankam.

»Ich habe gerade mit ihm gesprochen.«

»Und?«

»Er schwört, dass seine Weste unbeschädigt war, als er sie abgegeben hat.«

»Was?«

»Ich habe ihn direkt gefragt, und er hat direkt geantwortet.«

Thomas lehnte sich gegen die Wand.

»Karlsson bestreitet, dass er die Weste irgendwie beschädigt hat. Ich habe versucht, ihn unter Druck zu setzen, und da wurde er ungehalten, geradezu feindselig. Er vermutet, dass ihn jemand reinlegen will.«

»Das ist ja komisch«, sagte Margit. »Die Weste ist kaputt, und Nilsson ist sich sicher, dass sie manipuliert wurde.«

»Es gibt nur zwei Personen, die Zugang zu der Weste hatten, bevor sie bei Nilsson angekommen ist.«

»Wenn Adrian sagt, dass er es nicht war, bleibt nur noch Harry.«

»Genau das macht mir Sorgen.«

Aus dem Pausenraum drang eine Lachsalve, wahrscheinlich unterhielt Erik die Gesellschaft. Er war ein witziger Redner.

»Mir gefällt nicht, welche Wendung die Sache nimmt«, sagte Margit leise. »Schon gar nicht, wenn es einen aus unserer Truppe betrifft. Könnte es die falsche Weste sein? Kann man das Namensschild austauschen, ohne dass es auffällt?«

»Nilsson würde das sofort sehen.«

»Wir haben keine Zeit, uns um interne Schlamperei zu kümmern.«

Wieder tönte Gelächter von der Kaffeetafel herüber.

»Wir müssen herausfinden, was mit der Weste passiert ist«, sagte Margit.

»Ich rede mit Harry.«

»Er ist nicht beim Geburtstagskaffee. Ich habe ihn eigentlich den ganzen Nachmittag noch nicht gesehen.«

Kapitel 87

Nach dem Abendessen saß Johan Ekengreen mit einem Glas Rotwein allein auf der Terrasse.

Sie hatten thailändisch gegessen, Gerichte, die er aus einem der Restaurants in der City geholt hatte. Madeleine hatte die meiste Zeit in ihrem Essen herumgestochert, aber immerhin hatte sie eine Kleinigkeit gegessen. Ellinor und Nicole auch.

Nicole war am Nachmittag angekommen, und sie versuchte, so gut es ging zu helfen. Vor allem kümmerte sie sich um Ellinor, und dafür war Johan seiner ältesten Tochter dankbar.

Pontus hatte Probleme gehabt, ein Ticket zu bekommen, aber inzwischen war auch er unterwegs. Die Maschine sollte spätabends landen, er würde gegen Mitternacht zu Hause eintreffen.

Wenn das hier vorbei war, wollte Johan auf ihre Insel hinausfahren. Allein. Dort konnte er sich seiner Trauer hingeben.

Immer wieder ging er in Gedanken den gestrigen Abend durch. Aus irgendeinem Grund beruhigte ihn das. Jedes Mal kam er zu dem Schluss, dass die Sache perfekt organisiert war, es gab keine losen Fäden. Jetzt stand nur noch die Bestätigung aus, dass die Zahlung erfolgt war.

Das neue Handy mit der Prepaidkarte piepste in seiner Tasche, er zog es hervor und erhob sich vom Stuhl. Mit dem Telefon in der Hand ging er hinunter auf den schön angelegten Rasen.

Die Landeskennziffer auf dem Display sagte ihm, dass das Gespräch aus der Türkei kam.

»My friend«, sagte die wohlbekannte Stimme in gebrochenem Englisch. »The payment has gone through exactly as you wished. The bank has faxed its confirmation. Everything has been taken care of.«

»I understand.«

Johan setzte sich auf eine der schmiedeeisernen Bänke. Ein paar Rostflecken hatten die schwarze Oberfläche zerfressen; die Bänke mussten jeden dritten Sommer neu gestrichen werden, und dieses Jahr war es wieder so weit.

»I am in your debt«, sagte er leise.

»This is what old friends do for each other. I am happy to help you. You know that.«

»Thank you.«

Johan legte auf.

Vor ihm glitzerte die Abendsonne auf dem Wasser. Am Steg lag die Delta 42, die sie benutzten, um zu ihrem Sommerhaus zu fahren.

Was war das für ein glücklicher Tag gewesen, als er das Boot vor fast genau einem Jahr von der Werft abgeholt hatte. Victor hatte ihn begleitet, und auf der Rückfahrt nach Lidingö hatten sie sich im Cockpit abgewechselt und ordentlich Gas gegeben. Johan hatte noch das Bild vor Augen, wie Victor hinter dem Steuer stand und seine blonden Haare im Fahrtwind flatterten.

Gedankenverloren starrte er auf die schwarze Metallhülle des Mobiltelefons. Dann wählte er konzentriert eine Nummer, zehn Ziffern, die er am Vorabend auf einem Zettel bekommen und sich eingeprägt hatte, bevor er das Lokal verließ.

Er erkannte die Stimme wieder, die sich nach drei Rufsignalen in barschem Ton meldete.

»Das Geld ist auf dem Konto«, sagte Johan, ohne seinen Namen zu nennen. »Wie gestern Abend vereinbart.«

Er legte auf und erhob sich. Mit langsamen Schritten ging er den Kiesweg hinunter zum Wasser und betrat den Bootssteg. Die Holzplanken unter seinen Schuhsohlen federten leicht. Er ging zum äußeren Liegeplatz, wo die Delta 42 vertäut war. An einer kleineren Boje, zwischen Motorboot und Strand, lag Victors Wasserscooter, wie üblich nur nachlässig festgemacht, die Enden der Leinen im Wasser.

Johan spürte einen Druck auf der Brust, als er es sah. Das war typisch Victor, so einen schlampigen Knoten zu machen, der aufgehen würde, wenn ein bisschen Wind aufkam. Er bückte sich und befestigte die Leine ordentlich. Dann richtete er sich auf und ging ans Ende des Stegs.

Er holte aus und warf das Handy ins Meer, so weit hinaus, wie er irgend konnte. Da draußen war es zwanzig Meter tief, das Telefon würde unmöglich jemals wiederzufinden sein.

Es versank mit einem leisen Platscher, gerade als zwei Schwäne mit hoch erhobenen Köpfen vorbeiglitten. Ihr weißes Federkleid spiegelte sich im stillen Wasser. Ein flaumiges Schwanenküken mit dünnem Hals paddelte hinterher.

Mit brennenden Augen betrachtete er die schönen Vögel. Zorn und Kummer lagen wie ein Klumpen in seiner Brust. Es gab keine Tränen, die seinen Schmerz lindern konnten.

Noch nicht.

Kapitel 88

Thomas rieb sich die Augen. Seit Stunden saß er in seinem Büro und ging die Akten durch.

Hoffentlich meldete Nilsson sich bald. Und hoffentlich hatte die vorläufige Untersuchung von Tobbes Kleidern etwas ergeben.

Es war viel zu warm im Zimmer, im Sommer konnte man die Klimaanlage wirklich vergessen.

Frustriert stand er auf und reckte die Arme, sein Rücken war verspannt und er bewegte den Kopf, um die Nackenmuskulatur zu dehnen.

Als er sich umdrehte, stand Margit im Raum.

»Was gibt's?«, fragte er.

»Ich habe mit Mattias Wassbergs Mutter gesprochen«, berichtete Margit. »Sie sagt, dass er auf Utö bei einem Freund ist, der dort ein Sommerhaus hat.«

»Utö«, echote Thomas. »Das ist nördlich von Nynäshamn. Vorhin war er noch vor Gotland.«

Es war jetzt kurz vor halb acht Uhr abends. Zeit, langsam Feierabend zu machen.

»Was hältst du davon, wenn ich morgen früh nach Utö fahre«, sagte er. »Ich will so schnell wie möglich mit ihm reden.«

Er dachte an Adrian Karlssons Gesichtsausdruck, als er ihn auf die beschädigte Weste angesprochen hatte. Wie Karlsson bestritten hatte, irgendetwas damit zu tun zu haben.

»Ich will wissen, wie dieser Polizist ausgesehen hat, von dem Wilma erzählte«, fügte er hinzu. »Vielleicht kann Mattias ihn besser beschreiben.«

Er ging wieder hinter den Schreibtisch und setzte sich.

»Hast du auch mit Mattias' Schwester gesprochen?«, fragte er.

»Sie ist in einem Reitcamp an der Westküste, aber ihre Mutter versucht, sie zu erreichen.«

»Was ist mit den anderen Namen, die Wilma erwähnt hat? Da waren noch mindestens vier andere in der Clique.«

»Kalle und Erik sind noch dran. Aber jetzt sind Sommerferien, da dauert es eine Weile, bis man die Leute erreicht.«

»Eigentlich muss jemand aus dieser Clique Victor und Felicia bemerkt haben«, sagte Thomas. »Sie können nicht mehr als vierhundert Meter entfernt gewesen sein.«

Margit zuckte die Schultern und machte Anstalten zu gehen, blieb aber an der Tür stehen.

»Hast du Harry erreicht?«

»Nein. Er geht nicht ans Telefon.«

»Meinst du, er ist krank? Er sah ganz elend aus heute Morgen.«

»In dem Fall hätte er sich abmelden müssen.«

Thomas griff zum Telefon und wählte Harry Anjous Mobilnummer. Wieder sprang die Mailbox an.

»Merkwürdig, das ist jetzt das vierte Mal, dass ich anrufe.«

Thomas griff nach seiner Jacke, die über dem Stuhlrücken hing.

»Weißt du was, ich fahre jetzt bei ihm zu Hause vorbei.«

Margit nickte.

»Soll ich mitkommen?«

»Nicht nötig.«

Harry Anjou wohnte in einem Apartment nicht weit vom Älta Centrum, ein paar Kilometer von der Polizeistation entfernt. Die Fahrt würde nicht länger als eine Viertelstunde dauern. Gerade als Thomas den Verkehrskreisel vor der Autobahnauffahrt erreichte, klingelte das Telefon. Wie das Display verriet, war es Staffan Nilsson.

Endlich.

Nilsson kam gleich zur Sache. Er wirkte aufgeregt.

»Ich habe was entdeckt.«

Tobbes Kleider, dachte Thomas sofort. Er hat was gefunden.

»Schieß los«, sagte Thomas und fuhr nach einem schnellen Blick in den Seitenspiegel auf die Autobahn.

»In unseren Unterlagen steht, dass achtundzwanzig Polizisten am Wochenende Ordnungsdienst auf Sandhamn hatten. Das steht auf unserer Liste.«

Thomas horchte auf. Worauf wollte er hinaus?

»Das wird wohl stimmen. Ich habe das nicht so genau nachgerechnet«, erwiderte er.

»Aber als ich die Westen gezählt habe, bin ich nur auf siebenundzwanzig gekommen. Eine fehlt. Nach allem, worüber wir gesprochen haben, muss ich sagen, das gefällt mir nicht.«

Thomas ahnte plötzlich nichts Gutes.

»Weißt du, wer seine Weste nicht abgeliefert hat?«, fragte er.

»Ja. Harry Anjou.«

Kapitel 89

Ein Dutzend identische Mietshäuser reihten sich vor Thomas auf. Anjou wohnte im ersten Stock des dritten Hauses. Thomas parkte den Wagen an der Einfahrt und schloss ihn mit einem Klick auf die Fernbedienung ab.

Auf dem Weg zur Haustür ging ihm durch den Kopf, wie wenig er von seinem neuen Kollegen wusste. Wer war Harry Anjou eigentlich? Sie hatten kaum ein paar persönliche Worte gewechselt, seit sie sich vor ein paar Tagen auf Sandhamn zum ersten Mal begegnet waren.

Die Eingangstür war mit einem Code gesichert, aber gerade, als Thomas überlegte, wie er ins Haus kommen sollte, wurde die Tür von innen geöffnet und ein Mann in den Dreißigern kam heraus.

Mit schnellen Schritten ging Thomas die Treppe in den ersten Stock hinauf. An einer der Türen war mit Klebestreifen ein handgeschriebener Zettel über dem Namensschild befestigt: *Harry Anjou.*

Thomas drückte den Klingelknopf. Er konnte deutlich hören, wie das Signal durch die Wohnung hallte.

Nach dem dritten Klingeln wurde das Schloss entriegelt. Die Klinke wurde heruntergedrückt, und dann erschien Anjous Gesicht in der Türöffnung. Er sah alles andere als munter aus.

Thomas wollte gerade fragen, wie es Anjou ging, als ihm eine Alkoholfahne entgegenschlug. Er konnte es kaum glauben.

»Du sitzt zu Hause und säufst?«

Anjou öffnete die Tür ein bisschen weiter. Er sah mitgenommen aus und war unrasiert, der dunkle Bartschatten war noch ausgeprägter als sonst.

»Warum gehst du nicht ans Telefon?«, fragte Thomas. »Ich habe den ganzen Tag versucht, dich zu erreichen. Wir stecken knietief in einer Ermittlung, falls du das vergessen haben solltest.«

»Komm rein«, sagte Anjou und drehte sich um.

Ohne auf Thomas zu warten, ging er voraus in eine helle Küche mit schwarz-weißem Korkbelag auf dem Fußboden und einem runden Tisch mit einigen Stühlen in der Mitte.

Auf der Spüle stand eine halb volle Flasche Smirnov.

»Was soll das werden?«, fragte Thomas und deutete auf die Flasche.

Anjou zog einen Stuhl hervor und zeigte auf einen zweiten.

»Setz dich«, sagte er und seufzte resigniert. »Ich habe was ganz Dummes gemacht.«

»Sieht ganz danach aus.«

Anjou war stehen geblieben, er wirkte unschlüssig. Dann drehte er sich plötzlich um, öffnete einen Schrank und nahm ein Glas heraus, das er zu einem Drittel mit Wodka füllte.

Thomas beobachtete ihn wortlos. Der Schnaps machte die Sache nicht besser, aber es war sinnlos, ihm Vorhaltungen zu machen.

»Harry«, sagte er mahnend. »Du hast deine Reflektorweste nicht abgegeben. Karlssons Weste ist beschädigt, aber er behauptet steif und fest, dass sie heil war, als er sie dir gegeben hat. Was ist da los?«

Als Anjou das Glas absetzte, waren nur noch wenige Tropfen darin. Er stellte es auf die Spüle und sah Thomas mit unergründlichem Gesichtsausdruck an.

»Die Westen«, sagte er mit einem bitteren Auflachen. »Du hattest mich gebeten, die Westen einzusammeln.«

»Ja.«

»Ich habe Panik gekriegt.«

Er verstummte und strich sich über die Haare, die flach auf der feuchten Stirn lagen.

»Der Stofffetzen stammt also aus deiner Weste?«, fragte Thomas.

Harry Anjou nickte verbissen.

»Nilsson hätte sofort gesehen, dass meine Weste kaputt ist.«

»Du hast also ein Loch in Adrian Karlssons Weste gerissen, damit es so aussieht, als ob das Stoffstück aus seiner stammt?«

Anjous düsterer Blick war Antwort genug.

»Und warum?«

»Das war idiotisch.« Anjou schüttelte den Kopf. »Aber ich wollte die Sache einfach aus der Welt haben. Karlsson war als Erster am Fundort, er konnte sehr wohl an einem Ast hängen geblieben sein und sich die Weste aufgerissen haben. Keiner hätte mehr einen Gedanken daran verschwendet.«

Thomas begriff, wie die Dinge lagen.

Alle hatten geglaubt, Harry Anjou sei erst am Tatort gewesen, nachdem Nilssons Spurensicherung abgeschlossen war; er hatte sich ja im

Wohnwagen der Polizei befunden, als die Kriminaltechniker den Tatort untersuchten. Es konnte eigentlich keine natürliche Erklärung dafür geben, dass sich an Victor Ekengreens Leiche Stofffasern von Anjous Weste befanden.

»Harry«, sagte er bekümmert. »Was ist an dem Abend vorgefallen? Warum lag ein Stück Stoff von deiner Weste neben Victors Leiche? Was hast du getan?«

Harry Anjou

Harry Anjou hätte sich nie vorgestellt, wie anstrengend der Einsatz auf Sandhamn werden sollte. Am Abend des Mittsommertages begann er zu bereuen, dass er sich freiwillig für den Wochenenddienst gemeldet hatte.

Zu dem Zeitpunkt war er seit über vierundzwanzig Stunden ununterbrochen im Einsatz und hatte kaum Zeit zum Essen oder Schlafen gefunden. Ständig gab es etwas, das seine Aufmerksamkeit erforderte, und gegen neun Uhr abends war er todmüde.

Jens Sturup löste ihn im Wohnwagen ab und übernahm die Koordination. Anjou nutzte die Gelegenheit, eine Runde zu drehen. Nach mehreren Stunden vor dem Computer hatte er das dringende Bedürfnis, sich zu bewegen, und er beschloss, nach Skärkarlshamn zu gehen, um dem Trubel im Hafen für eine Weile zu entkommen.

Normalerweise gingen sie zu zweit, aber da er so lange Innendienst gemacht hatte, war kein Kollege da, um mit ihm Streife zu gehen. Das machte nichts, es war ganz schön, mal eine Weile allein zu sein.

Er schritt ordentlich aus und kam am Dansberget und an den Tennisplätzen vorbei. Kurz darauf hatte er den Weg nach Trouville erreicht, und wenig später kam er an den Pfad, der hinunter nach Skärkarlshamn führte. Er war voller Kiefernnadeln und knorriger Wurzeln. Anjou folgte ihm durch den Wald bis zum Strand, wo er an einem Lattenzaun endete.

Etwas bewegte sich ein Stück weiter vorn; an einer großen Erle nahe der Wasserkante sah er einen jungen Mann, der deutlich schwankte. Als Anjou näher kam, bemerkte er ein Mädchen, das reglos am Boden lag. War sie ohnmächtig?

Der Junge war vielleicht siebzehn oder achtzehn, groß und kräftig mit blondem Haar. Er konnte sich kaum auf den Beinen halten und war offensichtlich stark betrunken.

Jetzt wäre es gut gewesen, einen Kollegen dabeizuhaben, aber es blieb keine Zeit, um Verstärkung zu rufen. Anjou lief auf die beiden zu, er wollte nachsehen, ob dem Mädchen etwas passiert war. Sein Gefühl sagte ihm, dass hier etwas nicht stimmte.

Er blieb ein paar Meter vor dem Halbstarken stehen, der eine Schnapsflasche in der Hand hielt. Die Haltung des Jungen war feindselig, geradezu aggressiv.

Später sollte er erfahren, dass dieser Junge Victor Ekengreen war.

»Was ist hier los?«, fragte Anjou und nickte zu dem reglosen Mädchen im Sand.

Sie lag auf dem Rücken und hatte nicht reagiert, als er kam. Das Einzige, was sie am Leib hatte, war ein dünnes Shirt und ein kurzer Rock, der die Schenkel hochgerutscht war.

War das ein Übergriff, hatte der Kerl vorgehabt, das Mädchen zu vergewaltigen? Harry schwirrte der Kopf, er merkte, wie der Adrenalinpegel in seinem Blut stieg.

Victor antwortete nicht, und Anjou ging ein paar Schritte näher. Jetzt trennten sie nur noch wenige Meter.

»Was geht hier vor?«, sagte er in schärferem Ton. »Was ist mit dem Mädchen? Hast du ihr was getan?«

Das Funkgerät steckte in seinem Gürtel, sollte er nicht doch die Kollegen informieren?

Es war offensichtlich, dass Victor Mühe hatte, den Blick zu fokussieren. Seine Pupillen waren geweitet, er atmete schnell und flach. Seine Nasenflügel zuckten, die Nasenlöcher waren gerötet und wund.

Der hat mehr intus als nur Alkohol, dachte Anjou. Der ist high.

Er griff nach seinem Schlagstock. Drogen machten Menschen unberechenbar, das wusste er aus Erfahrung. Was hatte der Junge genommen?

»Verpiss dich, Scheißbulle«, brüllte Victor und hob die Faust. »Misch dich da nicht ein.«

Obwohl Anjou müde und erschöpft war, schaffte er es, sich zu beherrschen.

»Schön ruhig bleiben«, sagte er. »Was ist hier passiert?«

Er hoffte, dass vielleicht andere Polizisten in der Nähe waren. Aber dies schien ein abgelegenes Strandstück zu sein, und der Baum schützte vor Einblicken.

Ohne Vorwarnung griff Victor an.

Er warf sich mit seinem ganzen Gewicht auf Anjou und schlug wild mit den Armen um sich. Anjou war auf den Angriff nicht vorbereitet.

Er taumelte und wich einen Schritt zurück. Sie waren ungefähr gleich groß, aber Victor hatte ihn überrumpelt.

Der Junge war erstaunlich stark, und Anjou hatte Mühe, sich zu wehren. Aber gerade als Victor ihn fast zu Boden gerungen hatte, schaffte Anjou es, ihm mit der Faust kräftig auf die Brust zu schlagen.

Victor verlor das Gleichgewicht.

Hinter ihm, für Anjou nicht sichtbar, ragte ein Felsen aus dem Sand. Im Fallen machte Victor eine halbe Drehung und knallte mit der Schläfe auf den Stein.

Es knirschte.

Ohne einen Laut von sich zu geben, sackte Victor in sich zusammen und rollte auf die Seite, die Augen geschlossen.

Anjou starrte auf den bewusstlosen Teenager, von dessen Stirn Blut lief.

Verdammt.

Er begriff sofort, was passieren würde, wenn man ihn entdeckte. Nervös blickte er sich um, aber es war niemand zu sehen. Das Mädchen im Sand war immer noch völlig weggetreten, sie würde ihn nicht identifizieren können.

Ohne recht zu wissen, was er tun sollte, kniete Anjou sich neben Victor hin und untersuchte dessen Verletzung. Aus der Nähe sah sie nicht besonders schlimm aus, es war offenbar nur eine Platzwunde.

Victor atmete ohne Probleme.

»Das ist sicher nicht so schlimm«, murmelte Anjou vor sich hin. »Der ist nur bewusstlos. Der wacht bald wieder auf.«

Wieder suchte er mit schnellem Blick die Umgebung ab, konnte aber immer noch niemanden entdecken.

Plötzlich ertönte vom anderen Ende des Strandes fernes Gelächter, und erneut befiel ihn die Angst, entdeckt zu werden.

Harry Anjou erhob sich rasch und lief mit gesenktem Kopf denselben Weg zurück, den er gekommen war.

Kapitel 90

»Er hat gelebt, als ich wegging«, sagte Harry Anjou. »Das musst du mir glauben, Thomas. Ich hätte ihn nie da zurückgelassen, wenn ich den Eindruck gehabt hätte, dass er ernsthaft verletzt war.«

Er griff nach der Flasche und goss sich mehr Wodka ein.

»Er hat mich angegriffen, nicht umgekehrt. Es war reines Pech, dass er auf diesen Stein gefallen ist. Ich habe nur versucht, mich zu schützen.«

»Du bist also einfach abgehauen?« Thomas gab sich keine Mühe, seine Abscheu zu verbergen. »Victor hätte schwer verletzt sein können. Felicia auch.«

Draußen versteckte sich die Sonne hinter Wolken, es wurde schummrig im Raum, und in dem schwachen Licht traten die dunklen Ringe unter Anjous Augen deutlich hervor.

»Warum hast du das nicht früher gesagt?«, fragte Thomas. »Das sieht verdammt übel für dich aus, das ist dir ja wohl klar. Was du getan hast, ist schon schlimm genug, aber du hast auch noch wichtige Informationen unterschlagen und die Ermittlung behindert.«

Der Wodka schwappte, als Anjou das Glas auf den Tisch stellte. Die Abdrücke seiner schweißnassen Finger waren deutlich zu sehen.

»Oben in Ånge sind ein paar Sachen gewesen«, sagte er und setzte sich. »Das war der Grund, warum ich mich nach Nacka beworben hatte.«

»Was für Sachen?«

»Ich bin ein paarmal angezeigt worden.«

Er unterbrach sich, hustete.

»Die erste Anzeige ist schon lange her, sie war auch völlig grundlos, von irgend so einem Junkie, der nicht alle Tassen im Schrank hatte. Aber vor ungefähr einem Jahr ist etwas passiert, das war schlimmer.«

»Was war das?«

»Ich habe die Kontrolle verloren.«

Seine Stimme wurde leiser, gepresster. Thomas merkte, dass Anjou das Erlebnis immer noch zu schaffen machte.

»Ein paar Halbstarke hatten einen Kollegen mit Steinen beworfen, sodass er auf einem Auge fast blind geworden wäre. Ich habe sie am nächsten Tag in der Stadt wiedererkannt und bin total ausgerastet. Das war zu der Zeit, als meine Freundin und ich uns gerade getrennt hatten, ich schlief schlecht und trank auch zu viel. Die Sache lief völlig aus dem Ruder. Ich bin viel zu hart gegen die Jugendlichen vorgegangen, besonders gegen den einen. Er ging erst in die neunte Klasse, war aber groß und kräftig. Wenn ich gewusst hätte, dass er noch so jung war, hätte ich mich vielleicht besser beherrscht.«

»Er hat dich angezeigt?«

»Ja, natürlich.«

»Und dann?«

»Es gab eine interne Untersuchung. Mein Kollege sprang mir bei und sagte aus, er habe kein Fehlverhalten meinerseits gesehen, der Junge müsse ausgerutscht und gefallen sein. Ich wurde aus Mangel an Beweisen freigesprochen.«

Er massierte sich die Schläfe, und Thomas ahnte die Bitterkeit hinter dieser Geste.

»Aber danach wollte keiner mehr mit mir zusammen Dienst machen. Nicht mal die Gewerkschaft hat sich für mich eingesetzt.«

»Und das steht natürlich in deiner Personalakte«, sagte Thomas.

»Ja«, sagte Anjou. »Wenn sich rumgesprochen hätte, dass ich schon mal einen Jugendlichen krankenhausreif geschlagen habe …«

Thomas war klar, was er meinte. Noch ein Disziplinarverfahren wegen Körperverletzung im Amt würde das Ende für Anjous Polizistenlaufbahn bedeuten.

»Ich bin kein schlechter Polizist«, sagte Anjou gepresst. »Es gibt bei der Truppe viel Schlimmere als mich, das weißt du.«

Seine Augen flehten.

»Gib mir eine Chance, die Sache in Ordnung zu bringen. Du musst es ja nicht melden. Du könntest einfach sagen, dass ich krank war, als du mich besucht hast, und deshalb nicht ans Telefon gegangen bin. Die anderen brauchen die Wahrheit ja nicht zu erfahren. Victor Ekengreen ist tot, was spielt es für eine Rolle, dass wir uns geprügelt haben? Viel wichtiger ist doch, dass wir Beweise finden, um Hökström zur Strecke zu bringen.«

Er packte Thomas am Arm.

»Wenn du mich jetzt nicht im Stich lässt, werde ich Tag und Nacht für die Ermittlung arbeiten, das schwöre ich dir.«

Thomas zog seinen Arm zurück.

Die erste Verletzung war eine Fleischwunde gewesen, dachte er. Das hatte der Rechtsmediziner gesagt. Die Schläge waren es, die Victor getötet hatten.

Wie passte Tobbe ins Bild? Sagte Harry die Wahrheit, wenn er behauptete, dass Victor nur bewusstlos gewesen war, als er sich aus dem Staub machte? Oder war das auch gelogen?

»Du hast Adrian Karlssons Weste manipuliert«, sagte Thomas. »Du hast versucht, einem Kollegen etwas anzuhängen.«

Harry Anjous Blick flackerte.

»Das war dumm von mir, eine Panikhandlung. Aber ich dachte, dass sowieso keiner ernsthaft glaubt, Adrian könnte etwas mit der Sache zu tun haben. Ich wollte Zeit gewinnen, bis der wirkliche Täter feststeht.«

»Deine Theorie, dass Victor mit einem Dealer in Streit geraten ist, war das auch so eine Idee von dir, um von einem eventuellen Verdacht gegen dich abzulenken?«

Anjou nickte beschämt.

Thomas sträubten sich die Nackenhaare. Er hielt es nicht länger aus, mit Anjou in einem Raum zu sein. Er schob den Stuhl zurück und stand auf.

»Was ich getan habe, wirkt sich doch gar nicht auf die Ermittlung aus«, beharrte Anjou eigensinnig.

Er stand auf und versperrte Thomas den Weg.

»Ich habe Victor Ekengreen nicht umgebracht. Das war sein Kumpel, der Rothaarige. Tobias Hökström war da, das hat er selbst zugegeben. Er muss nach mir dort hingekommen sein. Victor war schon wie von Sinnen, als ich ihm begegnet bin. Alle wissen, dass dieser Hökström es getan hat.«

Der aggressive Ausdruck in Anjous Augen wich einem Flehen.

»Mensch, Thomas, wir sind doch Kollegen.«

Thomas schob Anjou beiseite und ging zur Tür.

»Tut mir leid«, sagte er. »Ich muss das melden. Alles.«

Als er die Klinke herunterdrückte, drehte er sich noch einmal um und sah seinen Kollegen an.

»Was hast du dir nur dabei gedacht?«

Kapitel 91

Thomas hatte das Gespräch mit dem Alten gerade beendet, als das Telefon wieder klingelte. An der Nummer sah er, dass es eine Polizeidienststelle war. Aber die Internermittlung konnte wohl kaum so schnell sein?

Er nahm das Gespräch an.

»Landin hier. Bist du noch im Haus?«

»Nein, ich sitze im Auto.«

»Dann machen wir das am Telefon«, sagte Landin. »Das geht auch. Mir ist etwas zu Ohren gekommen, was deine Ermittlung betrifft.«

»Aha?«

»Wir haben seit einer ganzen Weile einen Kerl im Visier, der zur Jugo-Mafia gehört. Der Typ hat seine Finger überall drin, Rauschgift, Schutzgelderpressung, Auftragsmord. Die Reichskripo ist an ihm dran.«

»Wie heißt er?«

»Wolfgang Ivkovac.«

Thomas bremste ab. Die Abendsonne stand immer noch hoch am Himmel und blendete ihn.

»Die Sache ist die, dass er gestern Abend Besuch von einer Person hatte, an der du interessiert bist«, fuhr Landin fort.

»Ich höre.«

»Johan Ekengreen, Vater des getöteten Teenagers, hat Ivkovac in einem Lokal im Zentrum von Huddinge getroffen. Er kam gegen zweiundzwanzig Uhr und saß ungefähr zwanzig Minuten lang an seinem Tisch.«

»Ekengreen«, sagte Thomas. »Was wollte der da?«

»Genau das fragen wir uns auch. Wir haben nichts gegen ihn vorliegen, ich habe in allen Registern nachgesehen. Es gibt keine Berührungspunkte zwischen ihm und Ivkovac.«

»Glaubst du, er spielt Privatdetektiv?«, fragte Thomas.

»Das weiß ich nicht. Aber ich dachte, ich sage dir besser Bescheid.«

»Könnte es sein, dass er Ivkovac vorwirft, seinen Sohn mit Drogen versorgt zu haben? Dass er sich an ihm rächen will?«

»Das wäre eine Katastrophe. Ich glaube nicht, dass Ekengreen eine Ahnung hat, um was für ein Kaliber es sich bei Ivkovac handelt.«

»Weißt du, worüber sie gesprochen haben?«

»Keine Ahnung, unsere Jungs konnten nichts hören, aber sie haben ihn erkannt.«

Thomas war fast zu Hause, er hielt an der letzten roten Ampel vor seiner Straße.

»Was hat er nach dem Treffen gemacht?«, fragte er.

»Weiß ich nicht. Unsere Männer beschatten Ivkovac. Sie haben nur gesehen, dass Ekengreen in Richtung Bahnhof verschwunden ist.«

Stille trat ein.

»Die Typen sind gefährlich«, sagte Landin nach einer Weile. »Mit denen ist nicht zu spaßen. Ekengreen spielt mit seinem Leben, falls er versucht, Ivkovac zur Strecke zu bringen. Du solltest ein Auge auf ihn haben.«

Thomas bedankte sich und legte das Handy auf den Beifahrersitz. Die Ampel wurde grün, und er gab Gas. Zu seiner Überraschung fand er direkt vor seinem Haus einen Parkplatz. Als er den Motor abstellte, merkte er, wie müde er war.

Anjous Geständnis hatte ihn erschüttert, nie im Leben hätte er gedacht, dass es so schlimm stand. Sein Versuch, Karlsson anzuschwärzen, war widerlich. Auf Anjou warteten jetzt eine Anklage und die Entlassung aus dem Polizeidienst.

Landins Worte gingen ihm ebenfalls nicht aus dem Kopf. Was hatte Victors Vater vor? Die Familie hatte doch schon genug Kummer, eine private Vendetta gegen die Drogenmafia war das Letzte, was sie gebrauchen konnten.

Sollte er versuchen, Johan Ekengreen ins Gewissen zu reden?

Wenn, dann erst nach der Beerdigung. Morgen konnte er ihn kaum stören.

Tobbe lag lang ausgestreckt auf dem Bett und starrte an die Decke. Das Rollo war heruntergezogen, im Zimmer war es schummrig. Er hatte den ganzen Abend noch nichts gegessen, aber er konnte sich nicht aufraffen, in die Küche zu gehen und sich etwas Essbares zu suchen.

Jedes Mal, wenn das Telefon klingelte, rechnete er damit, dass es die Polizei war, die ihn abholen wollte. Es konnte nur eine Frage der Zeit sein.

Heimlich hatte er eine kleine Tasche gepackt, mit Zahnbürste, einem Pullover und ein paar Unterhosen zum Wechseln, um bereit zu sein, wenn sie kamen. Sie stand weit hinten unter seinem Bett, damit seine Mutter sie nicht fand und sich aufregte.

Tobbe schluchzte auf. Wenn sie zu Mittsommer nicht nach Sandhamn gefahren wären, wenn sie die Finger von den Drogen gelassen hätten, wenn er ein bisschen früher zum Strand gegangen wäre ...

Es war sinnlos, das alles war nicht mehr zu ändern. Trotzdem konnte er das Grübeln nicht lassen. Immer wieder zogen die Bilder an seinen Augen vorbei.

Was hatte er getan?

An der Schranktür, auf einem schwarzen Plastikbügel, hing der schwarze Anzug, den er morgen zur Beerdigung tragen würde. Er hatte ihn vor ein paar Wochen von Arthur bekommen, zum Frühlingsball der Neunten. Der Anzug ließ ihn älter aussehen, so als ginge er schon aufs Gymnasium. Er war sich verdammt elegant vorgekommen.

Wie bedeutungslos das doch jetzt war.

Seine Mutter hatte ein weißes Oberhemd gebügelt und es neben den Anzug gehängt. Er würde mit ihr und Christoffer zusammen zur Kirche fahren, um zwölf wollten sie los, damit sie nicht so hetzen mussten.

Arthur würde auch kommen, aber Tobbe wollte nicht mit ihm und Eva fahren. Irgendwie fühlte es sich richtiger an, bei Mama und Christoffer zu sein.

Würden die Leute ihn anstarren und denken: Da geht der Mörder?

Hatte es schon die Runde gemacht, dass die Polizei ihn verdächtigte? Wussten alle Bescheid über die Hausdurchsuchung?

Er kauerte sich auf der zerknüllten Bettdecke zusammen.

Unmöglich, nicht an den Sarg zu denken, mit Victor unter dem schweren Deckel. Wie konnte er darin liegen, so ganz allein im Dunkeln?

Der Kloß in seinem Hals wuchs. Er hatte Kopfschmerzen.

Das Verlangen nach Kokain war verschwunden. Niemals wieder, das hatte er sich geschworen. Weder Alkohol noch Drogen. Alles war seine Schuld. Er war es gewesen, der Victor dazu gebracht hatte, damit anzufangen.

Er hatte den Schnee zum ersten Mal bei einem Kumpel von Christoffer gekauft, das war kurz vor den Herbstferien gewesen. Sie hatten zu Hause bei Victor gesessen und gechillt. Tobbe hatte das Tütchen hervorgezogen und es Victor gezeigt. Als er den Inhalt auf einen Taschenspiegel schüttete, türmte sich feines weißes Pulver zu einem kleinen Häufchen.

Sie hatten schon oft Gras geraucht, aber das hier war etwas Neues.

Tobbe erinnerte sich, wie er ein kleines Taschenmesser aufgeklappt und das Pulver zusammengekratzt hatte. Dann hatte er sich über den Spiegel gebeugt und einmal kurz eingeatmet.

Es war der heftigste Flash, den er je erlebt hatte. Victor hatte die weißen Krümel angestarrt.

»Wenn mein Alter jemals was davon erfährt, bringt er mich um«, hatte er gesagt.

Tobbe erinnerte sich an seine eigene Antwort wie aus einer anderen Welt.

»So what?«, hatte er gesagt und unbekümmert gegrinst. »Das Zeug ist so geil, Mann. Das musst du probieren. Du kannst jetzt nicht kneifen.«

Donnerstag

Kapitel 92

Thomas hatte Margit am Morgen abgeholt. Das Boot nach Utö ging um halb neun von Årsta Havsbad.

Mattias Wassberg war vielleicht ein Augenzeuge. Wenn es Harry Anjou gewesen war, den Wilma an jenem Abend flüchtig gesehen hatte, dann hatte Wassberg möglicherweise gesehen, was anschließend passierte, ob jemand später zum Tatort gekommen war.

Der Zeitpunkt stimmte genau.

Anjou war bereits vom Dienst suspendiert und unter Hausarrest gestellt worden, die internen Ermittler hatten nicht lange gefackelt.

Von Weitem sah Thomas eine weiße Fähre, die auf den Kai zusteuerte. Auch diese Strecke wurde von Waxholmsbolaget bedient, und sie hätten ebenso gut auf dem Weg nach Sandhamn sein können. Dieselbe Art von Fähre, dieselbe Art von Leuten in der Warteschlange. Thomas und Margit warteten hinter einer jungen Familie mit Kinderwagen und ein paar deutschen Touristen mit Fahrrädern.

Während der Autofahrt hatte Thomas seinen Besuch bei Harry Anjou geschildert.

»Und wenn er lügt?«, sagte Margit auf einmal, während sie auf dem Kai standen.

Die Sonne schien, aber der Morgentau lag noch in der Luft.

»Was?«

»Überleg doch mal. Was, wenn Harry lügt?«

Sie nieste kräftig.

»Vielleicht stimmt es, dass Victor zuerst gestolpert und hingefallen ist«, fuhr sie fort, nachdem sie sich die Nase geputzt hatte, »aber wer sagt denn, dass es nicht Harry war, der ihn anschließend erschlagen hat, um nicht aufzufliegen? Vielleicht tun wir Tobbe unrecht, wenn wir ihn verdächtigen?«

»Das werden wir möglicherweise heute herausfinden«, antwortete Thomas. Er setzte alle Hoffnung auf Mattias Wassberg.

»Wollen Sie noch mit?«, rief der Matrose an der Gangway.

Während sie sich unterhielten, waren die anderen Passagiere bereits an Bord gegangen.

»Ja, warten Sie, wir kommen«, rief Thomas und setzte sich eilig in Bewegung.

Die Fahrt nach Utö dauerte eine knappe Stunde. Früher einmal hatte es nichts als Eisenerzgruben auf der Insel gegeben, aber im neunzehnten Jahrhundert hatte ein reicher Geschäftsmann jeden Stock und jeden Stein aufgekauft und Utö in ein Sommerparadies für Künstler und wohlhabende Stockholmer verwandelt.

In vielerlei Hinsicht erinnerte die Insel an Sandhamn, dachte Thomas, aber Utö war grüner, nicht so karg bewachsen wie die Inseln im äußeren Schärengarten. Außerdem war Utö viel größer, dort gab es Autoverkehr und Asphaltstraßen.

Sie sollten an der Anlegestelle Gruvbyn aussteigen, hatte Frau Wassberg gesagt; dort sei das Haus von Mattias' Freunden.

Thomas sah auf die Uhr, fast halb zehn. Im selben Augenblick teilte eine Lautsprecherdurchsage mit, dass man gleich in Gruvbyn anlegen und danach zur Anlegestelle Spränga weiterfahren werde.

Thomas und Margit gingen an Land und betraten den breiten Kai, der von roten Hütten mit schwarzen Dächern gesäumt wurde. Zu beiden Seiten des Betonpiers drängten sich die Freizeitboote. Ein falunrotes Gebäude gegenüber trug ein großes Schild, auf dem weiße Buchstaben verkündeten, dass sie den »Utö Gästhamn« erreicht hatten.

Direkt geradeaus befand sich eine T-Kreuzung, von der aus ein sehr steiler Hügel zum Utö Värdshus führte.

»Hast du die Wegbeschreibung?«, fragte Thomas.

Margit holte einen handgeschriebenen Zettel aus der Tasche.

»Schauen wir mal«, sagte sie. »Wir sollen den Weg nach rechts nehmen, vorbei an der Bäckerei. Dann steht da ein einzelnes Haus auf der linken Seite. Es kann nicht weit sein.«

Ein Stück entfernt entdeckte Thomas ein weiteres Schild mit der Aufschrift »Bageri« an einem Gebäude, das aussah wie eine große Scheune.

»Also dann, lass uns gehen.«

Das Haus lag so gut versteckt hinter einer hohen Fliederhecke, dass sie es fast übersehen hätten.

»Ist es das hier?«, fragte Margit skeptisch und musterte das weiße Holzhaus mit den grauen Eckpfeilern. »Das ist ja völlig zugewuchert.«

»Dann müssen wir wohl nachsehen«, erwiderte Thomas.

Er öffnete die Gartenpforte und ging den Kiesweg entlang zur Haustür. Eine Klingel gab es nicht, also klopfte er dreimal. Als sich nichts regte, klopfte er wieder, fester diesmal. Plötzlich ging im oberen Stock ein Fenster auf.

»Hallo?«, sagte eine verschlafene Stimme. Ein Mädchen mit zerzausten blonden Haaren steckte den Kopf heraus. »Was ist?«

»Wir suchen einen Mattias Wassberg«, rief Thomas hinauf.

»Der ist nicht hier, der ist bestimmt auf dem Boot«, sagte das Mädchen und zog das Fenster mit einem Knall wieder zu.

Thomas verzog das Gesicht und hämmerte gegen die Tür.

Das Fenster wurde aufgerissen.

»Er ist nicht hier, hab ich doch gesagt!«

»Wir sind von der Polizei«, rief Thomas. »Öffne bitte.«

Wenige Augenblicke später war zu hören, wie aufgeschlossen wurde. Die Haustür ging auf, und vor ihnen stand das blonde Mädchen in einem mintgrünen T-Shirt, das gerade eben einen weißen Slip bedeckte. Ihre Augen waren verquollen, und auf ihrem Gesicht sah man noch den Abdruck des Kopfkissens.

Anscheinend war hier gestern Abend ordentlich gefeiert worden.

»Ist was passiert?«, fragte das Mädchen und sah Thomas nervös an.

Margit stand inzwischen ebenfalls auf der Treppe.

»Keine Angst«, sagte sie. »Wir müssen Mattias nur ein paar Fragen stellen. Wo können wir ihn finden?«

»Ähh ...«

Das blonde Mädchen fuhr sich durch die Haare, während sie nachdachte.

»Das Boot liegt am Kai, unterhalb vom Kiosk.«

»Wie sieht es aus?«

»Es ist ein Segelboot.« Sie wurde unsicher. »Keine Ahnung, was für eins.«

»Kannst du es beschreiben?«

Erst schüttelte sie den Kopf, aber dann sagte sie:

»Doch, ja, unten ist es rot.«

»Na dann«, sagte Thomas. »Danke für deine Hilfe. Entschuldigung, dass wir dich geweckt haben.«

Er drehte sich um und ging zur Pforte.

Der Rückweg zum Freizeithafen dauerte knapp zehn Minuten. Als sie sich dem Kiosk näherten, blickte Thomas suchend den Kai entlang. Plötzlich bemerkte er eine Bewegung auf einem Boot, das mit dem Heck zum Kai lag, etwa hundert Meter voraus. Der Rumpf schimmerte in einem warmen Farbton, war er nicht sogar rötlich?

Ein junger Mann tauchte an Deck auf und sprang an Land. Hastig blickte er zu ihnen herüber, bevor er mit schnellen Schritten auf den Hügel zustrebte, der zum Hotel führte.

»Da, das muss er sein«, rief Thomas Margit zu.

Er setzte sich in Bewegung.

»Lauf doch nicht weg«, rief er dem Jungen hinterher und begann ebenfalls zu laufen. »Wir wollen nur mit dir reden.«

Thomas nahm die Abkürzung über den Rasen, vorbei an den Hütten. Wassberg hatte einen ordentlichen Vorsprung, und der Hügel war lang und steil. Nach wenigen Minuten war Thomas aus der Puste, lief aber trotzdem weiter, so schnell er konnte.

Als er die Hügelkuppe erreicht hatte, befand er sich vor dem weißen Hotel, an dessen Stirnseite sich der Weg gabelte.

Thomas zögerte. War Wassberg nach links oder nach rechts gelaufen?

Einige Hotelgäste saßen auf der Veranda beim Frühstück, einer von ihnen musste gesehen haben, was vor sich ging, denn er hob den Arm und zeigte in östliche Richtung.

»Er ist da lang«, rief er.

Thomas setzte sich wieder in Bewegung, gleichzeitig tauchte Margit an seiner Seite auf. Sie liefen noch ungefähr hundert Meter weiter, bis sie die Häuser hinter sich gelassen hatten und an eine hohe Absperrung kamen. Zu beiden Seiten des Weges befanden sich hinter der Absperrung große Teiche, deren Ufer von Felsen gesäumt wurden. Das waren die alten Erzgruben, die voll Wasser gelaufen waren.

Thomas blieb stehen und versuchte, durch den Zaun zu spähen. Seerosen bedeckten die Wasseroberfläche und dichtes Blattwerk versperrte die Sicht, sodass es schwer war, etwas zu erkennen.

»Wo ist er hin?«, fragte er Margit.

Sie blinzelte, um besser sehen zu können. Das Geräusch eines Steins, der ins Wasser fiel, durchbrach plötzlich die Stille.

Auf der anderen Seite bemerkte Thomas eine Bewegung auf den Felsen.

»Da!«, rief er und zeigte zum hinteren Ende des Teiches. »Er ist über den Zaun geklettert, er versucht, sich da drinnen zu verstecken!«

Kapitel 93

Der Zaun war mindestens zwei Meter hoch, Schilder warnten Unbefugte vor dem Betreten des Geländes. Der Stacheldraht oben auf der Absperrung glänzte gefährlich in der Sonne.

Thomas rannte an der Absperrung entlang und suchte nach einer Möglichkeit, hinüberzuklettern. Schließlich kam er an eine Stelle mit ein paar großen Steinen. Das konnte gehen, vom höchsten Stein aus würde er es wohl schaffen.

Er stieg auf den Felsbrocken und streckte sich nach der oberen Kante, während er gleichzeitig versuchte, dem Stacheldraht auszuweichen, so gut es ging.

Mit beiden Armen zog er sich hoch und sprang auf die andere Seite. Er blieb mit der Jeans hängen und riss sich eine Gesäßtasche ab, aber er landete unverletzt auf einem schmalen Pfad direkt hinter dem Zaun. Der war nur einen halben Meter breit, wenn er jetzt die Balance verlor, würde er in den Teich fallen.

So schnell, wie er es irgend riskieren konnte, folgte er Mattias Wassberg, der inzwischen offenbar gemerkt hatte, dass Thomas sich innerhalb der Absperrung befand. Wassberg hatte die Stelle verlassen, an der er gestanden und sich festgehalten hatte, und bewegte sich auf demselben schmalen Pfad am Zaun entlang. Jetzt trennten sie nur noch etwa zwanzig Meter.

»Mattias«, rief Thomas, so laut er konnte. »Halt, Polizei! Wir wollen nur mit dir reden!«

Ein Stück weiter vorn war der Zaun zu Ende. Es gab keinen Ausweg. Wassberg hielt einen Moment inne, sah über die Schulter zurück.

»Bleib stehen!«, rief Thomas wieder.

Er hatte ihn fast erreicht, als der Junge ins Wasser sprang. Für einen Moment versank er unter der Oberfläche, dann tauchte er wieder auf und begann, zur anderen Seite des Teiches zu schwimmen.

Margit, die ihnen draußen am Zaun gefolgt war, machte auf dem

Absatz kehrt und rannte zurück, um Wassberg den Weg abzuschneiden.

Thomas zögerte kurz, dann sprang er ebenfalls. Das Wasser war unerwartet kalt, aber er biss die Zähne zusammen und schwamm. Von der Straße aus hatte der Teich nicht besonders groß ausgesehen, aber jetzt zeigte sich, dass es ein richtiger See war. Er muss sehr tief sein, dachte Thomas und legte Kraft in seine Schwimmzüge, um den fliehenden Jungen einzuholen.

Mattias Wassberg hatte das andere Ufer fast erreicht, als Thomas dicht hinter ihm war.

»Halt an!«, rief er zum dritten Mal.

Wassberg ignorierte ihn, aber Thomas war der bessere Schwimmer. Nach zwei weiteren Schwimmzügen war er auf gleicher Höhe.

Er streckte einen Arm aus und packte den Jungen.

»Hörst du nicht, was ich sage!«, brüllte er ihn an. »Ich bin Polizist. Hab keine Angst!«

Wassberg geriet in Panik. Er schlug wild um sich und versuchte, Thomas abzuschütteln. Verzweifelt warf er sich auf ihn und versuchte, ihn unter Wasser zu drücken.

Ehe Thomas reagieren konnte, war Wassberg über ihm. Kaltes Wasser strömte ihm in die Nase, während er versuchte, sich aus der Umklammerung des Jungen zu befreien. Plötzlich war Margit da, zog von der anderen Seite an Wassberg, und Thomas kam wieder an die Oberfläche.

Zusammen gelang es ihnen, den verzweifelt kämpfenden Mattias zu überwältigen und ihn festzuhalten. Halb schwimmend, halb ziehend bugsierten sie ihn zu einem Absatz in der schwarzen Felswand, an dem sie aus dem Wasser klettern konnten.

Keuchend und auf Knien löste Thomas ein paar Handschellen vom Gürtel. Er ließ sie um Wassbergs Handgelenke schnappen und sank erschöpft neben ihm zu Boden.

Mattias Wassberg atmete heftig, gab aber keinen Ton von sich.

Aus den Augenwinkeln sah Thomas, wie jemand ein Tor in der Absperrung öffnete. Ein uniformierter Wachmann tauchte vor ihnen auf.

»Was zum Donnerwetter machen Sie hier?«, rief der Wachmann empört. »Das ist gesperrtes Gelände! Können Sie nicht lesen?«

»Wir sind Polizisten«, keuchte Thomas und stand auf. »Wir haben gerade diesen Jungen hier festgenommen, wegen Widerstands gegen Vollstreckungsbeamte.«

Margit hatte sich auch aufgerappelt, ihre Kleidung war triefnass. Als sie den Arm hob und auf Wassberg zeigte, lief das Wasser aus ihrem Pullover.

»Sieh mal, Thomas«, sagte sie leise.

Zum ersten Mal sah Thomas den Jungen von vorn, und jetzt bemerkte er, dass dessen Gesicht voller Schrammen und Schürfwunden war. Verletzungen, die er sich unmöglich eben bei dem Handgemenge zugezogen haben konnte.

Um den Hals trug Mattias Wassberg ein Tuch, das sich gelöst hatte, und es war nicht zu übersehen, dass die Haut von kräftigen Blutergüssen übersät war. Sie mussten mindestens ein paar Tage alt sein, denn sie hatten sich bereits in diverse Blau- und Gelbtöne verfärbt.

Es konnte keinen Zweifel geben – vor nicht allzu langer Zeit hatte jemand versucht, Mattias Wassberg zu erwürgen.

Kapitel 94

Das Handy klingelte im selben Moment, als Nora vom Einkaufen kam und die Haustür der Brand'schen Villa öffnete. Sie sah sofort, dass es Henriks Nummer war.

Die Fahrräder von Adam und Simon waren beide weg, und das Haus war leer. Es war Mittagszeit, aber solange die Jungs nicht zurück waren, brauchte sie mit dem Kochen nicht anzufangen.

Mit dem Telefon in der Hand ging sie auf die Veranda und setzte sich, ehe sie das Gespräch annahm.

»Hallo.«

»Wie geht's euch da draußen?«, rief Henrik gut gelaunt. »Auf Sandhamn muss es heute herrlich sein.«

Sein überschwänglicher Tonfall traf sie völlig unerwartet.

»Uns geht es gut«, erwiderte sie lahm. »Das Wetter ist wieder sehr schön.«

»Ich würde jetzt viel lieber draußen im Schärengarten sitzen als hier vor meinen dunklen Röntgenplatten.«

»Ich hatte mir überlegt, ob wir vielleicht heute Nachmittag nach Alskär rausfahren und baden«, erwiderte Nora.

»Alskär ...«

Henrik sprach den Namen so genießerisch aus, dass Nora fast meinte, echte Sehnsucht herauszuhören.

»Da ist es wirklich herrlich«, sagte er.

Stille trat ein.

»Du«, sagte Henrik. »Ich habe mir wegen der Übernahme der Jungs am Freitag was überlegt.«

Wenn Henrik jetzt nur nicht anfing, die Sache kompliziert zu machen, das war das Letzte, was sie im Moment gebrauchen konnte. Zum ersten Mal seit langer Zeit war Nora nicht traurig gewesen, die Kinder für zwei Wochen los zu sein, vielmehr hatte sie sich darauf gefreut, Zeit für sich und Jonas zu haben. Aber jetzt wusste sie nicht mehr, woran sie war. Jonas hatte sich nicht gemeldet, und ihr widerstrebte es, nach drüben zu gehen und zu fragen, wie es weitergehen sollte.

Die Enttäuschung über die Entwicklung in den letzten Tagen meldete sich zurück.

»Und das wäre?«, fragte sie skeptisch.

»Wenn du willst, könnte ich nach Sandhamn kommen und die beiden abholen«, sagte Henrik. »Dann hast du nicht so viele Umstände damit.«

Damit hatte sie nun überhaupt nicht gerechnet.

»Was?«, rutschte es ihr heraus.

»Ich dachte, dann brauchst du nicht den ganzen Weg nach Saltsjöbaden mit den Jungs zu machen. Ich könnte stattdessen Freitagnachmittag mit der Fähre kommen und sie abholen.«

Ihr Misstrauen wollte sich nicht so schnell legen.

»Warum?«, fragte sie. »Warum solltest du das tun?«

»Weil ich nett bin, vielleicht?«

Er lachte laut ins Telefon, und sie erkannte den alten Henrik wieder. Den Henrik, in den sie sich verliebt hatte, als sie beide noch studierten, er Medizin und sie Jura. Zu der Zeit, als sie die Hände nicht voneinander lassen konnten.

»Ach komm«, sagte er. »Warum muss denn immer ein Hintergedanke dabei sein? So gemein bin ich doch wohl nicht.«

Nora musste unwillkürlich lächeln.

»Es wäre wirklich eine Erleichterung«, sagte sie in wärmerem Ton.

»Wir könnten vielleicht zusammen essen«, sagte Henrik. »Den Jungs würde das bestimmt gefallen. Wir könnten ins Värdshuset gehen, wenn du willst. Du magst doch den Fischtopf dort so gern.«

Nora wusste nicht, was sie davon halten sollte.

»Was sagt Marie denn dazu? Oder hattest du etwa vor, sie mitzubringen?«

Henriks Stimme wurde eine Idee kühler.

»Wir haben beschlossen, in diesem Sommer getrennt Urlaub zu machen«, sagte er. »Ich denke, es ist besser so. Wir brauchen mal eine kleine Pause.«

»Ach nee«, entschlüpfte es Nora.

Henrik schien ihre Überraschung nicht zu bemerken.

»Also, was sagst du? Sollen wir am Freitag im guten alten Värdshuset essen?«

»Meinetwegen gern.«

Immer noch verwundert ging Nora in die Küche und begann, die Einkaufstüten auszupacken.

Henrik hatte sich wirklich nett angehört, es war lange her, dass sie so zivilisiert miteinander gesprochen hatten. Die Jungs würden natürlich glücklich sein, wenn sie alle zusammen essen gingen, bevor sie ihre zwei Wochen bei Henrik antraten.

Durch das offene Fenster sah sie, wie die Tür zu ihrem alten Haus aufging. Jonas trat heraus auf die Treppe. Er wirkte erschöpft, seine Schultern hingen tief.

Er blieb ein paar Sekunden stehen, dann ging er auf Nora und die Brand'sche Villa zu.

Kapitel 95

Sie hatten einen Raum vom Utö Värdshus zur Verfügung gestellt bekommen, in dem prächtigen Gebäude, das »Gesellschaftshaus« genannt wurde und sich gegenüber vom Restaurant befand.

Thomas und Margit hatten es sich auf einem der Sofas bequem gemacht, die auf der großen Veranda standen. Das Hotel hatte ihnen trockene Kleidung aus dem Personalfundus geliehen, und ihre nassen Sachen waren in ein paar Plastiktüten verstaut.

Margit war so geistesgegenwärtig gewesen, ihr Handy am Ufer zurückzulassen, bevor sie ins Wasser sprang, aber Thomas' Mobiltelefon hatte endgültig den Dienst quittiert.

Vor ihnen glitzerte das Meer in der Vormittagssonne. Das Gesellschaftshaus stand auf dem höchsten Punkt der Insel und bot einen weiten Blick auf den Schärengarten. Die hohen Sprossenfenster zeigten nach Westen.

Es würde noch mehrere Stunden dauern, bis die Sonne die Veranda erreichte, aber die Verandatür stand bereits jetzt einen Spalt offen, um frische Luft hereinzulassen.

In einem Korbsessel mit dem Rücken zu den Verandafenstern saß Mattias Wassberg. Seine Haare waren immer noch feucht, und auch der Kragen seines geliehenen Pullovers war dunkel vor Nässe.

Nichts an ihm erinnerte mehr an den selbstsicheren Teenager vom Facebook-Profil. Er saß zusammengesunken da, den Rücken gekrümmt, und hatte seit dem misslungenen Fluchtversuch kaum ein Wort gesagt.

Im hellen Licht sah man erst richtig, wie übel er zugerichtet war.

Der Abdruck der Hand, die ein paar Tage zuvor Wassbergs Kehle mit hartem Griff gepackt hatte, war erschreckend deutlich. Daumen und Zeigefinger hatten große Druckstellen hinterlassen, die sich blau von der umgebenden Haut abhoben. An einer Wange prangte eine große Schürfwunde, und über die andere zogen sich ein paar tiefe Kratzspuren bis hinunter zum Kinn.

Um Margits Schultern lag ein weißes Frotteehandtuch mit dem

Schriftzug des Hotels. Sie rieb sich die Haare trocken und sagte: »Jetzt wollen wir wissen, was auf Sandhamn passiert ist.«

Mattias Wassberg sah Thomas und Margit mit dem Blick eines Menschen an, der resigniert hatte.

»Es war nicht meine Schuld«, sagte er.

Mattias

So eine blöde Kuh. Erst kotzte sie ihn voll, und dann haute sie auch noch ab.

Mattias betrachtete die Bescherung auf dem Fußboden. Er überlegte, ob er einfach darauf pfeifen und es seiner Oma überlassen sollte, sich darüber zu wundern, was hier wohl passiert war. Aber wahrscheinlich würde sie sich zusammenreimen, wer dahintersteckte. Sie hatte ihm selbst gezeigt, wo die Reserveschlüssel lagen, und er würde der Erste sein, auf den ihr Verdacht fiel, wenn sie zurück auf die Insel kam.

Also lief es auf einen Kompromiss hinaus.

Er nahm ein Handtuch vom Haken und wischte den Schweinkram auf, so gut es ging. Das Handtuch konnte er nachher im Wald wegwerfen, sie würde es sicher nicht vermissen.

Stumm verfluchte er Wilma.

Was für eine Bitch. Den ganzen Abend lang hatte sie ihn angemacht und sich angeboten wie eine Nutte. Und im letzten Moment zog sie zurück.

Als er fertig war, roch es in der Hütte immer noch nach Kotze, aber auf dem Fußboden war wenigstens fast alles weg.

Vor dem Fenster waren aufgeregte Stimmen zu hören. Jemand schrie.

Mattias spähte hinaus. Es war inzwischen dunkler geworden, aber das Licht reichte noch, um etwas erkennen zu können. Ein Rücken verschwand hastig aus seinem Sichtfeld, es sah aus wie jemand in Polizeiuniform.

An diesem Wochenende wimmelte es hier von Polizisten, er hatte noch nie so viele Bullen auf der Insel gesehen.

Mit dem ekligen Handtuch in der Hand ging er nach draußen und schloss die Tür hinter sich ab. Schnell legte er den Schlüssel an seinen Platz zurück, damit niemand merkte, dass er hier gewesen war.

Als er sich umdrehte, stand etwa zehn Meter weiter ein blonder Typ in seinem Alter und schrie etwas in seine Richtung. Er stand neben einem Felsen und hielt sich den Kopf.

Mattias stieg über den Zaun und ging näher.

»Meinst du mich?«, fragte er verwundert. Er kannte den Typen nicht.

Der Blonde blinzelte. Als er die Hand vom Kopf nahm, sah Mattias, dass Blut von der Schläfe rann.

»Du elender Scheißbulle«, schrie der andere plötzlich und rannte auf Mattias zu. »Dir werd ich's zeigen!«

»Spinnst du?«, konnte Mattias gerade noch sagen, als der Kerl auch schon über ihm war.

Mattias war nicht so groß wie er, der Blonde war mindestens einen halben Kopf größer. Er fiel zu Boden, während der Unbekannte auf ihn einschlug.

Mit einem Wutschrei packte er Mattias' Kopf und rammte ihn auf den Boden. Mattias sah Sterne.

Plötzlich spürte er die Hände um seinen Hals.

»Ich mach dich fertig«, brüllte der Typ.

Ein harter Druck auf der Kehle schnürte ihm die Luft ab. Mattias versuchte, die Finger des Angreifers aufzubiegen. In seinem Kopf drehte sich alles. Ich bin kein Bulle, versuchte er hervorzustoßen, du verwechselst mich. Aber er bekam keine Luft und brachte keinen Laut heraus. Der Griff wurde fester.

Der ist durchgeknallt, konnte Mattias gerade noch denken, als es vor seinen Augen anfing zu flimmern.

Er bekam einen Arm frei und kratzte über den Boden auf der Suche nach etwas, womit er sich verteidigen konnte. Ich sterbe, dachte er im selben Moment, als seine Fingerspitzen an etwas Hartes stießen.

Ein Stein.

Irgendwie bekam er den Stein zu fassen und schlug dem Typen damit auf den Kopf.

Der Griff lockerte sich etwas, aber noch hielt er seinen Hals umklammert.

Mattias schlug wieder zu, und dann noch einmal. Endlich fielen die Hände von seinem Hals ab, und Mattias konnte den Angreifer wegschieben. Kraftlos rollte er sich auf die Seite und versuchte, Luft zu bekommen. Es rasselte in seinem Hals, wenn er atmete. Seine Kehle war wund und die Zunge trocken und geschwollen, er konnte kaum schlucken.

Nach einer ganzen Weile drehte er den Kopf.

Der Blonde lag auf dem Rücken, mit erstarrten Augen. Mattias begriff, dass er immer noch den Stein in der Hand hielt. Er war blutüberströmt.

Oh Gott, der Typ war tot. Was hatte er getan?

Er begann am ganzen Körper zu zittern und ließ den Stein fallen, als hätte er sich daran verbrannt.

Unendlich viel Zeit verstrich, ehe er sich auf alle viere hievte. Als er aufstand, drehte sich alles in seinem Kopf, er war kurz davor, das Bewusstsein zu verlieren.

Da entdeckte er ein Mädchen, das ein Stück entfernt auf der Erde lag. Sie wirkte völlig weggetreten, vielleicht war sie ohnmächtig. Jetzt hörte er auch die entfernten Stimmen seiner eigenen Clique, die immer noch weiter hinten am Strand um das Lagerfeuer herum saß. Gelächter drang schwach an sein Ohr.

Was sollte er jetzt tun? Was, wenn die Polizei zurückkam? Er wollte nicht in den Knast.

Wie im Traum packte er den Toten an den Armen und begann zu ziehen. Er war viel schwerer, als er erwartet hatte, aber es gelang ihm doch, ihn unter den großen Baum zu schleifen. Er riss eine Menge Pflanzen aus, die an der Stelle wuchsen, und bedeckte den Körper damit, so gut es ging. Als von der Leiche nichts mehr zu sehen war, kroch er zurück und holte den blutigen Stein. Mit aller Kraft schleuderte er ihn ins Meer. Der Stein versank mit einem leisen Platschen.

Das Mädchen hatte sich nicht bewegt. Niemand hatte ihn gesehen.

Mattias stolperte davon, hinein in den Wald.

Kapitel 96

Sie hatten sich in einer abgetrennten Ecke der Waxholmfähre niedergelassen, die ihnen das Personal angewiesen hatte. Thomas hatte Mattias Wassberg die Handschellen abgenommen. Seiner Einschätzung nach bestand kein größeres Risiko für einen weiteren Fluchtversuch.

Der Teenager war vollkommen in sich zusammengesackt. Jetzt saß er apathisch in einer Sofaecke.

Das Boot sollte gegen ein Uhr in Årsta anlegen. Von dort aus würden sie direkt zur Polizeistation Nacka fahren, wo Wassbergs Eltern und der Sozialdienst warteten.

»Willst du was trinken?«, fragte Margit.

Sie verschwand Richtung Cafeteria und kam kurz darauf mit zwei Bechern Kaffee und einer Dose Cola zurück. Die Cola stellte sie vor Wassberg ab, dann reichte sie Thomas einen Kaffeebecher.

»Irgendwie hatten wir die ganze Zeit recht«, sagte sie leise, damit Mattias es nicht hörte. »Es war ein Jugendlicher, der ihn getötet hat. Im Eifer des Gefechts. Eben nur nicht Victors bester Freund.«

Thomas probierte seinen Kaffee. Er hatte einen leichten Beigeschmack nach Plastik, aber er trank trotzdem. Er brauchte das Koffein.

Er wollte nach Harö, zu Pernilla und Elin.

»Ich hatte wirklich damit gerechnet, dass die kriminaltechnische Untersuchung uns genug Material liefert, um Tobbe zu verhaften«, sagte Margit nachdenklich.

Mit einem Schulterzucken führte sie den Becher zum Mund und pustete.

»Aber ich dachte mir schon, dass es ungefähr so abgelaufen ist, wie er es beschrieben hat.«

Sie nickte leicht in Wassbergs Richtung. Er hatte die Cola geöffnet, saß jedoch mit gesenktem Kopf da und starrte auf den Tisch, ohne von der Unterhaltung der Polizisten Notiz zu nehmen.

»Beim Tathergang lagen wir also richtig, nur nicht bei der Person«, sagte Margit und stellte den Becher ab. »Wir müssen Victors Angehörige informieren, dass der Täter identifiziert ist und gestanden hat.«

»Ach, übrigens«, sagte Thomas. »Ich habe noch gar nicht erzählt, dass Landin gestern Abend angerufen hat. Seine Fahnder beschatten eine Verbrecherbande, und dabei haben sie Victors Vater in Gesellschaft von einem der Anführer gesehen, Wolfgang Ivkovac.«

Margit fiel die Kinnlade herunter.

»Wie bitte?«

»Ekengreen hat sich mit ihm in einem Restaurant in Huddinge getroffen.«

»Warum das denn?«

»Das wusste Landin nicht, aber er befürchtet, dass Ekengreen die Absicht hat, sich zu rächen. Ivkovac ist dick im Drogengeschäft, vielleicht will Ekengreen ihn hochgehen lassen. Ich habe vor, nach der Beerdigung mit ihm darüber zu reden.«

Etwas regte sich in Thomas' Hinterkopf.

Was hatte Harry Anjou noch gesagt?

Alle wissen, dass es der Rothaarige getan hat.

Die meisten Indizien hatten auf Tobias Hökström hingedeutet. Tatsächlich hatten Margit und er geglaubt, dass der Junge schuldig war. Thomas selbst hatte es Ekengreen gegenüber indirekt bestätigt.

Hatten sie schon wieder einen Fehler begangen ...?

Margit trank den letzten Rest aus ihrem Becher und sah auf die Uhr, ohne zu ahnen, was Thomas gerade durch den Kopf ging.

»Ich schlage vor, dass wir nach der Beerdigung bei Ekengreens vorbeifahren. Die Trauerfeier müsste wohl gleich anfangen, oder?«

Thomas brach der Schweiß aus, als ihm klar wurde, wie die Dinge lagen. Ekengreen hatte Ivkovac nicht aufgesucht, um ihm zu drohen. Er hatte ihn aufgesucht, um einen Mord bei ihm in Auftrag zu geben. Landin hatte ja erzählt, dass Ivkovac alles Mögliche machte, von Drogenhandel bis Auftragsmord.

Johan Ekengreen wollte den Jugoslawen nicht hochgehen lassen, er wollte Rache für seinen Sohn. Und die Rache zielte auf denjenigen, den alle für den Mörder hielten.

»Ich brauche dein Handy«, sagte er zu Margit. »Wir müssen Johan Ekengreen erreichen, jetzt sofort. Er muss erfahren, wer der Täter war.«

Margit starrte ihn an.
»Jetzt? Die Beerdigung fängt in fünf Minuten an. Du kannst ihn jetzt nicht stören.«
»Gib mir bitte dein Telefon, es ist wichtig.« Thomas erhob sich hastig. »Ich glaube, er hat einen Killer auf Tobias Hökström angesetzt.«

Kapitel 97

Ebba ging ein paar Schritte vor ihrer Mutter aus dem Parkhaus. Sie trug ein dunkelblaues Kleid und schwarze Pumps. Es fühlte sich seltsam an in der Sommerhitze, aber trotzdem passend.

Die Haare hatte sie im Nacken zu einem lockeren Knoten geschlungen, in der Hand hielt sie eine langstielige Rose.

Ebba war noch nie bei einem katholischen Begräbnis gewesen. Ihre Mutter hatte ihr erklärt, dass der Trauergottesdienst länger dauerte als in protestantischen Kirchen, mit anderen Zeremonien und Ritualen.

Als sie zu dem Platz kamen, an dem der prächtige Dom lag, hielt Ebba Ausschau nach Felicia, während ihre Augen gleichzeitig nach Tobbe suchten. Er musste hier sein.

Sie hatte ständig an ihn denken müssen, seit sie vorgestern Nacht seine Mitteilung auf ihrer Facebookseite gesehen hatte.

»Verzeih mir«, stand da. Sonst nichts.

Was bedeutete das?

Sie hätte ihn am liebsten angerufen, um ihn zu fragen, aber sie hatte sich nicht getraut. Zu ihm zu gehen, war ganz ausgeschlossen. Vielleicht war es wieder so eine Suffgeschichte. Etwas, das ihm am nächsten Tag leidgetan hatte. Wenn er wirklich etwas von ihr wollte, musste er sich wieder melden.

Also unternahm sie nichts. Lieber weiterhin hoffen, als ihre Befürchtungen bestätigt zu sehen.

Aber sie konnte es nicht lassen, die Menge abzusuchen, während sie vor dem Kirchenportal bei den übrigen Trauergästen stand, die sich gedämpft unterhielten.

Alle waren gekommen. Fast die ganze neunte Klasse, und auch viele aus der Parallelklasse. Der Rektor war da, und Victors Lehrer waren vollzählig erschienen.

Ihre Mutter grüßte ein paar Bekannte und blieb stehen, um ein paar Worte zu wechseln.

Ebba entdeckte Felicia. Sie stand ein wenig abseits unter einer großen Eiche mit mächtigem Stamm, zusammen mit ihren Eltern.

Ihre Augen waren bereits vom Weinen geschwollen, und sie knüllte ein weißes Taschentuch in den Händen. Sie trug eine schwarze Bluse, die ein bisschen zu groß war, und einen dunklen, knielangen Rock.

Ebba merkte, wie ihr die Tränen in die Augen stiegen, als sie Felicia umarmte. Lange standen sie eng umschlungen da.

»Ebba«, sagte ihre Mutter und berührte sie am Arm. »Wir müssen jetzt reingehen.«

Sie umarmte Felicia und nickte Jochen und Jeanette Grimstad zu.

»Kommst du?«, sagte sie zu Ebba.

Sie gingen zum Eingang der großen Backsteinkirche. Drinnen war es dämmerig, und Ebba musste ein paarmal blinzeln, um sich nach dem hellen Sonnenlicht an die Dunkelheit zu gewöhnen. Als sie den Mittelgang halb geschafft hatten, entdeckte sie Tobbes Rotschopf.

Er saß in einer Bank auf der linken Seite, ganz am Rand, neben seiner Mutter und Christoffer. Er rührte sich nicht, aber als sie an ihm vorbeiging, drehte er den Kopf und begegnete ihrem Blick.

»Ebba.«

Ohne zu überlegen, schlüpfte sie an seine Seite. Ihre Mutter, die dicht hinter ihr gegangen war, schien einen Moment verwirrt, ging aber dann ein paar Schritte weiter und setzte sich in die Bank vor ihnen.

Tobbe war noch magerer als sonst. Seine Augen waren eingesunken und tieftraurig.

»Wie geht es dir?«, fragte sie leise.

»Nicht so gut.«

Sie beugte den Kopf zu ihm, sodass ihre Schläfen sich berührten.

»Warum hast du das auf Facebook geschrieben?«

Er blickte zu Boden.

»Das war ehrlich gemeint«, flüsterte er. »Ich war so bescheuert. Verzeih mir. Es tut mir wahnsinnig leid.«

Ebbas Finger suchten nach seinen. Vorsichtig ließ sie ihre Fingerspitzen über die sommersprossige Haut wandern. Dann schloss sich ihre Hand um seine. Tobbes Handfläche war ein wenig feucht, sie drückte sie fest.

»Die Polizei glaubt, ich war es«, sagte er mit Tränen in der Stimme.

»Schh.«

Tobbe sank ein wenig zusammen und lehnte den Kopf an ihre Schläfe.

»Ich liebe dich«, sagte er.

Die Worte kamen von ganz allein.

Sie berührte seine Wange mit ihren Lippen. Ein leises Flüstern.

»Ich dich auch.«

Die Orgel begann leise zu spielen. Ebba erkannte die melancholische Melodie, konnte aber nicht sagen, was es war. Sie drückte Tobbes Hand an ihren Mund.

Der Pastor sprach den letzten Segen. Madeleine weinte verzweifelt neben Johan.

Er nahm ihre Hand und drückte sie. Es war das erste Mal seit der Todesnachricht, dass er sie aus freiem Willen anfasste.

Die Gewissheit kam ganz von selbst. Wir werden das gemeinsam überstehen.

Vor dem Altar stand Victors Sarg, umgeben von Kränzen in warmen Sommerfarben. Ein großes Porträtfoto stand auf einem schmalen Tisch neben dem Sarg, und in einem silbernen Kerzenständer neben dem Rahmen brannte eine flackernde Kerze.

Auf dem Foto lachte Victor braun gebrannt und unbeschwert in die Kamera, sein blondes Haar wehte im Wind. Es war an einem schönen Julitag aufgenommen worden, draußen vor ihrem Sommerhaus.

Johan spürte, wie etwas von ihm abfiel.

Sein Sohn war tot. Nichts auf der Welt konnte daran etwas ändern.

Als er den Kopf drehte, sah er aus den Augenwinkeln Tobbes Rotschopf. Seltsamerweise empfand er keinen Zorn. Sie trauerten gemeinsam um Victor, das begriff er jetzt. Sie waren keine Feinde.

Nichts wurde besser dadurch, dass er den Tod seines Sohnes rächte. Es musste eine Erklärung dafür geben, von der er nichts wusste. Tobbe war kein schlechter Junge.

»Was habe ich getan?«, murmelte Johan vor sich hin.

Er steckte die Hand in die Tasche und tastete nach seinem Mobiltelefon. Sobald die Beerdigung vorbei war, würde er Ivkovac anrufen und die ganze Aktion abblasen.

Ihm war, als erwachte er aus einem bösen Traum, als hätte in den vergangenen Tagen ein Fremder Besitz von ihm ergriffen und ihn dazu gebracht, Dinge zu tun, die gegen seine Natur waren. Jetzt war er wieder er selbst.

Es durfte nichts mehr passieren, das Schlimmste war bereits eingetreten.

Das war nicht mein wirkliches Ich, dachte Johan und flüsterte »Vergib mir«, ohne zu wissen, wen er eigentlich um Vergebung bat.

Die Trauer war ebenso groß wie bisher, aber doch auf eine andere Art.

Johans Augen füllten sich mit Tränen, er begrub das Gesicht in den Händen und weinte zusammen mit seiner Frau.

Kapitel 98

Tobbe hielt Ebbas Hand fest umklammert, als sie nach dem Gottesdienst hinaus in die Sonne traten. Er war ebenso ergriffen wie sie.

Es war eine Befreiung, an die frische Luft zu kommen.

»Gehst du mit auf den Trauerempfang?«, fragte Tobbe leise.

»Natürlich.« Ebba lächelte traurig. »Das tun doch wohl alle. Gehst du nicht?«

»Doch«, sagte er und sah sie an, ein wenig prüfend. »Mit dir ... wenn ich darf.«

Ebba drückte seine Hand. Mehr war nicht nötig.

Sie gingen zu der Eiche, unter der Ebba und Felicia vor dem Gottesdienst gestanden hatten.

»Ich hole mir nur was zu trinken«, sagte Tobbe und zeigte auf einen Kiosk direkt gegenüber auf der anderen Straßenseite. »Ich hab Durst. Willst du auch was?«

Ebba schüttelte den Kopf.

»Ich warte hier, ich muss meiner Mutter Bescheid sagen, dass wir zusammen zum Empfang gehen.«

Tobbe drehte sich um und wollte losgehen, hielt aber inne.

»Du ...«

»Ja?«

»Ach, nichts«, sagte er, rührte sich aber nicht.

Schüchtern streckte sie die Hand aus und strich ihm langsam über die Wange.

»Ich wollt nur sagen ... du siehst toll aus.«

»Du auch.«

»Ich bin gleich wieder da«, sagte er und ging.

Trotz ihrer Trauer spürte Ebba, wie ein Glücksgefühl in ihrem Bauch aufblühte. Sie lehnte sich an den Baumstamm und blickte ihm nach.

Ein paar Meter weiter strömten die Trauergäste aus der Kirche.

Victors Eltern standen auf der Treppe, Johan ein paar Stufen vor

Madeleine. Christoffer, Arthur und Eva waren schon mit Lena hinunter auf den Vorplatz gegangen.

Ebba beobachtete, wie Johan das Handy ans Ohr hob. Es musste wohl etwas Wichtiges sein, wenn er so kurz nach der Aussegnung einen Anruf annahm. Er schien konzentriert zu lauschen, dann hob er den Blick und starrte Tobbe hinterher, der auf die Straße zulief.

Die Fußgängerampel war rot, aber das kümmerte Tobbe nicht. Typisch für ihn.

Auf einmal heulte ein Motor auf.

Eben noch war die Straße vor der Kirche leer gewesen, nun plötzlich schoss ein schwarzes Auto aus dem Nichts heran.

Tobbe, der sich schon ein paar Meter auf der Straße befand, blieb stehen.

Ebba sah, wie Johan das Handy fallen ließ und losrannte. Es war zu laut um sie herum, sie konnte nicht hören, was er rief, aber er gestikulierte wild mit beiden Armen.

»Lauf, lauf«, schien er zu schreien.

Tobbe stand mitten auf dem Fußgängerüberweg, als verstünde er nicht, was los war.

Aber Ebba verstand es.

»Pass auf!«, wollte sie aus Leibeskräften schreien, aber sie bekam keinen Ton heraus.

Stattdessen stand sie wie gelähmt da, während das Auto mit Vollgas direkt auf Tobbe zuraste.

Zuerst starrte Tobbe ungläubig den Wagen an, der in einem irren Tempo auf ihn zukam, dann hob er die Arme vor den Kopf, wie um sich zu schützen.

Im selben Moment war Johan bei ihm. Mit aller Gewalt stieß er Tobbe weg.

Es gab einen Knall. Johan wurde durch die Luft geschleudert, während das Auto mit quietschenden Reifen davonjagte. Mit einem dumpfen Geräusch schlug er auf dem Asphalt auf. Tobbe lag im Rinnstein auf der Seite und rührte sich nicht.

Es war unwirklich still.

Ebba starrte geschockt die beiden Körper auf der Straße an. Aus Johans Mund floss ein wenig Blut.

Plötzlich fiel die Starre von ihr ab.

»Tobbe!«, schrie Ebba und rannte über den Rasen.

Stoßend und schiebend bahnte sie sich einen Weg durch die Menge. Von überallher strömten Leute herbei.

»Lasst mich durch!«

Endlich war sie bei Tobbe. Er blutete aus der Nase und hatte eine Schürfwunde auf der Wange.

Ebba fiel neben ihm auf die Knie.

»Bist du verletzt?«

»Ich glaube nicht.«

Er schüttelte benommen den Kopf und hob eine Hand, wie um zu sehen, ob sie noch funktionierte.

Ebba schlang ihre Arme um ihn.

»Ich dachte, du wärst tot.«

Aus der Ferne waren die Sirenen des Rettungswagens zu hören. Ein paar Meter neben Ebba und Tobbe bremste ein Polizeiwagen. Ein großer Mann sprang heraus, rannte zu Johan und kniete sich neben ihn.

Ebba erkannte in ihm den Polizisten wieder, der sie auf Sandhamn befragt hatte, Thomas Andreasson.

Plötzlich wurde es ganz still.

»Lebt er?«, hörte sie Thomas fragen.

Sie konnte nicht heraushören, wer antwortete.

»Ich weiß es nicht.«

Dank der Autorin

Die vorliegende Geschichte geht zurück auf das Mittsommerwochenende 2010. Durch ein Missverständnis war ich gezwungen, sehr spät in der Nacht durch den Hafen zu gehen. Es war deprimierend, überall torkelten betrunkene Jugendliche durch die Gegend, während die Polizei versuchte, der Situation Herr zu werden. Ich hatte selbst drei Kinder im Teenageralter und war entsetzt und betroffen.

Aus diesem Erlebnis heraus entstand *Beim ersten Schärenlicht*.

Ich habe mir einige künstlerische Freiheiten herausgenommen: Es gibt eine üppige Erle in Skärkarlshamn, aber keinen spitzen Felsen und auch keine grauen Häuser. Die Teiche in der alten Erzgrube auf Utö sind nicht ganz so groß, wie ich sie beschrieben habe, und es gibt keinen schmalen Steig hinter dem Zaun. Eine Pizzeria namens Salvatore's im Zentrum von Huddinge gibt es ebenso wenig wie eine alte Eiche vor dem katholischen Dom.

Für alle anderen Unrichtigkeiten übernehme ich die volle Verantwortung.

Sämtliche Personen sind frei erfunden, eventuelle Ähnlichkeiten mit lebenden Personen wären rein zufällig.

Viele freundliche Menschen haben mich bei meiner Arbeit an diesem Buch unterstützt. Ein großes Dankeschön möchte ich richten an:

Thomas Byrberg, stellvertretender Einsatzleiter auf Sandhamn, und Polizeimeisterin Lisa Hall, die ich während des Mittsommerwochenendes 2011 bei ihrer Arbeit begleiten durfte. Magnus Carmelid, Einsatzleiter auf Sandhamn und Möja 2011, hat mir ebenso geholfen wie Kriminalkommissar Lars Sandgren von der Drogenfahndung im Polizeidistrikt Nacka, der mich mit Fakten über Drogen und Drogenbekämpfung versorgt hat.

Polizeikommissar Rolf Hansson war mir eine sehr große Hilfe in allen Fragen rund um die Arbeit der Polizei.

Rechtsmedizinerin Petra Råsten Almqvist hat mich großzügig an ihrem rechtsmedizinischen Wissen teilhaben lassen, und Rechtsanwalt Johan Eriksson hat mir geholfen zu verstehen, wie Vernehmungen von Minderjährigen ablaufen. Therez Randqvist verdanke ich die Informationen über katholische Begräbnisse.

Mit Fredrik Klerfelt, Nachtclubchef auf Laroy, und Filip Börgesson, Gymnasiast auf der Norra Real, habe ich alle möglichen Aspekte des Teenagerlebens diskutiert. Meine Tochter Camilla, die 2011 Abitur gemacht hat, war eng in den Werdegang des Buches eingebunden und hat mir auch geholfen, die richtigen Ausdrücke zu finden, um den »Teenager-Jargon« zu illustrieren.

Verwandte, Freunde und Nachbarn auf Sandhamn, die verschiedene Versionen gelesen und/oder mit klugen Anmerkungen beigetragen haben, sind: Lisbeth Bergstedt, Anette Brifalk, Helen Duphorn, Per Lyrvall, Gunilla Pettersson sowie natürlich Camilla und Lennart Sten. Herzlichen Dank.

Meiner fantastischen Verlegerin Karin Linge Nordh und meinem ebenso fantastischen Lektor John Häggblom – der mich immer wieder anspornt und mir hilft, eine bessere Schriftstellerin zu werden – schulde ich ein riesengroßes Dankeschön, ebenso Sara Lindegren und allen anderen Mitarbeitern im Forum Verlag. Annika und Dennis von der Agentur Bindefeld, ihr seid ebenfalls spitze!

Dem Team der Nordin Agency, insbesondere Joakim Hansson, Anna Frankl, Lina Salazar und Anna Österholm, die meine Bücher in die Welt hinaustragen, möchte ich sagen: Ich schätze euer Engagement ganz außerordentlich!

Zu guter Letzt – ich habe es schon gesagt, kann es aber nicht oft genug wiederholen: Ohne meine Familie würde das alles nicht gehen. Lennart, Camilla, Alexander und Leo, danke dass es euch gibt. Ich liebe euch sehr.

Sandhamn, den 9. Mai 2012

Viveca Sten